金陵全書

甲編·方志類·專志

金陵梵刹志

（三）

（明）葛寅亮　撰

南京出版社
南京出版傳媒集團

圖書在版編目（CIP）數據

金陵梵刹志 /（明）葛寅亮撰. —南京：南京出版社，2013.7
（金陵全書）
ISBN 978-7-5533-0217-1

Ⅰ. ①金… Ⅱ. ①葛… Ⅲ. ①佛教—寺廟—史料—南京市 Ⅳ. ①B947.253.1

中國版本圖書館CIP數據核字（2013）第109354號

書　名　【金陵全書】（甲編·方志類·專志）
　　　　金陵梵刹志
編著者　（明）葛寅亮　撰
出版發行　南京出版傳媒集團
　　　　南　京　出　版　社
　　　　社址：南京市老虎橋18-1號　郵編：210018
　　　　網址：http://www.njcbs.com　淘寶網店：http://njpress.taobao.com
　　　　電子信箱：njcbs1988@163.com
　　　　聯系電話：025-83283871、83283864（營銷）　025-83283883（編務）

出版人　朱同芳
責任編輯　嚴行健　楊傳兵　劉芳源
裝幀設計　楊曉崗
責任印製　楊福彬

製　版　南京新華豐製版有限公司
印　刷　南京凱德印刷有限公司
開　本　889×1194毫米　1/16
印　張　119.25
版　次　2013年7月第1版
印　次　2013年7月第1次印刷
書　號　ISBN 978-7-5533-0217-1
定　價　3600.00元（全三册）

金陵梵剎志卷三十四

中剎 雨花臺高座寺 古剎

在都門外南城離聚寶門一里半所統報恩寺相望晉永嘉中名甘露寺西竺僧尸梨蜜據高座說法因名高座舊志僧號高座道人葬此元帝樹剎于塚因名又竺道生所居曰高座皆不可辨洪武中僧瑄重修燬於火弘治間僧照堂復加恢拓寺後即雨花臺梁雲光法師講經天雨寶花處游人籍地歲時不絕所領小剎曰安隱寺寶光寺均慶院月印菴

殿堂 山門叁楹 天王殿叁楹 左右鐘鼓樓貳座 法堂伍楹 羅漢廊

肆拾陸楹**藥師殿**伍楹**僧院**拾肆房**基址五十畝**東至官街南至安隱寺西至雨花臺北至永寧寺

禪院 **禪堂**叁楹**華嚴樓**叁楹**廚庫茶寮**肆楹

古蹟 **附** **中孚塔** **雲公松**金陵集載蔣頴叔和王和甫雨中登高座寺詩注云寺即雲光講經雨花之地有梁時誌公二印雲公手植郭祥正詩云至今手植松千丈騰虬龍俱不存

人物 **晉** **帛尸梨蜜**即高座道人不作漢語或問此意簡文曰以簡應對之煩有傳 **竺道生**見寺記 **梁** **寶誌**嘗主高座寺講席 **雲光**梁武帝時法師 **唐** **中孚**李白有詩贈之 **宋** **慧新**有誌畧 **明** **西域僧**有傳畧 **古谿**有誌畧 **附** **叅講樓**

覽 **晉** **王導** **卞壼**王司空嘗過尸梨蜜解帶盤礴卞將軍適至蜜肅然改容問其故曰王公風鑑期人卞令範度格物吾當以是應之

文 **高座寺記略** 宋徽猷閣直學士劉岑

考圖志此山得名於晉永嘉中名甘露寺尸黎蜜多羅爲王茂洪所敬故留竺二生法師繼號所居爲高座梁初寶公主之與五百年大士俱有雲光師坐山巔説妙法天花墜焉今號雨花臺則故唐盧給事中名褱字贊元者所命也寺易今名且百年矣故藏古今詩刻皆廢可攷者唐李翰林本朝吕侍講王中父三篇而已吾師遺言必求紀於耆艾捨公而誰宜余雖病勉強捉筆惟此父子能苦行白立於瓦礫場中作大佛事無毫髮擾可稱也哉乾道三年七月望徽猷閣直學士左朝散大夫吴興郡開國侯食邑一千户賜紫金魚袋致仕劉岑記并書

高座寺雨花臺記

宋沿江制置大使馬光祖

咸淳元年夏五月馬公光祖既新烏衣園或謂臺與園相頡頏亦不可以不治乃併撤而新之高廣視舊加倍繚以修垣旁建掖屋又累石數百級以便登陟作門通衢以嚴啟閉江山觀覽之勝爲金陵第一矣

雨花臺勝甲江南事詳郡乘余公餘一往則臺屹其崇萬象環集山川城郭江淮吞吐如拱如赴而顧瞻吾臺藩扳級甃反若歆然有不足當者乃度材更繕不兩月告成既成率賓佐落之余撫欄作而言曰嗟乎地以山川勝山川以人勝而人之所以勝者何哉今吾與二三子登斯臺也仰而觀行闕與如趙元鎮張德遠之所建請猶凜有生氣

俯而觀長江渺如韓蘄國虞雍公戰勝之跡尚可一二數也予以是而觀之其亦有槩於心否歟向皆如晉元奕輩把酒清譚脫落世事則雖茂弘新亭士行石城遺迹之丘墟久矣而況所謂雨花臺者然則吾與若從容無事相與遊於此也而可不知其所自耶知其所自則當監其所爲矣吾老矣何能爲惟聞誦北山移說東廬山故事則躍然有所契金盆石室諒不終寒我盟然前所謂元鎮諸賢之事其卒付之登臨一槩而已乎詩曰高山仰止景行行止又曰以似以續續古之人吾敢以是爲二三子勉二三子有不勉者耶乃相與離席而謝曰敢不勉因筆以爲之記

時咸淳改元八月望日觀文殿學士金紫光祿大夫沿江制置大使兼知建康軍府事兼管内勸農營田使兼江南東路安撫大使馬步軍都總管兼行宫留守節制和州無爲軍安慶府三郡屯田使兼權淮西總領金華郡開國公食邑四千一百戶食實封八百戶馬光祖記并書

重修高座寺紀略　明南鴻臚卿陳壽

帝城之南出儉二里許有精藍曰高座晋之古刹也永嘉中有尸梨蜜多羅自天竺來遊建康止於是每據高座説法時人因以是名寺焉洪武初瑄白石奉檄來住起廢其舊業後悉燬于火景泰癸酉禮部尚書晋陵胡公濙特薦

前香巖古溪澄公往主其席是時規模草具四方衆請之士接席而至卑隘不足以居古溪氣節簡遠厭於改作故終身不爲加飾其高弟繼席炬照堂嘗欲踪跡舊址募緣改作之成化丁未具疏以請會　先帝上賓遂寢既歸痛自奮策倡鳴宗教修習淨業道化所敷緇白嚮敬雲擁川會勢莫可禁於是合相時度地廣而更新之據中兩殿前曰藥師後曰淨業繙教相於東室顏曰天花演宗旨於西堂顏曰直指鐘皷有樓庖廩有廚澡浴有池經始於弘治戊申之臘月落成於丙辰之十月

（傳）帛尸梨蜜傳　高僧傳

帛尸梨蜜多羅此云吉友西域人時人呼爲高座傳云國王之子當承繼世而以國讓弟遂爲沙門晋永嘉中始到中國値亂仍過江止建初寺太尉庾元規光祿周伯仁太常謝幼輿廷尉桓茂倫皆一代名士見之終日累歎披襟致契導嘗詣蜜蜜解帶偃伏悟言神解時尚書令卞望之亦與蜜致善須臾望之至蜜乃歛襟飾容端坐對之有問其故蜜曰王公風道期人卞令軌度格物故其然耳諸公於是歎其精神灑屬皆得其所桓廷尉嘗欲爲蜜作頌久之未得有云尸梨蜜可謂卓朗於是桓乃咨嗟絶歎以爲標題之極大將軍王處仲在南夏聞王周諸公皆器重蜜

彝以爲失鑒及見蜜乃欣振奔至一面盡虔周顗爲僕射領選臨入過造蜜乃歎曰若使太平之世盡得選此賢眞令人無恨也俄而顗遇害蜜往省其孤對坐作胡唄三契梵響陵雲次誦呪數千言聲音高暢顏容不變既而揮涕收淚神氣自若王公嘗謂蜜曰外國有君一人而已耳蜜笑曰若使我如諸君今日豈得在此當時以爲佳言蜜性高簡不學晉語諸公與之語言蜜雖因傳譯而神領意得頓盡言前莫不歎其自然天挺悟得非常蜜善持呪術所向皆驗初江東未有呪法蜜譯出孔雀王經明諸神呪又授弟子覓歷高聲梵唄傳響于今晉咸康中卒春秋八十

餘諸公聞之痛惜流涕桓宣武每云少見高坐稱其精神著出當年瑯琊王珉師事於蜜乃爲之序曰春秋吳楚稱子傳者以爲先中國後四夷豈不以三代之亂行乎殊俗之禮以戎狄貪婪無仁讓之性乎然而卓世之秀時生於彼逸群之才或侔乎茲故知天授英偉豈俟於華戎自此已來唯漢世有金日磾然日磾之賢盡於仁孝忠誠德信純至非爲明達足論高座心造峯極交儁以神風領朗越過之遠矣蜜常在石子岡東行頭陀既卒因葬于此成帝懷其風爲樹刹冢所後有關右沙門來遊京師廼於冢處起寺陳郡謝混贊成其業追旌往事仍曰高座寺也

新公誌略

宋釋法永

師諱慧新南京楚丘人往南海禮補陀　觀音一夕至海濱遇一老翁爲師曰汝何往也師曰欲禮補陁觀音老翁曰觀音不在南方汝途中蹉過爾可速歸老翁言訖遂失所在師恍然如夢醒知是異人方悟觀音隨心即現爾既廻臨安紹興二年結菴龍山發心齋僧供贍長講五年之建康住普光菴接待往來雲侶次遷高座寺東借隅隙地築基架屋西北諸師輻輳茲地師不倦供給香燭益嚴十七年二月十二日示疾告終　紹興十九年巳巳九月

西域僧傳略

舊志

西域僧不知名常止雨花臺南回回寺中貌若四十許人解中國語自言六十歲矣不御飲食日啗棗果數枚所坐一龕僅容其身每入定則令人局其龕以紙封之或經月餘謦欬之聲都絕人以爲化矣潛聽之則聞其掐數珠聲歷歷也楊景芳者嘗館于家叩其術則勸人少思少睡少食耳一切施予皆不受曰吾無用也後莫知所終

古溪澄禪師誌略

明南安知府金潤

古谿禪師諱覺澄山後蔚州人十歲不茹葷從雲中天暉杲禪師落髮杜絕人事閱素恒覽藏毘柰耶阿毘曇藏經律論之浩繁越五寒暑乃周忽憶大慧杲禪師語錄無学

話頭昏覺相敵不勝其難即雖兩忘然後大徹由是道行日隆鉅卿名公交薦之住南陽香嚴寺逾年乃有遠志訪宗匠上西蜀遊江南適杭州授大戒還登太岡山首訪月溪和尚得其奥旨甲戌秋往安慶投子山禮楚山和尚見其機鋒穎利證悟切的遂付衣法嗣臨濟第二十四世之燈俄別桐城棲禪囤始之南山爪期幾易遂往五臺掛待請瑞光禮文殊嚮有所悟錫還鄜城逢天界首座清寧請居高座寺師允其迎請而至按圖籍雨花臺古之名刹自東晋時西域僧帛尸梨蜜多羅開山後梁天監年續有雲光法師講法華經天雨寶華故名其臺師遐繼芳躅善於

開導有利生藥師科儀三卷山居一十載足不履城市成化癸巳八月初九日盥沐端坐奄然而化少息衆皆悽泣又徐開目曰不須如是復瞑目

詩

登梅岡望金陵贈族姪高座寺僧中孚　唐李白

鍾山抱金陵霸氣昔騰發天開帝王居海色照宮闕羣峯如逐鹿奔走相馳突江水九道來雲端遥明沒時遷大運去龍虎勢休歇我來屬天清登覽窮楚越吾宗挺禪伯特秀鸞鳳骨衆星羅青天明者獨有月冥居順生理草木不翦伐煙窗引薔薇石壁老野蕨吳風謝安屐白足傲履襪幾宿一下山蕭然忘干謁談經演金偈降鶴舞海雪時聞

天香來了與世事絕佳遊不可得春去惜遠別賦詩留君
屏千載庶不滅

答族姪僧中孚贈玉泉仙人掌茶　唐李白

余聞荆州玉泉寺近清溪諸山山洞往往有乳窟窟中多玉泉交流中有白蝙蝠大如鴉按仙經蝙蝠一名仙鼠千歲之後體白如雪棲則倒懸蓋飲乳水而長生也其水邊處處有茗草羅生枝葉如碧玉唯玉泉真公常采而飲之年八十餘歲顔色如桃花而此茗清香滑熟異於他者所以能還童振枯壯人壽也余遊金陵見宗僧中孚示余茶數十片拳然重疊其狀如手號爲仙人掌茶蓋新出乎玉泉之山曠古未覿因持之見遺兼贈詩要余荅之遂有此作後之高僧大隱知仙人掌茶發乎中孚禪子及青蓮居士李白也

常聞玉泉山山洞多乳窟仙鼠如白鴉倒懸深溪月茗生

此中石玉泉流不歇根柯灑芳津採服潤肌骨叢老卷綠葉枝枝相接連曝成仙人掌似拍洪崖肩舉世未見之其名定誰傳宗英乃禪伯投贈有佳篇清鏡燭無鹽顧慚西子妍朝坐有餘興長吟播諸天

遊高座寺　唐溫庭筠

晉朝名輦此離群想對濃陰去住分題處尚尋王內史畫時應是顧將軍長廊夜靜聲凝雨古殿秋深影勝雲一下南臺到人世曉泉清籟更難聞

遊高座寺　宋楊無爲

空書來震旦康樂造淵微貝葉深山澤曇花半夜飛香清

雖透筆蕊散不沾衣舊社白蓮老遠公應坐歸

雨花臺　明宗泐

梁朝雨花臺近在城南陌不見講經人空林淡秋色登高俯大江目送千里客白鳥下滄波孤帆遠山碧

雨花臺　明龔秉德

崇臺縹緲出雲孤春日憑虛覽壯圖江遶潯陽還辨楚山連京口半吞吴秦淮風土憐今昔王謝豪華問有無回首長干傷往事六朝烟雨混蘼蕪

雨花臺　明孟洋

初夏登高花木稀一春多恨賞心違群峰細雨江流轉萬

戸垂楊燕子歸謝傳風流今不忝秣陵雲物舊全非空臺
草長談經處風起游絲罥客衣

登臺遇雪　明陳沂

梁主臺前雪依然見雨花淨緣歸佛界空味入僧茶城闕
臨俱異川原望漸賖幾行寒鴈影寂寞在平沙

雨花臺　明顧璘

古臺開士說金經傳道天花落紫冥廣舌不來塵每變春
風唯見草青青

雨花臺　明喬宇

經臺高起帝城邊說法神僧去幾年寶塔穿雲迎十地琪

花含露遶諸天松杉遠近蒼烟合宫闕參差白日懸嬌鳥似知歡賞意故翻清韵到賓筵

雨花臺　明歐大任

天花何日雨臺下見長干山色盧龍古江聲白鷺寒雙林雲更落六代柳俱殘秪有談經石蒼蒼繞法壇

登雨花臺二首　明王世貞

高坐同支許清言勝永嘉忽穠平野色猶似講壇花岸幘和風狎移牀返照斜將何消酩酊乞得老僧茶一

此地昔高坐諸天盡雨花我來當落日萬壑競蒸霞小供維摩飯時呼陽羨茶不須頻豎義睥睨有歸鴉二

小剎 安隱寺 古剎 勅賜

在都門外南城雨花臺北去所領高座寺相隣南去聚寶門一里半卽古安隱院舊在蔣山後久廢宋紹興間徙建今地永樂初姚少師薦僧開俊住院正統間重創奏賜今額茲寺北接高座南連寶光東對永寧皆岡隴之間林木森欝樓宇掩映南朝舊跡依稀可見

殿堂 山門叁楹 天王殿叁楹 左鐘鼓樓壹座 佛殿伍楹 華嚴樓伍楹 方丈叁楹 僧院捌房 基址一百畝 東至官街 西至雨花臺 南至寶光寺 北至高座寺

公產 田地山塘 共捌畝陸分貳釐

文

重修安隱寺碑記略

明南兵部尚書喬宇

考金陵誌今之安隱講寺即古之安隱院也院在雨花臺後向南百步餘乾道志舊在蔣山後久廢宋紹興四年郡人請額置于斯乃梅嶺岡也是知寺由院爲古刹非近代設山水環抱林木森鬱層崖疊磴旋上繞下實奇勝之地永樂初閩之福州有儒僧曰開俊者少師姚公廣孝薦取來京在斯院焚修才行果富由是　太宗文皇帝優賚齋糧金幣鈔錠甚夥悉皆蓄之未嘗私費正統改元丙辰創建殿宇于安隱院之舊基越巳未十二月上疏乞寺額奉
英宗睿皇帝旨還與他安隱講寺行在禮部給劄開俊住

持自開俊開山後派傳至今住持惠成者近九十載矣又爲風雨侵凌腐朽凋墜命工葺故鼎新仍續置田地若干畝肇工於正德巳巳三月畢工於庚辰十二月

詩

遊安隱寺　明皇甫汸

人天卽此路花雨見空臺刹盡南朝建經多西土來碑荒殘蘚合僧定野棠開了悟身如幻何須訪刧灰

小刹　寶光寺　古刹　勅賜

在都門外南城梅岡北去所領高座寺半里聚寶門二里劉宋時名天王寺梁廢爲昭明太子果園楊吳時又爲徐景通園南唐保大間更建奉先禪院後葬曇雲師起

塔名寶光塔院元爲普光寺　國初賜今額成化初寺灾惟後殿僅存僧舍寥鮮境亦幽致

殿堂 山門叁楹 左觀音殿叁楹 右地藏殿叁楹 鉄佛殿叁楹 左伽藍殿叁楹 右祖師殿叁楹 齋堂叁楹 僧院叁房 基址十五畝東至永興寺 南至武俊伯山角 西至安隱寺 北至官街

公產 田地山共陸拾柒畝壹分

藏經獲勑 文同報恩　正統十年二月十五日

文 重修寶光寺記畧　明南刑部郎中何思登

寶光寺在雨花臺之東麓肇自有唐舊名石字相傳西域僧持貝葉經棲止于此我　國朝正統間改額寶光云歷

歲滋久殿宇傾頹時士人姜覺真等捐金修葺而薛永昌輩各施田有差成化初寺遭回祿住持通辨又募士人袁慶等重修嘉靖辛丑間住持妙璽引無藉唐景昇折毀鐘樓盜賣祠宇田畝等類事覺祠部以法遣之而寺則愈廢矣僅存後殿亦日就傾圮萬曆十有一年秋住持宗洪輩欲圖改建議將後山空地變價以資厥費請于祠部部可其請於是立券置簿建昌饒君孟巖受僧後山地券以三十金昇寺僧又念功費浩繁是奚足濟也語洪等曰吾聞先任水部大夫廖明河公雅志好善而其子爲今比部大夫廖夢衡公曷往告之宗洪等如其言於是水部大夫捐

金五十爲贖田四十畝以資供饋其他一切工料之費則比部公悉心區畫焉經始于癸未仲冬畢工於甲申秋日雖大雄天王諸殿所費不貲尚有待未舉而輝金映碧則後殿新也選吉定力則山門峙也高其垣環其流則風氣凝也亦煥乎其改觀矣寺僧思圖所以報比部公而不可得也適饒君將歸建昌欲以前所受後山地券強比部公受之比部公辭之弗獲因以原值償饒君今建一亭於其上題曰太乙亭外造以數椽備游息宗洪輩以其事之顛末告余欲得一言勒諸石余姑述其略以識歲月且俾寺僧讀其廢興之由亦可示儆焉爾　萬曆甲申仲秋

【詩】遊寶光寺　明皇甫汸

四山棲梵處，一徑杳然深。歲久惟看樹，臺荒半宿禽。遠江横落日，寒殿下秋陰。獨坐觀冥理，寧知淨者心。

小刹 均慶院 古刹

在都門外南城西北，去所領高座寺一里，北去聚寶門二里。按志舊在金陵坊，晉天寶寺，唐開元改天保，宋紹興初移其額于雨花臺下，有宋故三藏法師塔銘。正德間重創，嘉靖間寺僧呈請如今額。

【殿堂】山門壹楹　佛殿伍楹　僧院壹房　基址三畝東至　南至　西至　北至俱本院田

〔公座〕田地共壹拾貳畝玖分伍厘

月印庵古刹

在城南雨花臺趾西北去所領高座寺半里北去聚寶門二里係先朝舊基歲久荒頹弘治間僧淨俊重建

〔殿堂〕山門壹座 佛殿叁楹 法堂叁楹 僧院壹房 基址五畝 東至尹公主山 南至照山 西至鳳臺街 北至本菴墻

〔文〕

重脩月印菴記略　明工部主事建業黃謙

帝城之南近郊踰一二里古有月印菴者大德中無可大師闡揚道化之處歲久寖廢沒於荆榛弘治中宗師淨俊秀夫策杖自北而來游於南都凡古者興教之地靡不經

歷見而心悅乃披荆棘剪草莱得其石礎舊址於荒蕪中
結草菴於上日以禪誦爲事一瓶一鉢絶無外慕道化所
敷緇白嚮教水湧雲輸莫之能勝掄材鳩工擴而新之而
菴成　正德庚午年中秋月望

金陵梵剎志卷三十五

中剎 梅岡永寧寺 古剎 勑賜

在都門外南城地南去所統報恩寺一里聚寶門二里原古名剎按志高座亦名永寧今折爲二僧古淵重建寺後有方正學祠其地高敞下瞰數仞羣峰平臨有亭在木末曰木末亭又出亭之後曰嘯風亭南對雨花江山競爽北眺鍾陵城闕在望據南岡之勝所領小剎曰永寧院寶林菴瑞相院

殿堂 山門叁楹 天王殿叁楹 左鐘樓壹座 正佛殿叁楹 左伽藍殿叁楹 右祖師殿叁楹 毘盧閣伍楹 僧院柒房 基址拾伍畒 東至李昱

親墳　西至二郎觀　南至官路　北至德恩寺

方正學祠壹所　碑記載名祠志內

人物　明　清公　見寺記

文

重開山碑記略　明工部主事建業黃譓

永寧禪寺城南古名刹也據聚寶山之麓自宋暨今主之者皆名世之士石幢記識時見於荒烟野莽間緣以時異世遷漫爲汙宅諸禪耆宿仰企遺踪志隆拓復顧力弗能逮焉古淵清公主其事一時道化所孚緇白嚮敬掄材輸力運智恊謀人不告勞而臺殿廊宇金碧黝堊煥然郁然翺翔突兀諸佛菩薩法相森布香花幡幢莊嚴供養無不

備具而經藏之庋藏脩之室庖湢之舍左右環衛鬱鬱乎撑雲駕谿幻出世外矣經始於成化乙巳之秋繼而疏於朝 天子賜勅以護之名仍其舊且授師以左覺義以尸祝釐又買田叁拾畝以充食觀學徒處會下者百餘人魚鼓鏗鍧晨昏無不給之應城南諸精藍整暇完美者未之或能先也清公以清苦自勵親執勞務寒暑無厭倦心一室蕭然朝夕稱佛名號拜禮求速趣脫心甚哀懇所事大士像放白毫光縈縈如絲縷盤旋於室至夜如秉燭復夢大士謂曰爾以精心懇禱嚮慕宗乘宜即叅訪了心爲上師拜受之即掩關於弘濟寺叅無字公案心念相依肋不

沾席者三載忽一念不生斷未來際經三日夜見大千世界光若瑠璃聞遠鷄唱乃起而說偈曰喔喔金鷄報曉時不因宅響詎能知三千世界渾如雪井底泥蛇舞柘枝它日以偈呈於善世古林香公喝之曰多嘴漢明日古林上堂云我許多年張箇大網意欲尋龍羅鳳竟無一蝦一蠏可得今見蟭螟小蟲撞入中來看它二三十年後向孤峯絶頂放聲大叫且道叫箇甚麽古林舉拂子云三千世界渾如雪井底泥蛇舞柘枝師奪古林拂子爲衆舉揚呵勵同學師眼如崖電見人吉凶貴賤言皆懸應縉紳諸老皆樂就之自奉極淡薄每有金帛之供覩之漠然悉付常住

一心懇懇爲衆惟恐不及凡於法門無益之事毫髮不經念慮如師者豈易得耶書此以示後人使知師之積累締造爲衆傾赴皆自道行中來非緣報偶然也　弘治丁巳歲冬十月日

小刹 永寧院

在郭城外南城東去所領永寧寺相對北去聚寶門二里

殿堂　山門壹座　觀音殿叁楹　佛殿叁楹　僧院叁房　基址拾伍畝　東至高座寺　南至高座寺　西至雨花臺　北至官街

小刹 寶林菴

在都門外南城北去所領永寧寺一里去聚寶門三里徐魏國創郊原野望滿目珠林覆地松陰古苔新徑雨花欲盡忽復得此

殿堂　山門叁楹　佛殿叁楹　觀音殿叁楹　祠堂叁楹　左右廻廊拾捌楹　僧院壹房

基址陸畝壹分　東至汪紀墳　南至官街　西至本菴地　北至菴後山

公產　田地山塘共肆拾叁畝柒分玖厘

小剎　瑞相院　古剎

在都門外南城地西北去所領永寧寺二里去聚寶門三里羽林二郎岡晉尼剎至宋改爲鐵羅寺又改鐵索羅寺齊爲翠靈寺又妙果寺宋改瑞相院　國朝因之

按志瑞相有二此爲太平興國二年僧請其地重建又

碧峰寺亦係瑞相不知孰爲舊基

殿堂門樓壹楹伽藍殿叄楹佛殿叄楹左禪堂叄楹右齋堂叄楹僧

院房叄 基址叄畆東至汪紀墳 南至官街 西至湧澤園 北至汪紀山

金陵梵刹志卷三十六

中刹　永興寺　勅賜

在都門外南城地北去所統報恩寺三里聚寶門三里下梅岡西南成化初年賜額林壑幽閒規制甚麗今巳近圮所領小刹曰普照寺惠應寺安隱院

殿堂　山門壹座　金剛殿叁楹　天王殿叁楹　佛殿叁楹　左伽藍殿壹楹　右祖師殿壹楹　鐘鼓樓貳座　僧院肆房　基址貳拾伍畝　東至官街　南至范家山　西至寶光寺　北至禮拜寺

公産　田地山塘　共貳百肆畝叁分伍釐

小刹　普照寺　古刹　勅賜

在都門外南城西去所領永興寺半里北去聚寶門二里舊名菴元至大間僧無盡建成化間僧定瑀重建
賜額

殿堂　山門壹座　天王殿叁楹　佛殿叁楹　左右廻廊拾肆楹　毘盧殿伍楹　僧院拾肆房　禪堂伍楹　基址伍畝東至王駙馬墳南至惠應寺西至永興寺園溝北至官街

文　普照寺重修前殿記略　明南刑部郎平定白鑑

普照故菴也不知創自何代至大間僧人無盡重建入我
聖朝又餘百年矣成化甲辰沙門定瑀號寶山者歷訪名山足跡將半天下晚遊留都偶至是菴風景特異遂經理

定居焉以次修緝菴之名猶故也正德丁丑寶山以僧行

薦　詔昇菴爲寺寶山遷右講經嘉靖改元仍於故基大

建前殿叁楹數維如舊規模過之始于嘉靖癸巳春二月

終于乙未冬十月三閱年而事竣

小刹

惠應寺

在都門外南城梅岡北去所領永興寺半里聚寶門三

里正德年建今漸傾塌不支

〔殿堂〕山門叁楹　金剛殿叁楹　天王殿叁楹　佛殿伍楹　左伽藍殿壹楹

右祖師殿壹楹　法堂伍楹　右輪藏殿叁楹　僧院貳房　基址伍拾

畝　東至普照寺　南至舒家山脚　西至曹家山　北至張百戸墻

小刹 安隱院

在都門外南城聚寶山之陽東去所領永興寺半里西北去聚寶門三里正德間剏

殿堂 山門壹座 佛殿叁楹 右彌勒殿叁楹 僧院貳房 基址伍畝 東至永興寺 西至趙府山 南至官街 北至寶光寺墻

金陵梵刹志卷三十六 終

金陵梵剎志卷三十七

中剎　西天寺　勅建

在都門外南城重譯街又名馴象街西北去聚寶門一里即近所領報恩寺後垣國初西天班的荅禪師來朝賜號善世居此示寂勅建爲塔寺因名西天所領小剎曰德恩寺大慧菴到彼菴

殿堂　金剛殿楹叁　天王殿楹叁　正佛殿楹叁　左右廻廊楹拾捌　祖師殿楹叁　石塔壹座　僧院肆房　基址叁拾畝山　東至武定侯墳　南至虢國公墳山　西至虢國公神路　北至馴象街

人物　明　班的達有誌略

（文）

西天班的荅禪師誌略　明西天佛子國師智光

天竺之國有五而總名印度南際大海西控波斯北距雪山東接林邑中曰迦維羅衛據四天竺之會卽我釋迦如來降靈之地也肇自漢永平間佛法西入惟我迦葉摩騰竺法蘭首至洛陽曇柯迦羅之於魏佛䭾跋陀羅之於晉曇無讖之於宋求那毘地之於齊皆能講譯經論傳授毘尼爲義學所宗至于梁普通中菩提達磨大師至自天竺不立文字而專於慧學及神光獻臂其教大行自是以降由西土而來者葢不多見元至正中得吾師班的荅善世大禪師至自印度師諱薩曷捘室哩此云具生吉祥生於

天竺之中印度迦維羅衛國姓刹帝利氏稍長出家於迦濕彌羅國蘇囉薩寺初習通五明經律論辯析精詳雖老師宿德多推遜之後自以言論非究竟法遂篤修禪定不出山者十數年師嘗慕震旦有五臺清凉山乃文殊大士應現之所吾當瞻禮遂發足從信度河歷突厥屈支高昌諸國東行數萬里所涉國王及臣皆請受戒法越四寒暑而達甘肅元君聞之遣人迎至居吉祥法雲寺而智光始得投禮受業焉于時從化者翕集元君問問以事或對或否禮接雖隆而機語不契乃往清凉獲遂初志我 國朝統有天下杖錫來朝 太祖高皇帝嘉其遠至召見于

奉天門啟奏對稱　旨卽授以善世禪師之號特賜銀章
俾總天下釋教命於鍾山依八功德水而菴居焉復諭禮
部有願從受戒法者勿禁　車駕每幸鍾山必過師室言
論移時而賜詩什勞問甚至丙辰秋奉　命遊觀音大士
之寶陀羅伽山既而登天目師子巖濟彭蠡躋匡廬渡長
淮禮四祖五祖塔而還謁　上于華蓋殿天語溫接寵賚
彌厚　上每宣諭僧衆必舉師行俾效法焉於時從受戒
法者八萬餘衆施金幣不可數記悉散窶者囊無寸儲一
日師顧謂智光曰汝當善護如來大法勿少懈怠又謂孤
麻囉室哩等曰五臺淸涼實吾初志今因緣已畢無復待

巳汝等將此梵書一帙洎吾遺骸少分至彼足吾願矣辛酉夏五月二十四日示寂事 聞賜祭闍維獲五色舍利無筭煙燄所及凝綴松栢咸若貫珠收斂設利於聚寶門外而塔藏之且建祠宇 車駕臨視 賜名西天寺益表師之所自出也時於咸陽現神變彼處人民禮迎設供甚厚有使西回 上詢邊陲因言而知其事歎曰善世禪師隻履西歸之示現也乃叙述而銘之曰金天之西有國乾竺高山大河靈氣紛郁曰迦維衛天地之中萬生文佛爲世大雄五百年餘大教式啟繇漢東都祕詮昉至敷揚窮奥剖析精微大地春回佛日光輝有來法尊不事言論究

明心性直溯源本迄今千載吾師嗣來具足梵行慧學弘開原其所出迦維羅衛誕降之祥佛母授記爰初闡教老宿避席化行于鄉旁暨隣國迺遊震旦錫迎日飛道途所歷禮謁紛而勝國之季懷寶退藏大明麗天歸我 聖皇聖佛同心寵褒勞問天章龍文金聲玉振奉旨南遊不驛而馳形聲所及影響相隨徧歷名山逍遥無住事緣已畢泊然而逝瞻仰妙容設利五色靈鑑洞然照而常寂流沙萬里鷲嶺天開不起于定而示去來我銘匪真而默斯契一月千江太虛無際　宣德十年乙卯四月日

小刹德恩寺　古刹　勅賜

在都門外南城馴象街西北去聚寶門一里即在所領西天寺東古刹普光寺基正統間重建奏請　賜額嘉靖間回祿僅存前殿僧寮幽閒小勝

殿堂　山門壹楹　金剛殿叁楹　僧院拾貳房　基址叁拾畝東至養虎倉南至沈家屯山　西至俞府墳　北至郭府墳

公產　山壹拾畝

藏經獲勑文同報恩　正統十年二月十五日

小刹　大慧菴

在都門外南城馴象街西去所領西天寺相近西北去聚寶門半里

殿堂佛堂叁楹佛殿叁楹僧院壹房基址貳畝東至王泉田南至官街西至衛全墻北至城河

到彼菴小刹

在都門外南城河畔通濟街西去所領西天寺一里西北去聚寶門二里

殿堂地藏殿叁楹佛殿伍楹僧院壹房基址貳畝東至官街南至張鳳園西至城河北至孫千戶宅

刹志卷三十七終

金陵梵刹志卷三十八

中刹

普德寺 勅賜

在都門外南城地東去所統報恩寺一里東北去聚寶門一里半正統間創前後山蒼翠環逼松林茂深時覽秀色旁接雨花之勝

殿堂 金剛殿伍楹 天王殿伍楹 左右鐘鼓樓貳座 左右碑亭貳座 大佛殿伍楹 左觀音殿叁楹 右輪藏殿叁楹 西方殿伍楹 左伽藍殿叁楹 右祖師殿叁楹 廻廊貳拾捌楹 僧院貳拾肆房 基址壹百伍拾畝 東至鳳臺街 西至安德街 南至天界寺墻 北至國子監地

禪院 大門壹楹 禪堂伍楹 淨業堂伍楹 右齋堂叁楹 小禪堂叁楹 廚庫茶房拾叁楹

【公產】田地山塘共柒拾壹畝叁分陸釐

【詩】

遊普德寺　　明　皇甫汸

古寺城南訪六朝高臺一望幾蕭條門前黃葉催年暮林外青山覺路遥塔影常圓沙苑月鐘聲淨帶楚江潮老僧宴坐躭禪定送客何曾過虎橋

金陵梵刹志卷三十八終

金陵梵剎志卷三十九

中剎 碧峰寺 古剎 勅建

在都門外南城安德街東去所統報恩寺二里東北去聚寶門二里晉瑞相院永嘉中爲寺唐貞觀中勅褚遂良重建改尋靈寺宋淳化改妙果寺元至元中改鐵索寺 國朝洪武中 勅建居異僧金碧峰因名寺近禪僧大方募建千佛閣所領小剎曰永福寺

殿堂 金剛殿三楹 天王殿三楹 正佛殿五楹 僧院五房 石塔壹座

基址壹百畝 東至安德街 西至朱家園 南至天界寺菜地 北至李府園

禪院 毘盧閣三楹 華嚴樓五楹 左伽藍殿三楹 右祖師殿三楹 左齋堂

叁楹右禪堂伍楹廚庫茶寮柒楹

公產地肆畝柒分房地玖間

人物明碧峰有碑略非幻有誌略

文

碧峰寺起止記略

三國吳乙卯嘉禾四年有僧朔室名瑞相院室成不知所往至晉丁卯永嘉元年勅安東將軍建寺瑞相亦名院孝武帝戊子十三年寺廢重修至梁乙未天監十四年勅建殿宇一新駕幸建齋至唐武德九年丙戌沙汰天下僧道宮觀盡毀惟寺存焉至貞觀二十一年丁未勅御史大夫褚遂良重建改曰翠靈俄有一赤脚僧及二全真詣寺與

語甚合與僧法興云殿宇將完于中造三世如來供奉明旦金像巳完異香滿室三人不知所之衆以爲神異具奏遣內侍掛旛建七日大齋御製遺文以旌其寺卽令聖像非他寺可比也至宋辛卯淳化二年殿宇將頹有　旨建寺更名妙果建水陸大齋七日御製文表其寺及元辛巳至元十八年重建更名鐵索至　國朝洪武五年壬子勑工部黃侍郎督工重建先是禪師石姓諱金碧峰者奏上建寺請名　太祖高皇帝御贈號因以題寺名師棄髮存鬚得禪家玄竅尤精陰陽術數　聖祖召問佛法鬼神及脩煉語甚合出使西洋所經諸國奇功甚多授爵固辭

對云不爲榮利所拘弟子極重得真傳者四寳衲頭廣尚士道衍道永等師嘗謂衍曰兩眼旋光眉間煞氣當爲太平光頭宰相衍卽姚廣孝也永精于歷數授欽天五官靈臺郎封僧録闡教兼住靈谷寺二弟子皆　成祖文皇帝用焉時值旱久不雨　駕御承天門語真人禱雨不應乃召禪師至　聖祖謂和尚祈得雨乎師應聲何難真人云雨乃天意非人力强爲師卽展鉢見一小龍形如金色從鉢飛騰少頃陰雲四合大雨平地水深尺餘民困得甦

上喜曰和尚真神也賜座齋畢駕送出西華門外有鉢水溢蛟龍　御讃存焉後真人不悦密譖于　上曰胡僧妖

術請試之水火竟無損焉　上愈加敬厚時有方士周顛仙張三丰鐵冠道人冷謙者往來參謁起坐甚恭每與公卿士夫譚及正心誠意皆可施行弟子恭承法旨但云金剛惟心是一何必他求一日　上問歷數對云四夷賓服海宇澄清治稱無爲又何問焉　上嘉納之賜田庄固辭久之見　上曰臣本西域今歸故土賜金帛彩段辭弗受且言今日巳時辭陛下午後出潼關　上初以爲謬乃于是日貽　上原賜袈裟等物于關守者持赴京奏狀始前

洪武二十二年　聖旨復建碧峰塔建齋等事後禪師圓寂　高皇帝深思不已乃以寶衲頭住持本寺勑翰林學

士宋濂狀其文有　高皇帝御讚金碧峰禪師像曰沙門號碧峰五臺山愈崇固知業已白本來石壁空能不爲禪縛區區幾刼功處處食常住善世語龐鴻神出諸靈鷲浩翰佛家風雖已成正覺未入天臺叢一朝脫殼去人言金碧翁從此新佛號鉢水溢蛟龍飛錫長空吼隻履掛高松年逾七十幾玄關盡悟終果然忽立去飄然夌蒼穹寄語碧峰翁是必畱禪宗其真像見存庫焉　嘉靖元年孟春

碧峰禪師碑略　明太子賛善宋濂

禪師諱寶金族姓石氏其號爲碧峰生於乾州永壽縣之名胄年六歲依雲寂温法師爲弟子既薙落受具戒徧詣

講肆窮性相之學對衆演說纍纍如貫珠聞者解頤已而撫髀嘆曰三藏之文皆標月之指爾昔者祖師說法天華繽紛金蓮湧現尚未能出離生死況區區者耶卽更衣入禪林時如海眞公樹正法幢於西蜀晉雲山中亟往見之公示以道要禪師大起疑情三二年間寢食爲廢偶携筐隨公擷蔬於園忽凝坐不動歷三時方寤公曰爾入定耶禪師曰然曰汝何所見曰有所悟爾曰汝第言之禪師舉筐示公公非之禪師寘筐于地拱手而立公又非之禪師厲聲一喝公奮前揕其胷使速言禪師築公胷仆之公猶未之許笑曰塵勞蹔息定力未能深也必使心路絕阻關

透然後大法可明耳禪師聞之愈精進不懈遂出叅諸方憩峨嵋山誓不復粒食日採松栢啖之脅不霑席者又三年自是入定或累日不起嘗趺坐大樹下谿水横逸人意禪師已溺死越七日水退競往視之禪師燕坐如平時唯衣濕耳一日聽伐木聲通身汗下如雨嘆曰妙喜大悟十有八小悟無筭豈欺我哉未生前之事吾今日方知其眞爾急往求證於公反復相辯詰甚力至於曳傾禪榻而出公曰是則是矣翼日重勘之至期公於地上畫一圓相禪師以袖拂去之公復畫一圓相禪師於中增一畫又拂去之公再畫如前禪師又增一畫成十字又拂去之公視之

不語復畫如前禪師於十字加四隅成卍文又拂去之公乃總畫三十圓相禪師一一具荅公曰汝今方知佛法宏勝如此也百餘年間參學有悟者世豈無之能明大機用者寧復幾人無用和尚有云坐下當出三虎一彪一彪者豈非爾邪爾宜往朔方其道當大行也無用蓋公之師云先是禪師在定中見一山甚秀麗重樓傑閣金碧絢爛諸佛五十二菩薩行道其中有招禪師謂曰此五臺山秘魔巖也爾前身修道其中靈骨猶在何乃忘之既寤遂遊五臺山道逢蓬首女子身被五綵獘衣赤足徐行一黑獒隨其後禪師問曰子何之曰入山中爾曰物何爲曰一切不

爲良久乃没叩之同行者皆弗之見或謂爲文殊化身云禪師乃就山建靈鷲菴四方聞之不遠千里負餱糧來獻者日續紛也禪師悉儲之以食遊學之僧多至千餘人雖丁歲大儉亦不拒也至正戊子冬順帝遣使者召至燕都慰勞甚至天竺僧指空久留燕相傳能前知號爲三百歲人敬之如神禪師往與叩擊空瞪視不荅及出空嘆曰此眞有道者也冬夕大雪有紅光自禪師室中起上接霄漢帝驚嘆賜以金紋伽黎衣遣歸明年己丑復召見於延春閣命建壇禱雨輒應賜以金繒若干禪師受之即以振饑乏又明年庚寅特賜寂照圓明大禪師之號詔主海印禪

寺禪師力辭名香法衣之賜殆無虛月自丞相而下[illegible]
武夫悍將無不以爲依皈已而懇求還山洪武戊申　大
明皇帝卽位于建業明年己酉燕都平又明年庚戌詔禪
師至南京夏五月見　上於奉天殿且曰朕聞師名久以
中州苦寒特延師居南方爾遂留於大天界寺時召入問
佛法及鬼神情狀奏對稱　旨又一年辛亥冬十月朔
上將設普濟佛會于鍾山　命高行僧十人涖其事而禪
師與焉　賜伊蒲饌於崇禧寺　大駕幸臨移時方還明
年壬子春正月既望諸沙門方畢集　上服皮弁服親行
獻佛之禮夜將半　勅禪師於圓悟關施摩伽陀斛法食

金陵梵刹志

竣事寵賚優渥夏五月悉粥衣盂之資作佛事七日乃示微疾　上知之親御翰墨賜詩十二韻有玄關盡悟巳成正覺之言至六月四日沐浴更衣與四衆言别正襟危坐目將瞑弟子祖金智信等請曰和尚逝則逝矣不留一言何以暴白於後世邪禪師曰三藏法寶尚爲故紙吾言欲何爲夷然而逝世壽六十五僧臘五十又九後三日奉龕荼毘於聚寶山頂城出送香幣積如丘陵或恐不得與執紼之列露宿以俟之及至火滅獲五色舍利齒舌數珠皆不壞紛然爭取灰土爲盡　上祀方丘宿於齋宫濂與禮部尚書陶凱侍左右　上出賜禪師詩令觀之其稱禪師

之德爲甚備夫　聖人之言天也禪師之道上與天通嗚呼哲人云亡柰何不與大法衰微之歎乎銘曰臨濟崇崇西來正宗益衍以鴻三虎怒投中有一彪氣可吞牛性相紛拏瓜蔓交加入海筭沙乃易禪衣乃抵朦師乃治其疵棲身彛顏絶去八還入第一關河水浸淫趺坐樹陰爰濕我衿我松我粻我泉我漿渴饑兩忘實相圓通無物不容悟其本空玄徵肇胎陟彼五臺樓閣門開南粤北胡方衣圓顱水赴雲趨無間儉豐香積之克且安其躬其名　上聞便蕃宸恩來自　帝閽於赫　皇明遣使奉迎館于神京龍文成章日晶月光鬱其寵榮四衆所依胡不寧玆

而亟其歸太山崔崔一旦其穨靡人不哀有崇者岡白虹
吐芒設利之藏　洪武癸丑年秋七月既望

非幻大禪師誌略　明衛府長史三衢金實

師字無涯信安浮石鄉人入烏石山從傑峰爲僧初入門
傑峰問何處來師荅云虛空無向背指寺鐘俾作頌即口
占偈云百鍊鑪中滚出來虛空元不惹塵埃如今挂在人
頭上撞着洪音遍九垓時年十二傑峰大器之即令祝髮
居坐下躬服勞勩弗懈于始究竟積久凝滯澌盡游刃肎
綮所向無閡遂受印可永樂丁亥初　太宗文皇帝有事
于　長陵廷臣有言師精于地理學者徵至入對稱　旨

意大加宴賚卽授欽天監五官靈臺郎　賜七品服俾涖其事事畢將大用之師懇求願復爲僧遂擢僧錄司右闡教住南京碧峰寺　上時在春宮雅敬師之道俾住持靈谷寺　恩遇益隆庚子閏正月二十八日示寂時　朝廷方於靈谷建大齋禮官董其事甚嚴師獨若不經意其徒怪問之師笑曰自家有一大事甚緊無暇他及至是沐浴更衣趺坐榻上二僧捧紙至前把筆大書偈云生死悠悠絶世緣蒙　恩永樂太平年這回撒手歸空去雪霽雲消月正圓投筆而逝同官啟　聞有　命停龕方丈十又三日一再遣官致祭顏面如生茶毘之夕祥烟彌布設利充

滿

小剎 **永福寺** 古剎

在都門外南城安德街天竺山前北去所領碧峰寺相隣東北去聚寶門二里天順間詰菴禪師建按乾道志在廣濟倉東舊在冶城東南本晉開福寺後徙此改景福寺南唐避諱改額宋元名永福尼寺舊有孔雀壇成化中燬弘治辛酉重修今居士張應文復募重修度越前剎

殿堂 山門叁楹 觀音殿叁楹 佛殿叁楹 孔雀樓伍楹 石塔壹座 僧院貳房

基址伍畝 東至安德街 南至能仁寺墻 西至瑠璃窑水塘 北至官路

卷終

金陵梵剎志卷四十

中剎 新亭崇因寺 古剎

在郭外南城安德鄉北去所統報恩寺十里聚寶門里劉宋時名曠野寺齊廢梁大同中復唐開元中以懶融嘗居改禪居院太和中改崇果院宋改寺額曰崇因嘉靖間重修此地舊爲新亭有王謝遺跡宋蘇長公書像頌又劉誼詩云十里崇因寺臨江水氣中皆爲寺證據所領小剎曰英臺寺慈善寺興福寺鳳嶺寺

殿堂 天王殿叄楹 佛殿叄楹 左伽藍殿叄楹 右祖師殿叄楹 方丈陸楹 迴廊陸楹 僧院叄房 基址拾肆畝東至趙科民田南至王彥民田西至

趙指揮墳　北

至新永寧寺山

公産田地山塘　共貳百壹拾玖畝伍分貳厘

古蹟新亭　世宗過江諸人每至暇日輒相邀出藉卉飲晏周侯顗在坐嘆曰風景不殊舉目有江河之異皆相視流淚惟丞相導愀然變色曰當共戮力王室尅復神州何至作楚囚相對泣耶　孝武寧康元年桓温來朝頓兵新亭召王坦之謝安安發其壁後置人温爲却兵咲語移日　崔慧景兵至新亭石頭白下兵皆潰徐道覆勸盧循焚舟自新亭步上元徽二年桂陽王休範舉兵蕭道成請頓新亭以當其鋒大破之　梁武帝起義兵進屯江寧東昏使李居士率兵屯新亭梁擊破之

觀音畫像　東坡頌李端叔跋曰吾十葵亡妻崇因長老欽公謁余曰子胡不禱觀音東坡南遷嘗禱而應遂作頌前人已刻石後有詔所在東坡文皆燬人不敢違余聞石所在曰幾碎矣索之力乃得於庫中米廪後塵土深數寸稍曳出加湔洗而燦然如未嘗毀者蓋先是刻馬祖龐居士用其餘刻頌像已斷裂而頌獨全

今不存

〔文〕曠野寺碑　梁元帝

雲楣膠葛桂棟陰崇刻虬龍於洞房倒蓮花於綺井月殿朗而相暉雪宮穆以華壯巘巘璇題虹梁生於暮雨璞璞銀牓飛觀入乎雲中銘曰圓璫旦暉方諸夜朗金盤曜色寶鈴成響

觀音頌并序　宋翰林學士蘇軾

金陵崇因寺長老宗襲自以衣鉢造觀世音像極相好之妙予南遷過而禱焉曰吾北歸當復過此而爲之頌建中靖國元年五月日自海南歸至金陵乃作頌曰慈近乎仁

悲近乎義忍近乎勇辱近乎智四者似之而卒非是有大圓覺平等無二無寃故仁無親故義無人故勇無我故智彼四雖近有作有止此四本無有取無匱有二長者皆樂檀施其一大富千金日費其一甚貧百錢而已我說二人等無有異吁觀世音淨聖大士徧滿空界挈携天地大觧脫力非我敢議若其四無我亦如是

集慶路崇因寺記　　元豫章沙門大訢

延祐二年曇芳居金陵崇因寺寓館焉僧不滿百多耆宿有矩度庭宇靜深山環揖如衛左江右淮風帆驛騎使客憇止以寺得晉新亭故基山川風物感人詠思有不能

去者曇芳與予登崇岡俯木末弔六朝遺跡未嘗不嘆世之勛業如春華陽燄隨手變滅而吾徒之居逃空虛棄叙寘幸而予遺者以存吾道也明年予過錢唐後曇芳亦遷鍾山而白巖繼之矣又十六年文皇以潛邸爲寺召吾天竺來主之而衆又以崇因命吾法弟正逵逵居十年以葺其寺之勞請記其事按圖志寺建於劉宋人呼曠野寺齊廢梁大同中克復唐開元中以懶融嘗居之始名禪居寺僞吳太和改崇果宋又賜名崇因政和間長老宗襲作觀音像蘇文忠公以頌讚之視祖堂列祀若洪覺範與真如喆公之嗣正禪師者皆望重禪林正殁多設刹塟塔山中

始居四望亭嘗安千衆今二井猶存紹興初遷於此曰文殊山若有待也然薦罹兵燹蕞爾僅存至國朝遠峰宏公克中興之及曇芳而法席始盛作鍾樓僧堂衆寮庵湢以延名衲逵作大殿初有農耕田中視若物焉發及深淖得巨木堅勁修直理密而芳郁因以爲柱殆若神獻殿成像設金碧尤極殊麗由門廡垣廩悉新之以文皇嘗幸寺又賜白金仍鑄巨鍾以昭聖德慕蘇公之賢作雪堂知生之有終作三塔又曰有寺千年矣賴昔人保以弗隳吾懼不逮而猶有望於後之人可無紀乎予謂世之定宇宙者以包六合閱萬世也人以眇然之身寄其中不啻一粟倏然

而盡如駒過隙曾不知世所存其大其久益將度越六合
萬世以超乎宇宙之外不能顧省而自暴自棄者何限昧
夫大者久者而常汲汲於耶然倏然以饜足其志何愚滋
甚彼論禹稷顏子同道特以用不用易地皆然而較然辯
之以此視彼雖以天下易陋巷猶以蹄涔酌滄溟孰擬哉
斯向之曇芳與吾浩嘆者不在是乎雖然不以無爲而隳
有爲不膠於外以失其內必交修而備舉之吾道然也達
勉乎哉達勉乎哉達晚從先師又與天目本公游其所得
叵量因其請而規之友道也是爲記

寺始建於六朝劉宋時名曠野唐名禪居宋改今名載

圖志可考也其營置沿革崇異此碑之文具焉文見蒲室集中碑石則磨滅無存矣今年夏余得告解篆慈寺中欲俾來者之有徵也命住持明珠重勒于石　嘉靖戊午南京禮部祠祭司郎中平湖陸光祖識

詩

新亭渚別范零陵雲　宋謝朓

洞庭張樂地瀟湘帝子遊雲去蒼梧野水還江漢流停驂我悵望輟棹子夷猶廣平聽方籍茂陵將見求心事俱已矣江上徒離憂

和徐都曹出新亭渚　宋謝朓

宛洛佳遨遊春色滿皇州結軫青郊路迴瞰蒼江流日華

川上動風光草際浮桃李成蹊徑桑榆蔭道周東都巳倣
載言歸望綠疇

昧旦出新亭渚　宋徐勉

驅車凌早術山華映初日攬轡且徘徊復値清江謐杳靄
楓樹林參差黃鳥匹氣物宛如斯重以心期逸春堤一遊
衍終朝意殊悉

過崇因寺簡古曇上人　明陳沂

仙丘何處覓梵刹此中藏卓地穿龍井開山起鳫堂曇花
無伏臘祇樹有齊梁相對爐烟下前因未盡香

遊崇因寺　明許穀

秀壁毌蒼栢瑚臺映紫霞林虛含萬象室靜演三車寶地
金爲粟祇園玉作花直須同結社應恨未辭家

遊崇因寺　明姚汝循

複嶺藏金界幽探歷翠微屢迷黄葉境始到綠蘿扉谷靜
松聲合秋高林影稀坐來塵世隔花雨滿空飛

小刹英臺寺　古刹　勅賜

在郭外南城安德鄉西善橋東去所領崇因寺伍里北
去聚寶門拾伍里乾道志舊在新林市

殿堂　金剛殿叄楹　天王殿叄楹　佛殿叄楹　觀音殿伍楹　僧院壹房　基
址捌畝　東至陳見民田　西至本寺後山　南至柴文民山　北至陳見民山

【公產】田地山塘共貳拾伍畝捌分陸厘

小刹 慈善寺

在郭外南城安德鄉東去所領崇因寺肆里北去聚寶門拾伍里

【殿堂】山門壹楹 佛殿叁楹 僧院叁房 【禪院】拾肆楹 基址捌畝東至寺前宮路 南至胡中正民田 西至大河 北至王世龍民田

【公產】田地共叁拾柒畝叁分

小刹 興福寺

在郭外南城安德鄉東去所領崇因寺七里北去聚寶門二十五里

〔殿堂〕佛殿止存基址　僧院壹房　基址貳畝東至蔣文顯民山南至王思山民墳西至郭家墳北至王思山民墳

勅賜

小剎　鳳嶺寺

在郭外南城鳳西鄉西去所領崇因寺十里西北去聚寶門十三里宣德元年右善世溥洽示寂龕于鳳嶺之陽建塔院　賜額今漸頹圮

〔殿堂〕佛殿叁楹　僧院壹房　基址拾畝東至官溝西至建平伯墳南至高藍冲田北至夏佩民田

〔公產〕田地山塘共伍拾捌畝捌分捌厘

〔文〕臨安錫伯子墓田碣　明翰林修撰焦竑

滇雲楊別駕維斗余舊門人也萬曆中任東昌別駕時配及子清朝息李氏相繼物故壬寅歲解組南還訪余金陵念三櫬自隨間關萬里勢難遠涉乃謀葬南郊鳳嶺寺之右方踰年令内弟復費二十金屬余僕置寺田三畝五分地二畝畀寺僧德賢守之取其租爲時祭費同鄉選部馬公恐久而湮也爲立石寺中以垂永久夫余之祖塋既相去跬步而滇雲宦轍復絡繹踵至冀能時加省視令丘壠常存烝嘗不替是維斗意也嗟乎嬴博葬子達人之高風平陵立碑友生之義舉若馬公與君之所爲何必古人輙記其略令來者有攷焉餘載別駕自爲墓碣中不具論

金陵梵剎志卷四十一

中剎 外永寧寺 勅賜

在郭外南城安德鄉北去所統報恩寺十里聚寶門十里正德間創建 賜額所領小剎曰德勝寺廣興寺智安寺德壽寺永泰寺

殿堂 天王殿叁楹 佛殿叁楹 左右鐘鼓樓貳座 法堂柒楹 僧院肆房

基址貳拾畝 東至廣興寺 南至本寺照山 西至分山路口 北至王家神路

公產 田地山塘共叁百玖拾貳畝玖分叁厘

小剎 德勝寺 勅賜

在郭外南城安德街西去所領外永寧寺十里西北去

聚寶門三十里

殿堂山門壹楹佛殿叁楹左伽藍殿叁楹右觀音殿叁楹祖師殿叁楹僧院叁房基址叁拾畝地東至嚴家民山南至本寺西至王家山北至本寺滿

公產田山塘共玖拾伍畝陸分柒厘

小刹廣興寺勅賜

在郭外南城地安德鄉北去所領外永寧寺半里西北去聚寶門十里景泰二年僧惠興創造奏請 賜額

殿堂佛殿叁楹僧院叁房基址肆畝東至韋家山南至本寺照山頂西至甄指揮山北至尙聚民山

小刹 智安寺

在郭外南城新亭鄉北去所領外永寧寺　里　去聚寶門　里　國初僧曇周塔院景泰間燬于火今僅存僧院

殿堂　佛殿止存基址　僧院壹房　基址貳畝

公產　田地山塘共叁拾貳畝貳分陸厘

小刹 德壽寺

在都門外南城安德鄉西去所領外永寧寺十里西北去聚寶門十里

殿堂　佛殿止存基址　僧院貳房　基址拾肆畝東至尚西民塘南至馬場溝　西

至朱景陽民墳
北至杜應祥墳

公産田山塘 共壹拾陸畝柒厘

小刹 永泰寺 古刹

在都門外南城安鄉西去所領外永寧寺十里西北去聚寶門十三里唐開化年□川

殿堂 天王殿 叁楹 佛殿 叁楹 僧院 房十□ □址捌畝

公産田地塘 共柒拾肆畝捌分捌厘

金陵梵刹志卷四十一 終

金陵梵刹志卷四十二

中刹 祝禧寺 勅賜

在郭外南城安德鄉北去所統報恩寺十里聚寶門十里正德間造奏請 賜額所領小刹曰天隆極樂寺

殿堂 山門叁楹 金剛殿叁楹 天王殿叁楹 佛殿叁楹 左伽藍殿叁楹 右祖師殿叁楹 法堂叁楹 方丈叁楹 廻廊肆拾貳楹 僧院捌房 基址肆拾伍畝 東至本寺山 南至官路 西至本寺田 北至朱澤民田

公產 田地山塘 共貳百叁拾肆畝肆分肆釐

小刹 天隆極樂寺 勅賜

在郭外南城安德鄉西去所領祝禧寺三里西北去聚

寶門十里宣德間建爲天[illegible]今完僧弘昇奏請

賜額今殿宇漸圮

殿堂　金剛殿叁楹　天王殿叁楹　佛殿叁楹　毗盧閣叁楹　僧院壹房　基址貳畝東至徐家山頂　南至徐王二家民山　西至木圻地　北至張欒民山

公產　田地山[illegible]伍畝

金陵梵刹志卷四十三

中刹 勑賜獻花巖花巖寺

在郭外南城皈善鄉北去所統報恩寺三十里聚寶門同唐高僧懶融曾居此有百鳥獻花因名獻花巖舊惟菴居成化間僧古道德達建寺　請今額寺在芙蓉峰之半巖洞甚多俱奇絕有芙蓉閣及大觀堂坐見弘覺樓殿林壑浮圖金碧宛若畫障絕頂望京城歷歷錯繡鍾山連帶江外數峰青出最登臨勝處所領小刹曰慧光寺

殿堂　金剛殿楹叁　天王殿楹叁　佛殿楹叁　左伽藍殿楹壹　祖師殿

叁楹觀音閣壹座鐘鼓樓貳座歸雲亭壹座僧院柒房基址伍拾畝捌分東至斗山大盤嶺西至寺象鼻洞入孟塘南至寺大山西峰嶺北至寺石碑樓

禪院

禪堂叁楹右齋堂叁楹

公產

田地山塘共貳百捌拾陸畝柒分玖厘

山水

華巖山大藏經云高千四百餘尺周四十里餘三十步芙蓉峰巖東上數丈拱北峰芙蓉峰上又百步北拱都邑因名天盤嶺巖東界西風嶺巖西界中峰西嶺南緣崖二里許獻花巖佛宮西有石窟如室入深丈餘廣尋上石穹窿下平土無石神僧傳云唐貞觀十七年法融來修戒定二十一年巖下講法華經時素雪滿階濮苛花二莖狀如芙蓉爍同金色大藏經云又有百鳥銜花翔集即此巖也伏虎洞巖東上芙蓉峰下有石竅比巖差小亦云法融談經處嘗有二虎伺于門蟠蛇洞巖西相傳亦法融時馴蛇也象鼻洞在神

虵洞下石穴如象鼻相貫**息泉**入山徑歷上一里許**淨香泉**息井歷上數百步**太白泉**在佛宮西太白西方之精故名**長庚池**佛宮外歷上數十步

古蹟

玉板臺北麓入徑二里許一巨臺臺下環以大竹因名玉板**大觀臺**從大竹傍少西縱步而上入石門臺廣數丈繚以短垣下瞰數仞群峰平臨萬木俯視**瞰雲臺**拱北峰下有石削起平廣日瞰雲臺**芸臺**巖之下一微徑至臺僅容席傍多芸草**菩提臺**芸臺下草莽中向西一高丘傍有菩提樹一株**待月臺**佛宮之東嶺有石臺曰待月東望曠迥月自下起蒼凉景色**補衲臺**下待月臺數步有石圓數丈叠起面甚平四隅如劈判者云亦法融補衣處也**六觀亭**亭六角名六觀取釋氏如夢幻泡影露電如是觀之說**芙蓉閣**亭之西芙蓉峰之下石磴盤旋懸出處嵌一閣因石高下為棟長短楞亦借石之紆轉處補甃而上**歸雲亭**入巖而東出數步至亭樹石掩映

（文）獻花巖序

明翰林編脩鄞陳沂

金陵諸山在北者皆石負大江蟠踞都邑崖壁峻削高數十仞阨隘阻莫之可越西爲城闉之限而石者亦多故隋置石頭城自北以東鍾山爲都邑之鎮青龍黃鹿延亘於秣陵淳化者土石相半城南山多子石去十里外皆土不甚高惟牛頭山去城三十里石居土之十七僻與而鬱秀兩峰角立望之若牛頭然上有浮圖佛宮釋氏書云江左牛頭是也山之南五里有峰起相埒自麓至顛皆碧石被蘇藤樹雜糅與石相生崖之半一石窟曰獻花巖釋氏書謂唐釋師法融　岩中有奇花又有鳥銜花之異巖

因以名而山亦以巖顯故金陵稱叢林必曰牛首獻花巖祖堂而地實相連舊刹惟牛頭幽棲寺卽今弘覺寺此巖惟僧菴耳　皇明成化間山東僧古道師至巖下堅坐不動數年黔國宰何公飯僧於祖堂之山北望雲氣被彩跡罔而北氣自巖出何公愕然步至巖見古道危坐問之不答而貌又古益怪異之是年卽捐金爲佛宮別治堂與之居請　勅賜寺額曰花巖古道化去弟子再傳者曰德達善弘教受祠部劄子領之踰年尋山之蹤窮水之源芟闢灌莽夷衍碕磵因高爲臺緣曲爲梯懸虛以爲樓閣挹曠以爲軒檻凡幽潛祕匿之所始畢張大榜之於木刋之於

石由是獻花巖之名大盛於牛頭山

遊獻花巖記　　明南兵部尚書太原喬宇

從牛首南緣山徑紆曲經數峰約五里至西風嶺東行有石窟如屋題曰獻花巖云唐法融禪定於此有百鳥獻花之異因名巖內復有竅東出一旁曰歸雲亭崖之下有一徑至大觀堂堂制極橫敞前繚以短垣凭之則牛首山如障京城宮闕歷歷可見入華巖寺有芙蓉閣在石間懸出閣之右有亭六角曰六觀亭亭之右有脩廊臨虛曰翠微房之後登山徑至拱北峰峰之上復有亭曰聳翠亭之上又數百級乃至頂頂極平曠東下有補衲臺亦法融禪定

[illegible]也

〔詩〕獻花巖　明錢琦

獻花巖畔寺，着屐涉層巔。花發年年好，巖深處處陰。步來尋落界，坐久換鳴禽。世路何多事，看山獨會心。

登芙蓉閣　明陳沂

丹閣懸青磴，浮雲宿處低。俯窺寒鴈度，歌聽曉猿啼。瀑水侵瑚檻，飛蘿護絳題。香臺在深處，即此是曹溪。

宿達公房　明陳沂

舊地人重宿，勞生夢一醒。亂峰明積雪，虛殿納疎星。僧髮老逾白，佛燈寒更青。翛然生道念，對坐說金經。

宿花巖寺　　明陳沂

古臺秋晚客閒凭，渺渺寒原思不勝。巖日乍沉鳴遠磬，野烟初暝出踈燈。山分僻路惟聞鳥，寺轉空廊不見僧。入境已離人世界，此身還宿翠微層。

澄江臺　　明王韋

混合開天塹，蒼茫壯帝畿。帆檣移夕景，樓殿動朝暉。落日波濤隱，浮烟島嶼微。登臺歌古詠，長憶謝玄暉。

芙蓉閣　　明王韋

緣曲疑難至，憑虛恐未安。狻猊金鎖冷，鸚鵡雪衣單。竹倚琅玕聽，雲移罨畫看。如何翠微上，猶自著塵冠。

遊獻花巖　明魯鐸

清塵曉雨乍霏微落絮遊絲總不飛絕巘路通行委曲大江帆遠見依稀雲中絳閣初疑畫洞口青苔欲上衣擬借巖房留信宿隔林啼鳥漫催歸

秋日遊花巖　明蔡羽

花巖最絕頂下與人境懸峭壁下蒼霧飛梯入青天江影如秋毫吳楚浩無邊竹蔭不漏日翠厚常流煙隱隱藤蘿中金磬忽泠然東山動餘靄羣巘爭效妍空虛亦悽神還尋曲房眠主人棄客去獨負東林緣

歸雲亭　明蔡羽

尋幽坐翠微嵐氣濕人衣日暮高亭上雲歸僧未歸

登獻花岩芙蓉閣　明湯顯祖

木末芙蓉出花岩草樹齊陵高諸象北江白數峰西

小剎 慧光寺 古剎 勅賜

在郭外南城新寧鄉南去所領花巖寺五里北去聚寶門三十里牛首山東北轉入岡巒數重即寺宋治平中建因賜古光宅寺額遂名光宅創制極古臺甓鑿山而成入禪院有石數丈方廣夷坦雲光法師講經於此

國朝洪武中僧無隱重創　賜今額

殿堂 山門壹楹 佛殿伍楹 僧院壹房 基址叁畝 東至蔣仲雲民山 南至寺前

官路　西至王汝梅民

田　北至沐府後山

公產　**田山**共壹拾壹畝伍分

人物　**梁僧正法師**有碑銘　**法悅**有傳略　**曇瑗**有傳略

文　**光宅寺刹下銘**　梁尚書令沈約

光宅寺蓋上帝之故居行宮之舊兆揚州丹陽郡秣陵縣某鄉某里之地自去茲邠亳來儀京輔拓宇東第咫武城闉聖心留愛閑素遷負南郭義等去鄴事均徙鎬及尅濟横流膺斯寶運命帝闡以廣闢卽太微而爲宇旣等漢高流連於豐沛亦同光武眷戀於南陽思所以永流聖迹垂之不朽今事與須彌等同理與天地無窮莫若光建寶塔

式傳于後乃以大梁之天監六年歲次星紀月旅黃鍾閏十月二十三日戊寅仲冬之節也乃樹刹玄壤表峻蒼雲下洞淵泉仰迫星漢方當銷巨石於賢刼拯未來於忍土若夫朱光所耀彤雲所臨非止天眷兼因地德皇帝乃啟扉閶闔造舟淮涘接神飈而動驂越浮梁而遥度芝蓋容與翠華葳蕤下輦停蹕躬展誠敬廣集四部揆景同 弘此廣因被之無外同由厥路俱至道場乃作銘曰八維脩濶九服荒茫靈聖底止咸表厥祥壽丘讓讓黿繞樞光罔原膴膴五緯入房自茲遐夐在處弗亡安知弱水寧辨窮桑自天攸縱於惟我皇即基昔兆爲世舟航重檐累構洞

刹高驟土爲淨國地卽金剛因斯太極溥被翶翔豈徒三界寧止十方濡足萬古援手百王一念斯答萬壽無疆如日之久如天之長

上錢隨喜光宅寺啟　梁尚書令沈約

伏惟中陽故里舂陵舊居爽塏滌蕩會無遺築若使大教早流法遵二代開塔白水樹刹枌榆可以傳美垂跡迄今不朽

重建慧光禪寺記略　明南太常少卿四明鄭雍言

都城南去三十五里有古寺曰光宅乃梁武帝故宅捨之作寺昔雲光法師講法華經于此有天花如飛雪滿空講

罷即乘空而去按實錄云天監六年武帝捨宅造寺未成於小莊嚴寺造無量佛像長丈九尺未移前淮中估客夜輒聞大橋上脩道路往視不見其人俄而像度光彩輝煥在當時祥瑞顯應如此宋王荆公有詩云今知光宅寺牛首正當門臺殿金碧毀丘墟桑竹繁則知宋時其寺荒凉已久矧遭元季兵燹之餘廢壞不言可知　國朝洪武初無隱道禪師于寺基上薙草萊除荆棘畚瓦礫首創梵宇宣德五年特奏奉　旨改慧光禪寺宣德八年普徹等募衆鳩工重建佛殿諸所煥然一新至正統癸亥訖工因屬文以紀其實　正統九年甲子正月

（傳）光宅寺僧正法師碑銘　梁元帝

昂昂千里孰辨麒麟之蹤汪汪萬頃誰識波瀾之際望之若披雲霧覩之如觀日月至乃耆年宿望耆思搆疑懸鍾無盡短兵有倦猶若分旦望景履氷待日莫不傾河注燭虛往實歸皇帝華命受圖補天紉地轉金輪於忍土策紺馬於閻浮逸翮方超圖南輟軌豈直盡茲相府署彼義年方當高步仙階永編金牒繁霜凝而旦委松風凄而暮來悲馬鳴之不反望龍柯而心哀銘曰澄月夜虧清氣旦卷曾巒遠岸蒼江傍緬

釋法悅傳略　高僧傳

釋法悅者戒素沙門也齊末勅爲僧主止京師正覺寺嘗聞彭城宋王寺有丈八金像乃宋王車騎徐州刺史王仲德所造光相之奇江右稱最州境或應有災祟及僧尼橫延豐灾像則流汗汗之多少則禍患之濃淡也宋太始初彭城北屬群虜共欲遷像遂至萬夫竟不能致齊初兗州數郡欲起義南附亦驅逼衆僧助守營壍時虜帥蘭陵公攻陷此營獲諸沙門於是盡執二州道人幽繫囹圄遣表僞臺誣以助亂像時流汗舉殿皆濕時僞梁王諒鎮在彭城亦多信向親往像所使人拭之隨出終莫能止王乃燒香禮拜至心誓曰衆僧無罪弟子自當營護不使罹禍若

幽誠有感願拭汗卽止於是自手拭之隨拭卽燥王具表其事諸僧皆見原免悅旣欣覩靈異誓願瞻禮而關禁阻隔莫由克遂又昔宋明皇帝經造丈八金像四鑄不成於是改爲丈四悅乃與白馬寺沙門智靜率合同緣欲造丈八無量壽像以伸厥志始鳩集金銅屬齊末世道淩遲復致推斥至梁方以事啟聞降勅聽許并助造光趺材官工巧隨用資給以梁天監八年五月三日於小莊嚴寺營鑄匠本量佛身四萬斤銅融瀉已竭尚未至胷百姓送銅不可稱計投諸爐冶隨鑄而模內不滿猶自如先又馳啟聞勅給功德銅三千斤臺內始就量送而像處已見羊車傳

詔載銅鑪側於是飛韛消融一鑄便滿甫爾之間人車俱
失比臺內銅出方知向之所送信實靈感工匠喜踊道俗
稱讚及至開模量度乃踊成丈九而光相不差又有大錢
二枚猶見在衣條竟不銷鑠並莫測其然勅以像事委定
林僧於其年九月二十六日移像光宅寺是夜淮中賈客
並聞大航船下催督治橋有如數百人聲其後更鑄光趺
並有華香之瑞自葱河以左金像之最唯此一耳論曰夫
法身無像因感見有參差故形應有殊別若乃心路蒼茫
則真儀隔化情志憮切則木石開心故劉殷至孝誠感釜
庾爲之生銘丁蘭溫凊竭誠木母以之變色魯陽廻戈而

日轉杞婦下淚而城崩斯皆隱惻入其性情故使徵祥照乎耳目至如慧達招光於刹杪慧力感瑞於塔基慧受申誠於浮木僧慧顯證於移燈洪亮並志形於鑄像意獻皆盡命於伽藍法獻專志於牙骨竟陵爲之通感僧護蓄抱於石城南平以之獲應近有光宅丈九顯曜京畿宋帝四鑠而不成梁皇一冶而形備妙相踊而無虧瑞銅少而更足故知道藉人弘神由物感豈曰虛哉

釋曇瑗傳略　　高僧傳

釋曇瑗金陵人以戒律處世任持爲要乃從諸講席專師十誦功績既著學觀斯張宣帝下詔國內初受戒者夏未

滿五皆參律肆可於都邑大寺廣置聽場仍勑瑗公總知
監檢明示科舉有司准給衣食勿使經營形累致虧功績
瑗既蒙恩詔通誨國僧四遠被徵萬里相屬時即搜擢明
解詞義者二十餘人一時敷訓衆齊三百其有學成將還
本邑瑗皆聚徒對問理事無疑者方乃遣之由是律學更
新上聞天聽帝又下勑榮慰以瑗爲國之僧正令住光宅
苦辭以任勑特許之而棲託不競閉房自檢非夫衆集不
忘經行慶弔齋會了無通預山泉林竹見便忘返每上鍾
阜諸寺修造道賢觸興賦詩覽物懷古洪偃法師傲岸泉
石偏見朋從把臂郊坰同遊故苑瑗題樹爲詩曰丹陽松

葉少白水黍苗多浸淫下客淚哀怨動民歌春蹊度短葛秋浦沒長莎麞鹿自騰倚車騎絶經過蕭條肆野望惆悵將如何偃續題曰龍田菑故苑汾水結餘波悵望傷遊目辛酸思緒多凉飈慘高樹濃露變輕蘿澤葵猶帶井池竹下侵荷秋風徒自急無復白雲歌瑗以太建年中卒于住寺春秋八十有二初微疾將現便告衆曰生死對法凡聖俱纏自非極位有心誰免今將就後世力不相由願生來講誨分有宜功彼我齊修用爲來習不爾與世沉浮未成通濟幸諸梵行同思此言終事任量可依戚教言訖端坐如定欻然已逝有勅依法焚之爲立白塔建碑于寺著十

誦跡十卷戒本羯磨疏各兩卷僧家書儀四卷別集八卷見行於世

與梁朝士書　　梁釋曇瑗

光宅寺曇瑗白竊惟至人垂誨各赴機權故外設約事三千内陳律儀八萬誠復楷訓異門無非懲惡孔定刑辟以詰姦宄釋敷羯磨用擯違法二聖分教別有司存頃見僧尼有事每越訟公府且内外殊揆科例不同或内律爲輕外制咸重或内法爲重外網更輕凡情僶俛肆其阿便君苟欲利已則捨内重而附外輕若在陷他則棄内輕而依外重非唯穢黷時宰便爲頓乖理制幸屬明令公匡弼社

稷和爕陰陽舟檝大乘柱石三寶遐邇向風白黑無廖貧道忝居僧例頗曾採習毘尼累獲僧曹送事訪律詳決尋佛具切戒國有憲章結僧家諍執未審依何折斷謹致往牒佇奉還旨庶成約法永用遵模釋曇瑗呈

詩

遊光宅寺應令　梁簡文帝

陪遊入舊豐雲氣鬱青葱紫陌垂青柳輕槐拂慧風入泉光綺樹四柱暧臨空翠網隨烟碧丹花共日紅方欣大雲溥慈波流淨宮

丶

遊光宅寺　宋王安石

令知光宅寺牛首正當門臺殿金碧毀丘墟桑竹繁蕭蕭

剩猜臥冉冉暮鴉翻回首
[illegible]歲談空雨花何足言

金陵梵剎志卷四十四

中剎 幽棲山祖堂寺 古剎

在郭外南城建業鄉北去聚寶門及所統報恩寺各三十里劉宋大明中建寺在幽棲山故名唐貞觀初僧法融爲南宗第一禪師居此改山曰祖堂又名祖堂寺光啟中廢楊吳太和中改延壽院宋治平中復爲幽棲

國朝如舊招提既古泉壑亦幽牛首獻花之間都無俗處所領小剎曰吉山寺永泰寺寧海寺靜居寺

殿堂 金剛殿楹伍 天王殿楹伍 佛殿楹伍 千佛殿楹伍 觀音殿楹叁 左華嚴樓楹伍 左水陸殿楹伍 基址貳百肆拾叁畝貳分

東至寺天盤嶺　西至寺西峰嶺

南至寺寶蓋山頂　北至寺蜈蜂嶺

禪院　禪堂叁層拾伍楹　齋堂貳層拾楹　廚庫茶寮共伍楹

公產　田地山塘共伍百捌畝肆分叁厘

山水　幽棲山即花巖山　祖師洞融法師晏坐處　朝陽洞　虎跑泉　金龜池　香水海山頂冬夏不竭

古蹟　佛字在祖師洞石唐貞觀年嬾融禪師居此修道四祖道信經過就石書一佛字令坐之融作怖勢祖云還有這箇在　佛腳蹟

人物　唐法融有傳略

傳　法融禪師傳略全傳入弘覺寺　傳燈錄

入牛頭山幽棲寺北巖之石室有百鳥銜花之異唐貞觀

中四祖遥觀氣象知彼山有奇異之人乃躬自尋訪問寺僧此間有道人否曰出家兒那箇不是道人祖曰阿那箇是道人僧無對別僧云此去中山十里來有一懶融見人不起亦不合掌莫是道人祖遂入山見師端坐自若曾無所顧祖問曰在此作什麽師曰觀心祖曰觀是何人心是何物師無對便起作禮師曰大德高棲何所祖曰貧道不決所止或東或西師曰還識道信禪師否曰何以問它師曰嚮德滋久冀一禮謁曰道信禪師貧道是也師曰因何降此祖曰特來相訪莫更有宴息之處否師指後面云別有小菴遂引祖至菴所遶菴唯見虎狼之類祖乃舉兩手

作怖勢師曰猶有這箇在祖曰適來見什麼師無語少選祖却於師宴坐石上書一佛字師覩之竦然祖曰猶有這箇在師未曉乃稽首請說真要祖曰夫百千法門同歸方寸河沙妙德總在心源一切戒門定門慧門神化變化悉自具足不離汝心一切煩惱業障本來空寂一切因果皆如夢幻無三界可出無菩提可求人與非人性相平等大道虛曠絕思絕慮如是之法汝今已得更無闕少與佛何殊更無別法汝但任心自在莫作觀行亦莫澄心莫起貪瞋莫懷愁慮蕩蕩無碍任意縱横不作諸善不作諸惡行住坐臥觸目遇緣總是佛之妙用快樂無憂故名爲佛師

曰心旣具足何者是佛何者是心祖曰非心不問佛問佛非不心師曰旣不許作觀行於境起時如何對治祖曰境緣無好醜好醜起於心心若不強名妄情從何起妄情旣不起真心任徧知汝但隨心自在無復對治卽名常住法身無有變異吾受璨大師頓教法門今付於汝汝今諦受吾言只住此山向後當有五人紹汝玄化圭峰判爲泯絕無寄宗引破相教而印之有僧問南泉牛頭未見四祖時爲什麼鳥獸銜花供養南泉云只爲步步踏佛階梯洞山云如掌觀珠意不暫捨僧云見後爲什麼不來南泉云直饒不來猶校王老師一線道洞山云通身去也又一尊宿答前兩問皆云賊不打貧兒家僧問一老宿牛頭未見四祖時如何曰如條貫葉僧云見後如何曰秋夜紛紛又僧問吳越永明潛禪師牛頭未見四祖時如何潛云牛頭僧云見後如何潛云牛頭諸方多舉唱不可備錄

詩

遊幽棲寺

明王韋

衣鉢今何在遺堂闢絳扉園秋霜柿落溪晚露芹肥茶客求逋至林僧出餉歸花巖鐘梵近香雨背山飛

祖堂山

明朱應登

長廊巷幔得閒凭南國秋容望不勝香閣梵音傳遠磬石壇寒影護懸燈山深疑有長生藥寺古應多入定僧人語忽然飄下界始知身在白雲層

祖堂山

明顧源

步入招提境雲蘿隱法堂蓮峰低寶座檀樹拂經牀深壁燈烟細孤龕栢子香坐來毛骨冷空翠濕衣裳

祖堂山　明盛時泰

落日深林逢遠公銅瓶錫杖得相從層欄遠接諸天外丈室平臨萬壑中鍾阜斷雲連古戍秣陵殘葉下西風陶潛不爲鐘聲去月夜相邀溪水東

祖堂山　明王世貞

大道本無繞茲繞乃融師智巘數五葉鶴林横一枝任爾黄梅發差强未熟時

上巳後二日遊幽棲寺　明湯顯祖

百日齋初過三春緣巳齊披雲眠佛窟殘屐到幽棲

小刹　古刹

吉山寺

在京郭鳳臺門外南城泰北鄉北去所領祖堂寺伍里去聚寶門三十五里梁天監年創今圮

殿堂 山門壹楹 佛殿叁楹 佛堂叁楹 僧院叁房 基址叁畝 東至王家山 南至走路 西至水溝 北至後山

小刹 永泰講寺 古刹

在郭外南城地吉山去所領祖堂寺 里 去聚寶門二十里梁建南唐奘淨果禪師因名淨果院後復名寺

殿堂 金剛殿叁楹 正佛殿叁楹 僧院壹房 基址伍畝貳分 東至本寺山 南至本寺菜園 西至本寺山 北至本寺靠山

公產 田山塘 共叁拾畝

小刹寧海寺 勅賜

在郭外南城地西去所領祖堂寺相望北去聚寶門三十里正統間中使至西洋諸國船囬遇海風作念佛號解脫奏聞 賜建此寺

殿堂正佛殿叁楹禪堂叁楹僧院壹房 基址伍畝東至本寺山 南至本寺地 西至本寺山 北至本寺山

小刹靜居寺 古刹

在郭外南城江寧鎮東北去所領祖堂寺三十五里北去聚寶門六十里乾道志本唐天福寺基會昌中廢南唐復爲淨住院宋治平改今額 國朝如之按實錄梁

天監五年置淨居寺歎州刺史劉威造卽此

殿堂 山門叁楹 佛殿叁楹 地藏殿叁楹 僧院肆房 基址伍畝陸分

玖厘 東至 南至 西至 北至俱本寺山

公產 地山塘共壹拾肆畝捌分貳厘

金陵梵剎志卷四十四終

金陵梵刹志卷四十五

中刹 清福寺

在郭城安德門外南城秣陵鎮北去所統報恩寺六十里聚寶門同所領小刹曰棲隱寺曹塘寺真如寺妙明寺

殿堂 山門叁楹 佛殿叁楹 僧院壹房 基址陸畝捌毫 東至本寺水溝 南至大河 西至張家田 北至張家田

公產 田地塘共貳拾陸畝陸厘

小刹 棲隱寺

在郭外南城泰南鄉東去所領清福寺十五里北去聚

寶門六十五里　國朝洪武間創

殿堂　大殿伍楹　觀音閣伍楹　祖師殿伍楹　僧院壹房　基址叁畝　東至陳逵民山　南至五顯廟　西至王超伯塘　北至王超伯塘

公產　田地山塘共伍拾陸畝壹拾柒厘

小刹　葛塘寺

在郭外南城泰南鄉東去所領清福寺七里北去聚寶門四十里

殿堂　山門叁楹　佛殿叁楹　僧院貳房　基址伍畝　東至尚二民地　南至尚二民田　西至本寺墻　北至姚二民山

公產　田地山共肆拾貳畝捌分陸厘

小刹 真如寺

在郭外南城葛仙鄉旮巷北去所領清福寺十五里聚寶門六十里 國朝洪武間創隆慶間重修

殿堂 地藏殿叁楹 大殿叁楹 觀音閣叁楹 僧院貳房 基址陸畝 東至 南至 西至 北至俱本寺山

小刹 妙明寺

在郭外南城葛仙鄉北去所領清福寺二十里聚寶門六十里

殿堂 佛殿伍楹 法堂伍楹 僧院壹房 基址伍畝 東至官路 南至吳家田 西至本寺地 北至本寺山

金陵梵刹志卷四十六

中刹 天竺山福興寺 古刹

在郭外南城天竺山下北去聚寶門及所統報恩寺各八十里梁大同二年袁平造唐上元二年僧道融移舊額改創天竺山 國朝重修未經紀述惟唐碑在焉今寺在鄉落殿宇僧舍彷彿村墟所領小刹曰後陽寺清修院後黎寺

殿堂 金剛殿叁楹 天王殿叁楹 佛殿叁楹 左伽藍殿叁楹 右龍王殿壹楹 僧院伍房 基址叁拾壹畝 東至本寺龍山頂 南至本寺大照山脚 西至本寺大天竺山頂 北至本寺小天竺山頂

公產 田地山塘 共伍拾捌畝壹分柒厘

文 潤州福興寺碑　唐尚書潁川許某

維太極而生兩儀維上人首於萬物物本於道道行於人人資於教教本於道者姑肯務德乎人資於教者姑肯崇福乎夫教始於儒中於道終於釋釋之時義大矣哉空寂爲體覺觀爲用生死爲苦涅槃爲樂國王詢夫異兆漢后夢夫真儀越自西天傳諸東夏所以九圍之内六服之外像法流行玄風振揚四千二伯甲子於茲矣我天寶之年乾柱寖折坤維寖裂有爲兇暴始亂河朔有生逆節乘釁江淮乾元中暴兵至於金陵蹂踏閭閻殘沮寺觀鞠爲茂

磯者而興首之福興寺梁大同二年之傑建也本於塘浦之東遷於銀湖之北中更一縱以襲其初傳記闕遺莫詳歲月嗟夫昔穢國盡燒我淨土弗幾慧眼之觀矣今精廬澌壞我法侶無歸凡目之取矣有禪師德號道融本姓婁東陽義烏人逮肅宗皇帝龍飛朔方大赦天下改爲至德每寺度七人以蕃王室時州刺史兼御史大夫江南道節度處置使京兆韋公陟俾屬城大德咸舉所以知禪師行業精修法門之中泉然爲首遂正名僧籍而隸於福興焉初入牛頭山謁第六代忠大師遽受密印而爲上足大師三昧之主四友之尊攝心無涯定力無等首施錢三十萬

謂禪師曰可革爾於招提其安致法師繼以奉命迺請之
邑再請之州州伯邑長僉諧懇願以大唐上元二年龍集
辛丑季秋月旬有九日遂移其舊額肇創新居於天竺之
山爲眞寶地也天竺在故寺東南七里名符佛國山則我
鄉此蓋有開必先陰隲靈鷲禪師嘗讀妙典至千二百五
十人俱目之而言曰豈直多徒亦堪集事遂撫此數以裒
其人人錢三緡共成法相行檀如水品物如山未盈旬時
我望克塞緣是邑也建業舊都有齊梁遺風以聚沙爲塔
於然燈求記者家不無之易用受紀是故棟梁之材千里
而來如陵如堆班倕之伍千里而聚如雲如雨紀之以日

[illegible]之以功栞山陊崖毀穽夷次芟蒙籠爲顯虺刻巤岌爲康衢其平如磨其細如紙禪師以心居中度殿以背居後度塔以首居高度臺以足居下度寶以臂相抱度廊廡以對門戸授於左右皆約我身規圓之矩方之縱廣之正等之上恊於天下恊於地明恊於人幽恊於神然後斵之於斧斤督之以繩墨審之以面勢較之以方隅使人無所惑也築之以垣墉須之以欄楯樓之以軒墉域之以堦墀使人之大壯也先之以粉繪後之以丹雘雕之以金璧鏤之以珠紫使人觀巨麗也春爍瀛海曷敷蓬萊如鵬斯飛如虹斯飲空色相射精光相歇煌煌炎炎爍爍爛爛廻翔日

月吐納陰陽弗可得而名也白蕩之山以岸其左滄江之水以潊其右斗牛之星以爛其上盤龍之鎮以秩其後望夫南上以啟衍慈湖東向而奔走勝勢交朝川絡放紛蓄靈孕奇浮嵐泄霧彩章屢變濃淡更鮮又弗可得而名也多羅之樹鬱以青蔥功德之水湛而清淨涌塔浮於倒影香刹彗於行雲春色有薝蔔之花龢聲有迦陵之鳥大雄據獅子之座貲然當陽大士兆纓絡之衣嫣然列侍相好之極變化無窮罔得智而知罔得憶而測巍巍光大不可稱量四天赫臨八部周護持殳秉捌一何稜楙睚眦睟顛一何拗怒精靈盼矍如在虛空效乎誘掖群生虔修六度

撞鐘鳴磬以破昏疑擊鼓吹螺以施號令聞者開般若之
智見者發菩提之心或非寶生之國極樂之土頗黎爲地
黃金爲繩流泉浴池珠交露幔以此爲念吾無覗焉惟禪
師經營兹寺也禎符景瑞匪朝伊夕立暈掊地神之定矣
虎禦殺神之命矣二木不奪神之正矣一泉惠濁神之
淨矣靈之三秀婉谷婉山祥蓮合房于淸于沚造門之女
歆而不宿遊方之人投而弗禁袄灾起念而自彌危懼歸
心而必釋禪師之道惡可倪也禪師之德惡可測也演慈
悲之化降淫慝之神皆建廟立祠血食不絕近云百紀遠
謂千齡大則犧牛之薦小則牸豚之禱以月以日以時以

節弗敢矯誣弗忘宗欽崇墉隆然灌木稍天但得而遵何由而亟禪師以爲修道之本在於利人從人之欲可謂除患迺詣其祠悝視諦觀以日鼛夕身心彭一或呈醜相未覩晬容或使欽奉無可稽首悉與受菩薩淨戒而度脫之斬陰斬陽以爲梵宇取彼居室寘之金仙寂寥而無事矣城邑聚落數百里閭巫風遂消佛道國長斯陽王之教與緊禪師之力與二相交修一體之用不然者則何以玄通妙感而若是乎予耳聆嘉聲目覽懿跡迺知弘聖道者誰能慮始剏僧房者是爲艱難維王公大人豪富長者國當全盛家有貨財猶以更之存亡積之年紀人則盡瘁事或

[illegible][illegible][illegible]未有孤立禪門獨行世界時遭多難道弗屢空慈悲百福自圓晏座而萬緣斯湊不七八稔指顧皆成輪才乎而若夫經始之善人屋宇之弘數紀於覆陰之上庶千刼炳然而可見其辭曰觀空匪易取相良難旣觀又弘揚波導瀾淵淵我師體寂行端經之精含粲以林巒其宇伊何維桷與檀其飾伊何維銀與丹耀耀華彩峩峩欝盤閟陰廸陽滌暑閱寒世界非廣渤澥非寬菩于是萃慈于是殫甘露之門淨口以飡般若之居洗心以安右挾大江左馳長千靄如山靑艳如霞丹碑硊巨銘萬古不刊迴遠斯文億載爲觀大唐歲次庚戌六月一日壬辰建　唐尚書金

部郎中兼侍御史上柱國許某撰

小刹後陽寺古刹

在郭外南城祁門鄉西去所領福興寺二十里北去聚寶門七十里係萬囘道塲開寶八年賜額在後陽村因名

殿堂天王殿叁楹佛殿叁楹左伽藍殿壹楹右輪藏殿壹楹法堂伍楹後佛殿伍楹僧院壹房基址貳畝東至民家藕塘南至官路西至井巷北至施家民山

公產田地山共叁拾畝肆分陸釐

小刹清脩院古刹

在郭外南城畈善鄉西去所領福興寺二十里北去聚寶門六十里宋治平賜額俗呼青山寺

殿堂 地藏殿叁楹 佛殿叁楹 後佛殿叁楹 僧院貳房 基址伍畝 東至大河 西至單家田 南至王家山 北至單家田

小刹 後黎寺 古刹

在郭外南城銅山鄉西去所領福興寺二十里北去聚寶門六十里舊名淨相院唐天祐中建南唐給額爲泗州塔院崇寧中改淨相院俗呼今名 國朝洪武年重建

殿堂 山門叁楹 觀音殿叁楹 佛殿伍楹 僧院叁房 基址貳畝 東至馬夫

村　南至徐府田　西至

陸塘橋　北至顧家地

金陵梵刹志卷四十

中刹 建昌寺 古刹

在郭外南城南鄉北去所統報恩寺九十里聚寶門同

乾道志名建昌院所領小刹曰西林寺般若寺明性寺

衲頭菴高臺寺

殿堂 山門叁楹 佛殿叁楹 觀音閣叁楹 僧院叁房 基址玖畝捌分

玖厘 東至李家民山 西至官路 南至陶家民塘 北至棲待橋

公產 田地塘 共伍拾叁畝壹分陸厘

小刹 西林寺 古刹

在郭外南城山北鄉西南去所領建昌寺二十里北去

聚寶門六十里係宋紹定間建

殿堂　山門叁楹　佛殿叁楹　地藏閣叁楹　僧院叁房　基址伍畝東至九峰民田　南至劉伍顯民田　西至本寺田　北至劉伍顯民山

公產　田地山塘共叁拾捌畝玖分肆釐

小刹　般若寺　古刹　勅建

在郭外南城天王山南去所領建昌寺十五里北去聚寶門九十里元大德中有法秀禪師止此　太祖渡江聞師名入山與語相契　勅建賜額其山形若蓮華二水環繞翠華臨處荒林野麓悉成靈區

殿堂　山門叁楹　彌勒殿叁楹　佛殿伍楹　觀音殿柒楹　僧院壹房　基址

伍畝東至本寺來龍山　南至本寺菜園
畝西至本寺山　北至本寺來龍山

〔公產〕田地山塘共伍拾玖畝貳分

〔文〕般若禪院記略　明左春坊左庶子鄒濟

江寧天王山有佛龕曰般若在京都城南九十里山形勢若蓮華二水環拱於其間峰巒秀麗泉清木盛堪爲阿蘭若地元大德中法秀禪師棲禪于此師得法于千巖長禪師戒行孤峻嘗居婺之聖壽爲第一座道播諸方禪衲雲集至甲午　太祖高皇帝渡江聞師名單騎入山與語相契時遣繆總制者送供久之師游廬阜莫知所之境遂蓁蕪洪武二十年歲丁卯　上記憶其事十二月八日　詔

工部右侍郎黄立恭選一辦道僧前去重新創立因諭之曰我渡江來曾謁法秀禪師其僧有見識立菴正在蓮葯上賜名般若禪院立恭乃舉僧紹義引見受命而去明年義遂與同志慈圓宗祐鳩材庀工近遠四衆聞　上意所嚮莫不隨喜輸財助力於是佛殿山門廊廡僧堂庖湢之所以次告成山川清淑之氣久欝必發聖人嘗所駐蹕宜山靈訶護有待於時而際遇也　永樂十六年夏六月

小刹　明性寺

在郭外南城山南鄉南去所領建昌寺十五里北去聚寶門九十里

殿堂佛殿叁楹觀音殿叁楹僧院壹房基址叁畝東至土山南至般若寺西至寺後山北至衲頭菴

小刹衲頭菴

在郭外南城山南鄉南去所領建昌寺十五里北去聚寶門九十里

殿堂佛殿叁楹觀音殿叁楹僧院壹房基址貳畝東至飲馬池南至本菴山西至太平山北至本菴山

小刹高臺寺古刹

在郭外南城山南鄉南去所領建昌寺十五里北去聚寶門九十里按志本高公臺院宋景平中建後改今名

殿堂

佛殿叁楹　觀音殿叁楹　僧院叁房　基址叁畝東至本寺來龍山　南至本寺來龍山　西至本寺地　北至本寺虎山溝

公產

田地山共肆拾貳畝玖分陸釐

金陵梵剎志卷四十八

廢寺

江左佛寺始於吳盛於六朝至唐宋元迄我　國朝烽煙戎馬之餘故剎遺基多不可問今自見存外所憑止一二載筆爲千古證耳然梁陳而下周魏而上作者臚列有文藻煒如而名與地疑似無考又有空名雖在文獻無徵兩者姑置不錄惟一記一傳一題一咏與元金陵新志　國朝郡邑志所載符合的可稽據者書之另爲廢寺志亦俾徵信之家諒其非訛搜討之士益其不逮云爾所志寺凡十五曰保寧寺曰法王寺曰龍光寺

曰枳園寺曰祇洹寺曰鐵塔寺曰湘宫寺曰宋興寺曰安樂寺曰淨妙寺曰同泰寺曰善覺寺曰證聖寺曰報恩院曰報慈道場

廢剎 保寧寺 即南唐奉先寺

文 保寧寺舊序　金陵新志

在城内飲虹橋南保寧坊内吳大帝赤烏四年爲西竺康僧會建晉宋有鳳翔集此山因建鳳凰臺於寺側宋更寺名曰祇園昇明二年齊大祖爲比丘法願造寺於其地得外國甎爲白塔又名白塔唐開元中寺僧大惠禪師者明皇召至長安尋求歸山詔可之因改其寺爲長慶寺其額

韓擇木書南唐保大中齊王景達爲先主造寺因名奉先
宋太平興國中賜額曰保寧祥符六年增建經鐘樓觀音
殿羅漢堂水陸堂東西方丈莊嚴盛麗安衆五百又建靈
光鳳凰凌虚三亭照映山谷圜甃塼墻五百丈茂林脩竹
松檜蓊蔚詔歲度五僧政和七年勑改神霄宫建炎元年
勑復舊額三年四月駕幸江寧權以寺爲行宫閏七月如
浙西其後命郎府治修爲行宫而御坐猶在本寺歲久屋
敝留守馬光祖重建殿宇及方丈觀音殿水陸堂廚堂庫
院移鐘樓冠青龍首增建廊屋横直一十八閒作新建鳳
凰臺記

保寧寺輪藏記

宋葉夢得

維摩氏極天下之辯而反之於默其爲法名之曰不二夫不二即一矣不言其一而言不二豈以一猶爲有在者歟道未始有二也既已有物不得不裂爲二彼自爲二而吾強欲一之必有廢其一以成其二者非道之全也要有非一而不二者存焉爾何特維摩氏爲然孔子曰有鄙夫問於我空空如也我叩其兩端而竭焉空空云者豈有物實之者哉然猶意其墮於一也則叩之以兩端蓋維摩氏所謂不二法叩之兩端而知其所解則以吾之所知證彼之所知可一舉而盡矣之人也謂之鄙夫則可謂之君子則

不可佛以無所言而爲一切衆生無所不言以爲有言不言是顛倒見以爲無言不言是斷滅見孰能辯其非一而不二者乎自漢永平爲佛者始持其書入中國由晉宋歷唐至於今不絕梵語華言更相發明傳其學者又從而申衍之其說遂充滿天下輯而藏之皆設爲峻宇高甍雕刻綵繪備衆寶以爲飾竭衆巧以爲工苟可以莊嚴者無不至梁普通復有異人爲之轉輪以運之其致意深矣吾少時見四方爲轉輪藏者無幾比年以來所在大都邑下至窮山深谷號爲蘭若十而六七吹蠡伐鼓音聲相聞襁負金帛踵躡戶外可謂甚盛然未必皆䢖其言尊其教也施

者假之以徼福造者因之以求利𣶏㝲日遠其本建康府保寧寺當承平時於江左爲名刹更兵火久廢今長老懷祖守其故址於煨燼之餘十有四年堂殿門廡追復其舊而一新之最後作轉輪藏余鎮建康時見其始經營後四年餘歸石林祖以書求告曰藏成矣幸得記其本末祖盖以正法眼傳其心者其爲人潔而通靖深而敏非徒以有爲作佛事者也乃爲推其師之言合諸儒之說正佛之所以言以曉世俗之弊祖當盍以是振之夫方無所言則維摩氏之默如大阿難等得道受記諸大弟子皆不任問疾及其無所不言則雖觀世音亦從聞所聞而入爾乃寺之

興廢係其時人之施捨係其力有不必記故不書

傳 昇州奉先寺淨照禪師 傳燈錄

慧同魏府人也姓張氏幼歲出家禮饒州北禪院惟直禪師披削年滿受具於撫州布操律師於淸凉得法僧問唯一堅密身一切塵中見又云佛身充滿於法界普見一切羣生前於此二途請師說師曰唯一堅密身一切塵中見僧問如何是古佛心師曰汝疑阿那箇不是問如何是常在底人師曰更問阿誰

廢剎 法王寺

文 法王寺舊序 縣志

在烏衣巷白塔寺東晉末龜茲國沙門鳩摩羅什以道聞於時隆安三年遣使徃姚秦迎致之至帝躬出朱雀門迎之歷試神驗施地建寺賜額法王請什居焉尊爲三藏國師寺久燬至順間天禧主僧復構寺今并入報恩寺按三藏塔院或即此地今訛爲玄裝塔未可知也姑書以俟博識者

法王寺碑銘　梁沈約

昔周師集於孟津漢兵至於垓下翦商肇乎茲地殪楚由乎斯域慧雲匪由觸石法雨起乎悲心驅之仁壽度之彼岸濟方割於有頃樸既燎於無邊陸旗風靡水陣雲披縈

山爲堞失其九天之險負疑爲隍曾無一蒂之閡晉師反接僞牧泥首擲指則河舟尚虛委甲則熊嶺非峻乃按兵江漢誓衆商郊因斯而運斗樞自茲而廓天步業隆放夏功高伐殷濟横流而臣九服揔乾綱而子萬姓眷言四海莫不來王此惟余宅寧止西顧臨朝夕之濟池帶長洲之茂苑藉離宮於漢舊因林光於秦餘迴廊敞布複殿重起連房極睇周堵如雲銘曰徃却將謝災難孔多炎炎烈火淼淼洪波聚爲丘嶽散成江河俗緣浮詭眞諦遐長匪因希向曷寄舟梁標功顯德事歸道場祁祁法衆同茲無我振錫經行祇林宴坐或思寂滅或念薪火惆悵二明徘徊

四果

廢剎龍光寺 卽宋青園寺

龍光寺舊序　金陵新志

在城北覆舟山下宋元嘉二年號青園寺高僧傳云竺道生後還上都青園寺寺是惠恭皇后褚氏所立本種青處因以爲名其年雷震青園寺佛殿龍升於天光影西壁因名龍光宋嘉祐三年佛殿記云元嘉五年有黑龍見覆舟山之陽帝捨果園建青園寺西置龍王殿今沼沚見存至會昌年廢咸通二年重建勑賜龍光院額舊志以爲在龍光門外者非也今按乾道志龍光禪院在城之西宋元嘉

二年號青園寺後改額爲龍光禪院以在龍光門外也會昌中廢咸通初建爲月燈禪院昇元二年重修

傳

青園寺竺道生傳　高僧傳

竺道生本姓魏鉅鹿人寓居彭城初入廬山幽栖七年以求其志常以入道之要慧解爲本故鑽仰羣經斟酌雜論萬里隨法不憚疲苦後與慧叡慧嚴同遊長安從什公受業關中僧衆咸謂神悟後還都止青園寺王弘范泰顏延之並挹敬風猷從之問道生既潛思日久徹悟言外迺喟然歎曰夫象以盡意得意則象忘言以詮理入理則言息自經典東流譯人重阻多守滯文鮮見圓義若忘筌取魚

始可與言道矣於是校閱眞俗研思因果迺言善不受報
頓悟成佛又著二諦論佛性當有論法身無色論佛無淨
土論應有緣論等籠罩舊說妙有淵旨而守文之徒多生
嫌嫉與奪之聲紛然競起又六卷泥洹先至京都生剖析
經理洞入幽微迺說一闡提人皆得成佛於時大本未傳
孤明先發獨見忤衆於是舊學以爲邪說譏憤滋甚遂顯
大衆中正容誓曰若我所說反於經義者請於現身卽表
癘疾若與實相不相違背者願捨壽之時據師子座言竟
拂衣而遊初投吳之虎丘山旬日之中學徒數百其年夏
雷震青園佛殿龍昇於天光影西壁因改寺名號曰龍光

時人歎曰龍既已去生必行矣俄而拔迹廬山銷影巖岫山中僧衆咸共敬服後湼槃大本至於南京果稱闡提悉有佛性與前所說合若符契生既獲斯經尋即講說以宋元嘉十一年冬十一月庚子於廬山精舍升於法座神色開朗德音俊發論議數番窮理盡妙觀聽之衆莫不悟悅法席將畢忽見麈尾紛然而墜端坐正容隱几而卒顏色不異似若入定道俗嗟駭遠近悲泣於是京邑諸僧內慙自疚追而信服其神鑒之至徵瑞如此仍葬廬山之阜

【詩】

覆舟山（即龍光寺前）　宋孝武帝

束髮好怡衍弱冠頗流薄素想終勿傾聿求果丘壑層峯

亘天維曠渚綿地絡逢皐列神死遭壇樹仙閣松墱含靑暉荷源煜丹爍川界泳遊鱗岩庭響鳴鶴

覆舟山　　齊王融

道勝業茲遠心閒地能閒桂崦鬱初裁蘭皐坦將闢虛簷對長嶼高軒臨廣液芳草列成行嘉樹紛如積流風轉園逕淸烟泛喬石日泊山照紅松暎水華碧暢哉人外賞遲遲眷西夕

覆舟山臨望　　明顧源

覆舟山頭霽景明長松落落崖石平迴巒秀嶺低復昂傳聞此地爲臺城南望建章宮佳氣何鬱葱秦淮樹中流遥

興宮門通城中萬井如棊畫楊柳烟中分紫陌內園蘭桂浮温香戚里池臺蕩朱碧鳳凰樓閣無處尋臨春結綺作茇林樽前刼是樂遊苑市朝更改成古今登臨易頭白銜杯落江日回望北湖烟蟬鳴樹蕭瑟秋波慘淡荷芰花玉梟錦雞蹈浪霞西曹巳鳴馬東署復報衙冥冥壺底月寂寂城頭鴉停琴送盡飛鴻影引領天邊不見家

靡剎 枳園寺

〔傳〕枳園寺釋智嚴傳　高僧傳

釋智嚴西涼州人弱冠出家便以精勤著名衲衣宴坐蔬食永歲每以本域丘墟志欲博事名師廣求經誥遂周流

西國進到罽賓入摩天陀羅精舍從佛馱先比丘諮受禪法漸染三年功踰十載佛馱先見其禪思有緒特深器異彼諸道俗聞而歎曰秦地乃有求道沙門矣始不輕秦類敬接遠人時有佛馱跋陀比丘亦是彼國禪匠嚴乃要請東歸欲令傳法中土跋陀嘉其懇至遂共東行於是踰越沙險達自關中常依隨跋陀止長安大寺頃之跋陀橫爲秦僧所擯嚴亦分散憩于山東精舍坐禪誦經勵力精學晉義熙十三年宋武帝西伐長安尅捷旋旆塗步山東時始興公王恢從駕遊觀山川至嚴精舍見其同止三僧各坐繩床禪思湛然恢至良久不覺於是彈指三人開眼俄

而還閉閤不與言恢心敬精奇訪諸耆老皆云此三僧隱
居求志高潔法師也恢即啓宋武延請還都莫肯行者旣
屢請懃至二人推嚴隨行恢道懷素篤禮事甚般還都即
住始興寺嚴性虛靜志避諠塵恢乃爲於東郊之際更起
精舍即枳園寺也嚴前還於西域所得梵本衆經未及譯
寫到元嘉四年乃共沙門寶雲譯出普曜廣博嚴淨四天
王等經嚴在寺不受別請常分衛自資儀同蘭陵蕭思話
婦劉氏疾病恒見鬼來吁呵駭畏時迎嚴說法嚴始到外
堂劉氏便見羣鬼迸散嚴旣進爲夫人說經疾以之瘳因
禀五戒一門宗奉嚴昔未出家時嘗受五戒有所虧犯後

入道受具足常疑不得戒每以爲懼積年禪觀而不能自了遂更汎海重到天竺諮諸明達真羅漢比丘具以事問羅漢羅漢不敢判決乃爲嚴入定往兜率宫諮彌勒彌勒云得戒嚴大喜於是步歸至罽賓無疾而化彼國法凡聖燒身之處各有其所嚴雖戒操高明而實行未辨始移屍向凡僧墓地而屍重不起改向聖墓則飄然自輕嚴弟子智羽智遠故從西來報此徵瑞俱還外國

祇洹寺 廢剎

〔文〕和范光祿祇洹寺像讚三首　宋侍中謝靈運

惟此大覺因心則靈垢盡智照數極慧明三達非我一援

羣生理阻非我道絶形聲右佛讚若人仰宗發性遺慮以定養慧和理斯附爰初四等終然十住涉求至矣在外皆去右菩薩讚厭苦情多兼物志少如彼化城權可得寶誘以涅槃救爾生老肇元三車翻成一道右緣覺聲聞合讚

傳

釋曇遷傳　高僧傳

釋曇遷遊心佛義善談莊老并注十地又工正書常施題經巧于轉讀梵製新奇特拔終古彭城王義康范曄王曇首並皆遊狎初止祇洹寺後移烏衣寺及范曄被誅門有十二喪無敢近者遷抽貨衣物悉營葬送孝武聞而嘆賞謂徐爰曰卿著宋書勿遺此人

廢剎 **鐵塔寺** 即宋延祚寺　唐天保寺　宋正覺寺

〔文〕鐵塔寺舊序　金陵新志

在城内西北冶城後岡上宋太始中邦人捨地建精舍號延祚寺至唐有靈智禪師生無雙目號羅睺和尚經論文字悉能明了時人稱有天眼爲建塔於寺内廣明中賜額梁侯景之亂王僧辯入討景使其黨宋長貴守延祚寺何遜有登延祚寺閣詩佛殿前有鐵塔二座鑄云乾興元年造古鐘亦唐時所鑄有經幢鐫大吳金陵府延祚院寺有井最大號百丈泉井闌上字乃保大元年所鑄宋熙寧中賜寺名曰正覺塔名曰普照王荆公嘗于寺西作書院有

軒名鐘龍建炎三年以法堂西偏爲元懿太子攢宫令寺東偏復建延祚閣名公賦詠尤多炳靈公廟西及新亭側又別有正覺寺云

詩

金陵阻風登延祚閣　唐許渾

極目皆陳迹披圖問遠公戈鋋三國後冠盖六朝中葛蔓交残壘苔花没後宫水流簫鼓絶山在綺羅叢

題正覺院鐘龍軒二首　宋王安石

北軒名字經平子愛此吾能爲賦詩山雨江風一披拂鐘龍還自有吟時　一

仙事茫茫不可知鐘龍空此見孫枝壺中若有閑天地何苦歸來問葛陂

廢剎　湘宮寺

（文）湘宮寺舊序　金陵新志

舊在青溪橋中北唐以後徙置清化市北慶元志近有人於上元縣治後軍營中掘出斷石上有湘宮寺三字以此知舊寺所在與實錄注合東出青溪桃花園皆今縣東地也寺本宋明帝舊宅備極壯麗欲造十級浮圖而不能乃分爲二

湘宮寺碑銘　梁簡文帝

自真人西滅洎羅漢東遊五明盛士並宣北門之教四姓小臣稍能南宮之學超洙泗之濟濟比舍衛之洋洋是以

高簷三丈乃爲祀神之舍連閣四周並非中官之宅靈山忍辱之草天宮陁樹之花四照芬吐五衢異色能令扶解說法果出妙衣鹿苑豈殊祇林何遠皇太子蕭綱自昔蕃邸便結善緣雖銀藏盖寡金地多闕有慚四事久立五根泗川出鼎尚刻之罘之石峨嵋作鎮猶銘劍壁之山矧伊福界寧無鐫刻銘曰洛陽白馬帝釋天冠開基紫陌峻極雲端實惟爽塏棲心之地譬若淨土長爲佛事銀鋪曜色玉礎金光塔如仙掌樓疑鳳凰珠生月鼂鐘應秋霜鳥依交露幡承杳梁窓舒意葉室度心香天琴夜下紺馬朝翔生滅可度離苦獲常相續有盡歸乎道場

湘宮寺智蒨法師志銘　梁簡文帝

嗟爾名德，超然有暉，五塵夙離，三修允依，戒珠靡缺，忍鎧無違，智燈含影，慧駕馳騑，若韜山金，如苞海寶，德邁西河，聲踰東道，伊時傾蓋，于彼朱方，不期而遇，襄水之陽，掩此方墳，悠哉泉下，鬱鬱翠微，遼遼平野，薪盡火滅，歸眞息假

廢刹　宋興寺

文　宋興寺舊序　金陵新志

宋興寺一名興教寺，在南門外。慶元志：興教院即宋興寺故基，在蔣山寶公塔西二里，有誌公洗鉢池。乾道志：徙長干寺南，亦名宋興。景定志：在南門外劉裕故居者，非。按宋

興宋興寺名相近故或疑一寺二志所載不同俟攷

（詩）遊宋興東岩　南唐李建勳

幾年不到東岩下舊住僧亡屋亦無寒日蕭條何物在杉松經燒石池枯

廢安樂寺

刹

（傳）安樂寺智稱法師碑　唐裴子野

法師諱智稱河東聞喜人也俗姓裴氏挹汾澮之清源禀河山之秀質蓄靈因於上葉感慧性於閻浮直哉惟清爰初夙備溫良恭儉體以得之然而天韻真確含章隱曜沈漸人羣莫能測其遠邇蓋由徑寸之華韜光濬壑盈尺之

寶未剖聯城鑒觀者罔識其巨麗逖聽者弗得其鴻名羈
束戎旅俛起阡陌年登三十始覽衆經退而歎曰百年倏
忽功名爲重名不常居功難與畢且吉凶悔吝孔書已驗
變化起伏歷聖未稱安知崢嶸之外寥廓之表籠括幽顯
大援無邉者哉彼有師焉吾知歸矣遂乃長揖五忍欽往
四依挫鋭解紛於是乎盡宋大明中益部有印禪師者苦
節洞觀欝爲帝師上人聞風自託一面盡禮印公言歸庸
蜀乃携手同舟以宋太始元年出家於王壘誠感人天信
貫金石直心般若高步道場既而敬業承師就賢辨志遨
遊九部馳騁三乘摩羅之所宣譯龍王之所韜秘雖且受

持諷誦然未取以爲宗嘗謂攝心者迹迹窮則心檢弘道
者行行察則道存安上治人莫先乎禮閑邪遷善莫尚乎
律可以驅車火宅翻飛苦海贍三途而勿踐歷萬刼而不
衰者其毗尼之謂歟乃簡棄攸葉積思根本頓轡洗心以
爲已任於是曳錫踽步千里遊學擁經持鉢百舍不休西
望荆山南過澧浦周流華夏博採奇聞土木形骸琬琰心
識靡高不仰無堅不攻寢之所安席不及煖思之所至食
不遑餐入道三年從師四講教逸功倍而業盛經明每稱
道不墜地人各有美宣尼之學何詎常師于時具隱二上
人先輩高流鳳鳴西楚多寶頡律師洽聞温故翰起東都

法師之在江陵也稟具隱爲周旋爰及還京洛以頡公爲益友皆權衡殿最言刈菁華括穠稗而膳稻粱會鹽梅而成咢飪其理練其旨深慮受末學莫能踵武以泰始六年初講十誦於震澤闡揚事相咫尺神道高談出雲漢精義入無間八萬威儀怡然理暢五部章句渙爾同波由是後進知宗先達改觀暉光令問於斯籍甚法師應不擇方行有餘力淸言終日而事在其中立棲雲於具區營延祚於建業令不待嚴房櫳肅靜役不加迅棟宇駢羅自方等來儀變梵爲漢鴻才鉅學連軸比肩法華維摩之宗往往間出涅槃成實之唱處處聚徒而律藏憲章於時最寡振衷

持領允屬當仁君夫淵源浩汗故老之所廻惑峻阻隱復前修之所解駕皆剖析毫釐粉散膠結鉤深致遠獨悟胸懷故能使反戶之南彎弓之北尋聲赴響萬里而至門人歲益經緯日新坐高堂而延四衆轉法輪而朝同業者二十有餘載君子謂此道於是乎中興絕慶弔屏流俗朱門華屋靡所經過齊竟陵文宣王顧輕千乘虛心入解嘗請法師 於邸寺既許以降德或謂宜修賓主法師笑而答曰我則未暇及正位函丈始交凉燠時法筵廣置髦士如林主譽既馳客容多猛發題命篇疑難鋒出法師應變如響若不留聽囿辯者土崩負强者折角莫不遷延徙靡亡

本失支觀聽之流稱爲盛集法師性本剛克而能悅以待問發言盈庭曾無忤色虛已博約咸竭厥才依止踈附訓之如一少壯居家孝于惟友脫屣四攝愛著兩忘親黨書介封而不發内恕哀慼抑而不臨常曰道俗異故優陀親承音旨寧習其言而忽其教煩惱煦濡蕭然頓遣法師之於十誦也始自吳興迄于建業四十有餘講撰義記八篇約言示制學者傳述以爲妙絶古今春秋七十有二齊永元三年遷神于建康縣之安樂寺僧尼殷赴若喪昆姊諒不言之信不召之感者去若夫居敬行簡喜愠不形於色知人善誘甄藻罔遺於時臨財廉取于義明名方大處變

不渝汪汪焉堂堂焉渤碣河華不能充其量蓋淨行之儀表息心之軌則歟弟子道進等感梁木之既摧慟德音之永閟俾陳信而有徵庶流芳而無愧

廢剎淨妙寺 即齊安寺

（文）淨妙寺舊序　　金陵新志

淨妙寺即齊安寺南唐昇元中建政和中改賜今額舊臨官路今移置高隴面秦淮在城東門外四里王荊公有齊安寺詩石刻尚存又有詩見光宅寺李壁注謂寺是齊武帝宅按實錄齊武帝生建康青溪宅後稱青溪舊宮未見改爲寺也

詩 齊安寺　宋王安石

日淨山如染風暄草欲薰梅殘數點雪麥漲一溪雲

廢剎 同泰寺

文 同泰寺舊序　金陵新志

舊志在梁時北掖門外路西南與臺城隔路實錄梁大通元年剏北寺寺在宮後開一門名大通對寺南門造大佛閣大同十年震火所焚略盡即更造未訖而侯景亂南唐改爲淨居寺尋又改圓寂寺宋爲法寶寺又輿地志法寶圓寂寺即古同泰寺基運曆圖云大同元年幸同泰寺鑄十方銀像二年幸同泰寺鑄十方金像六朝事迹

云梁武帝起同泰寺在臺城內窮竭帑藏造大佛閣七層爲天火所焚梁帝捨身施財以祈佛福大通以後無年不幸同泰寺設四部無遮大會寺今廢其半爲法寶寺志云即臺城院乃梁同泰寺基之半也在宋行宫北精銳軍寨內梁大通元年創同泰寺楊吳順義二年以同泰寺之半置爲臺城千福院宋改賜今額寺前有醜石四各高丈餘俗呼爲三品石政和中取歸京師或謂之闕石寺前墻外有井耆老相傳爲陳時胭脂井叔寶與張麗華隊而復出之所也寺基最濶淳祐七年創置精銳軍同泰寺舊基皆爲寨屋及蔬圃有井在寨內蓋精銳軍寨在都統制司之

後都統制司在宋行宮城之後法寶寺在精銳軍寨之後其都統制司地基及精銳軍寨基皆梁陳宮掖舊址也故景陽臺基及臨春結綺望仙三閣故址與胭脂井皆在寨內戚氏云法寶寺老僧猶能記其祖師之言謂宋行宮城後門乃梁陳宮城前門今法寶寺門墻外卽梁大通門也

奉請上開講啓（此後當是同泰之講）　梁蕭綱

臣綱言竊以真如無說非筌不悟極果不應注仰期通故鼉有水緣方見圓曦之影藥含長性得墜慧雲之慈伏惟陛下玉鏡宸居金輪馭世應跡有爲俯存利物不違本誓開導愚蒙驅十方于大乘運萬國於仁壽豈止治斤田粟

祀初流心窮後念方當共捐五蓋俱照一空巍巍蕩蕩難得為喻臣仍屈慧令續宣此典大乘普導實由聖慈伏筆罄言寧宣戴荷不任下情謹啓事謝聞謹啓

上為開講日參承啓　梁蕭綱

臣綱言伏承輿駕臨同泰寺開金字般若波羅蜜經題照迷生之慧日導出世之長源百華同陰萬流歸海幽顯讚揚率土含潤臣身礙已來望舒盈闕甘露普被人天俱萃波若魔事獨在微躬馳係法輪私深尅責不任下情謹奉啓奉承謹啓

答勑　梁武帝

省啓具之爲汝講金字般若波羅蜜經發題始竟四衆雲合華夷畢集連雨累日深慮廢事具物開明幽顯同慶實相之中本無去來身雖不到心靡不在善自調養慎勿章勞尚有兩旬日數猶奢今雖不同後會未晚也吾始還臺不復多勅越勅

答同泰寺立刹啓　梁武帝

竊以寶塔天飛神龕地踊豈惟昔代復見茲辰嘉彼百靈欣斯十善雖復紫烟旦聚比此未儔朱光夜上方今知陋

請武帝同泰寺御講啓　梁蕭綱

臣綱臣綸臣紀言臣聞紫宮麗天著明玄象軒臺在嶽遊

功侔造化疏江決河削成天下智髙九舜明出十堯頻從
鑾蹕降甘露雨天人舞蹈含生利益是以背流知反迷岸
識歸臣自叨預趨聞渴仰無厭一日胃陳丹款伏希復轉
法輪未廻聽卑之恩尚絶愚臣之願慺慺寸志重敢披祈
伏願將降一音曲矜三請被微言於王舍集妙義於寶坊
聖心等視蒼生猶如一子遂臣之請即是普被無邊如蒙
允許衆望亦足兩肩荷負豈敢爲𢘥不任下願謹啓事以
聞謹啓

答請開講啓勑　梁武帝

省啓具汝所懷法事既善豈不欣然吾内外衆緣憂勞紛

總食息無暇廢事論道是所未遑汝便爲未體國也越勅

重謝上降爲開講啓　梁蕭綱

臣綱啓丹願懇誠屢冒宸扆實希降甘露雨普被三千天聽孔邈未垂鑒遂旱苗傾潤豈比自憐鴟鳥思林寧方渴仰近因大僧正慧令伏敢重祈降逮勅旨垂許來歲二月開金字波若經題殊特之恩曲應愚請稽拜恭聞不勝喜躍身心悅樂如觸慈光手足蹈舞義非餘習伏以香城妙說實仰神文潤方雲雨明踰日月能使迷途識正大夢均朝梵志懼來天魔遥禮提桓所聽而今得聞波崙所求希世復出其[illegible]益深廣無邊九圍獲悟十方蒙曉雖復識

聽艮書是以道彌隆而禮愈縟德愈溥而事愈泰此蓋
至治之尊牧生民之本也伏以大光嚴殿伴神垂則冲天
開宇功深大壯事協文明儀辰建極切靈啓構照燭三光
含超百堵咸謂心華所表復非良匠之力神通所現不藉
子來而成實惟淨國固絶董落之禮高邁釋宫理無鹿鳴
之宴竊惟妙勝之堂本師於茲佛吼摩尼之殿如來亦闡
法音佛希躬除睟容施灑甘露油然慧雲霈然慈雨光斯
盛業導彼蒼生履天居而説無相同真也建佛事而被率
土化俗也同真化俗至矣哉一舉而三美顯豈不大乎與
彼陘山之上仙巖之下西都鳳凰負陽鶩鷲安足同日而

語哉敢露丹愚伏待矜遂輕干聽覽流汗戰慴謹啓

謝勅爲建涅槃懺啓　梁簡文帝

臣綱啓伏聞勅旨垂爲臣於同泰寺瑞應殿建涅槃懺臣障雜多災身穢饒疾鍼艾湯液每黷天覽重蒙曲慈降斯大福冀慧雨微垂卽滅身火梵風繞起私得清涼無事非恩伏枕何答不任下情謹奉啓謝聞謹啓

梁同泰寺刹下銘　陳虞荔

戒香芬馥氣勝懷蘭智　陸離威逾交軛敝慧日於重雲浚法流於巨海嚴此三駕用拔畏塗漾彼六舟拯諸淪溺但以一人入道波旬之宮已震十地弘心毒龍之災競起

重欒布護積拱崚嶒神仙岳岳俯雕檻於霞外寶鐸鏘鏘韻鈞天於雲表雷雨杳冥而未半扶桑光䏐而先明迢亭峻極特立千仞灼爍崢嶸光鏡八表若日殿之燭火空似星宮之構辰極辭曰層臺複陸廣殿穹崇塗金錮玉暎日跪風

同泰寺正智寂師志銘　梁簡文帝

峰頹木朽波逝江潭山川若此人何以堪亦生亦滅如罄如舟千齡俱盡萬古誰留惟茲大士才敏學優幼捐蹈火早去吞鉤法雷能響懸河必訓辯才可匹妙德難儔

詩

望同泰寺浮圖　梁簡文帝

遙看官佛圖帶壁復垂珠燭銀踰漢汝寶鐸邁昆吾日起光芒散風吟宮徵殊露落盤恒满桐生鳳不雛飛幡雜晚虹音絳畫鳥狎晨鳧梵世淩空下應真蔽景趨帝馬咸千轡天衣盡六銖意樂開長表多寶現金軀能令苦海渡復使慢山踰願能同四忍長當出九居穆天子傳天子之寶璿珠燭銀郭璞曰銀有精光如燭也

望同泰寺浮圖　梁庾肩吾

望園臨柰苑王城對鄴宮還從飛閣内遙見崛山中天衣疑拂石鳳翅欲淩空雲甍猶帶雨蓮井不生桐盤承雲表露鈴搖天上風月出琛含水一作采天晴幡帶虹周星疑更

落漢夢似今通我后懷一作情初照不與伊川同方應捧馬出永得離塵蒙崛山者崛山也

望同泰寺浮圖　梁王訓

副君坐飛觀城傍屬大林王門雖入邃露塔復千尋重櫨出漢表層拱冒雲心崑山雕潤玉麗水瑩明金懸盤同露掌垂鳳似飛禽月落簷西暗日去柱東侵反流開睿屬翻動神襟願託牢舟反長免愛河深

望同泰寺浮圖　梁王臺卿

朝光正晃朗涌塔標千丈儀鳳異靈烏金盤代仙掌積栱承彫桷高簷挂蛛網寶地若池沙風鈴如樹響刻削生千

變丹青圖萬象烟霞時出没神仙乍來往晨露半層生飛旛接雲上遊蜺不敢息翔鵾詎能仰讃善資哲人流詠歸明兩願假舟航未彼岸誰云廣

望同泰寺浮圖　梁庾信

岧岧凌太清照殿比東京長影臨雙闕高層出九城栱積行雲礙幡摇度鳥驚鳳飛如始泊蓮合似初生輪重對月滿鐸韻擬鸞聲畫水流全住圖雲色半輕露晚盤猶滴珠朝火更明雖連博望苑還接銀沙城天香下桂殿仙梵入伊笙㡿聞八解樂方遣六塵情

臺城寺側獨行　宋王安石

春山撩亂水縱橫籬落荒畦草自生獨往獨來山下路篇
興看得綠陰成

廢剎 善覺寺

文 善覺寺碑銘　　梁簡文帝

蓋聞在天成象倬彼雲漢在地成形嵩高惟岳蒼蒼幹運
靈槎猶且去來巖巖峻極巫咸可以升降穆貴嬪宿植達
因已於恒沙佛所經受記莂有緣娑婆降跡斯土行邁英
皇德降華附河南望浮雲之瑞新野表升天之祥光前絶
後建茲福地乃于建康之太清里建善覺寺焉大通元年
龍集己酉有令使立碑文未獲搆譔居諸不息寒暑推移

軒耀夙傾前星次掩歲在諏訾始得補綴何言之陋何事之隆爝等仲由空悲負粟之哽復異桓良終無維山之日永言纏慕獨咽丹心銘曰效彼毗城建斯福舍四柱浮懸九城靈架重欒交峙廻廊遙迓掩暎花臺崔嵬蘭榭陽燧暉朝青蓮開夜

善覺寺碑　梁元帝

金盤上匟非求承露玉舄前臨寧資潤礎飛軒絳屏若丹氣之爲霞綺井綠泉如青雲之入呂寶繩交暎無慙紫紺之宮花　照日有跡白林之地銘曰聿遵勝業代彼天工四園枝翠八水池紅花疑鳳翼殿若龍宮銀城暎沼金鈴

響風露臺含月珠幡拂空

善覺寺塔露盤啟　梁昭明太子

燥濕無變九布見奇寒暑是宜六律成用況復神龍負子光斯極妙金烏銜帶飾慈高表百谷耻其詠歌臨淄惡其祥應陽燧含影還避日輪甘露入盤足稱天酒

謝勅使監善覺寺起刹啓　梁昭明太子

臣諱啓伏見勅旨使監作舍人王曇明材官將軍沈微御仗吳景等監看善覺寺起刹事爰奉聖恩曲降神力命斯執事修兹長表寶塔雲搆無待喜園水精特進非差龍海大龜持泥未足爲盛鷲鷺引繩方斯冣埒仰瞻慈渥喜戴

不勝俯循宿顧私增涕噎不　任銘荷謹奉啓謝聞謹啓

〔廢刹〕證聖寺

〔文〕證聖寺舊序　　金陵新志

證聖寺在宋行宫後南唐保大中木平和尚居此寺故里俗至今呼爲木平寺寺東有溝迤邐西北接運瀆今堙塞尚存遺跡木平别有傳

〔傳〕木平和尚傳　　縣志

木平和尚不知何許人南唐保大初徵至闕下挂木櫪杖頭條不見後主問曰和尚何在因引瓶自蔽詭曰某在此澡浴後主拜之木平曰陛下見羣臣勿言臣在瓶中浴後

主笑曰汝見人亦勿道吾拜汝常出入禁中他日從登百尺樓後主問其制度佳否對曰尤宜望火初不諭其意後數載木平卒淮甸大擾烽火相接後主常登望以占動靜又素愛慶王因問壽命幾何曰壽當七十是歲病終年十七盖反語也爲建寺宮側居之名木瓶後訛爲木平云

廢剎 報恩院

傳 金陵報恩院清護禪師傳　傳燈錄

福州長樂人納戒於國師言下發明眞趣暨國圓寂乃之建州白雲閩帥王氏奏賜紫衣號崇因大師晉天福八年金陵興師入建城時統軍査元徽至院師出延接査問曰

此中相見時如何師曰惱亂將車查後請師歸金陵國主命居長慶院攝衆周顯德初退歸建州阜庵時節度陳誨創顯親報恩禪院堅請住持開堂日僧問諸佛出世天華亂墜未審和尚有何祥瑞師曰昨日新雷發今朝細雨飛問如何是諸佛玄旨師曰草鞋木履開寶三年五月江南後主再請入住報恩淨德二道場來往說法改號妙行禪師當年十一月示疾預辭國主二十日平旦聲鐘召大衆囑付訖儼然坐亡

金陵報恩匡逸禪師傳

明州人初住潤州慈雲江南國主請居上院署凝密禪師

一日上堂衆集顧視大衆曰依而行之卽無累矣不見先德云人無心合道道無心合人人道旣合是名無事人且自何而凡自何而聖此若未會也只爲迷情所覆便去不得迷時卽有質礙爲對爲待種種不同忽然惺去亦無所得譬如演若達多認影爲頭豈不是擔頭然正迷之時頭且不失及乎悟去亦不爲得何以故人迷謂之失人悟謂之得得失在於人何關於動靜僧問諸法說法普潤羣機和尚說法什麼人得聞師曰只有汝不聞問如何是報恩一句師曰道不是得麼問十二時中思量不到處如何行履師曰汝如今在什麼處問如何是一句師曰我答爭似

汝舉問佛爲一大事因緣出世未審和尚出世如何師曰
恰好曰恁麽卽大衆有賴師曰莫錯

廢刹報慈道場

傳 金陵報慈道場玄覺導師傳　傳燈錄

泉州晉江人得法於淨慧禪師上堂示衆曰凡行脚人參
善知識到一叢林放下瓶鉢可謂行菩薩之道能事畢矣
何用更來這裏舉論真如涅槃此是非時之說然古人有
言譬如披沙識寶沙礫若除真金自現便喚作常住世間
具足僧寶又如一味之雨一般之地生長萬物大小不同
甘辛有異不可道地與雨有大小之名也所以道方卽現

方圓卽現圓何以故法無偏正隨相應現喚作對現色身還見麼若不見也莫閑坐對江南國主新建報慈大道場命師大闡宗猷海會二千餘衆別署導師之號師謂衆曰此日英賢共會海衆同臻諒惟佛法之趣無不備矣是以森羅萬象諸佛洪源顯明則海印光澄冥昧則情迷自惑苟非通心上士逸格高人則何以於諸塵中發揚妙極卷舒物象縱奪森羅示生非生應滅非滅生滅洞已乃曰真常言假則影散千途論真則一空絶迹豈可以有無生滅而計之者哉

金陵梵刹志卷四十九

南藏目録

每經壹藏共陸百叁拾陸函共陸千叁百叁拾壹卷共壹拾壹萬伍百貳拾陸張内全葉壹拾萬柒千柒百捌拾貳張尾半葉貳千柒百肆拾肆張○板共伍萬柒千壹百陸拾塊

大乘般若部經

天 十卷一百六十一張尾半三張
地 十卷一百六十五張尾半五張
玄 十卷一百五十七張尾半八張
黃 十卷一百六十三張尾半十張

宇 十卷一百六十二張尾半七張
宙 十卷一百五十七張尾半七張
洪 十卷一百五十四張尾半八張
荒 十卷一百四十八張尾半五張

日 十卷一百四十五張尾半八張
月 十卷一百四十八張尾半九張
盈 十卷一百四十四張尾半七張
昃 十卷一百四十二張尾半七張

辰 十卷一百四十八張尾半七張
宿 十卷一百三十九張尾半五張
列 十卷一百四十二張尾半七張
張 十卷一百三十九張尾半八張

寒 十卷一百五十三張尾半三張
來 十卷一百五十五張尾半三張
暑 十卷一百四十三張尾半五張
往 十卷一百四十六張尾半五張

秋 十卷一百四十九張尾半六張
收 十卷一百五十二張尾半三張
冬 十卷一百四十七張尾半八張
藏 十卷一百五十二張尾半三張

聞十卷一百四十九張尾半三張　餘十卷一百四十九張尾半四張　成十卷一百四十七張尾半七張　歲十卷一百四十七張尾半五張

律十卷一百四十九張尾半七張　呂十卷一百四十八張尾半二張　調十卷一百五十張尾半七張　陽十卷一百五十四張尾半五張

雲十卷一百六十一張尾半三張　騰十卷一百五十五張尾半四張　致十卷一百五十五張尾半三張　雨十卷一百六十一張尾半二張

露十卷一百四十九張尾半四張　結十卷一百五十二張尾半九張　爲十卷一百五十四張尾半四張　霜十卷一百五十張尾半八張

金十卷一百五十八張尾半七張　生十卷一百五十六張尾半八張　麗十卷一百五十二張尾半六張　水十卷一百五十三張尾半三張

玉十卷一百四十八張尾半八張　出十卷一百四十九張尾半八張　崑十卷一百五十七張尾半三張　岡十卷一百五十六張尾半六張

劍十卷一百五十九張尾半五張　號十卷一百五十六張尾半五張　巨十卷一百六十八張尾半三張　闕十卷一百六十六張尾半四張

珠十卷一百六十五張尾半七張　稱十卷一百五十四張尾半五張　夜十卷一百六十一張尾半三張　光十卷一百六十九張尾半五張

果十卷一百五十一張尾半五張　珍十卷一百五十五張尾半四張　李十卷一百四十八張尾半五張　柰十卷一百五十五張尾半四張

大般若波羅蜜多經

萊 十卷一百五十三張尾半四張　重 十卷一百二十六張尾半八張　芥 十卷一百三十五張尾半五張

放光般若波羅蜜經

薑 十卷一百九十四張尾半四張　海 十卷一百七十八張尾半五張　鹹 十卷一百八十六張尾半三張

摩訶般若波羅蜜經

河 十卷一百六十三張尾半三張

光讚般若波羅蜜經

淡 十卷一百五十一張尾半五張

道行般若波羅蜜經

鱗 十卷一百四十四張尾半四張

小品般若波羅蜜經

潛 十一卷一百六十三張尾半六張

摩訶般若波羅蜜多鈔經

大明度無極經

羽 十卷一百四十九張尾半三張

勝天王般若波羅蜜經

金剛般若波羅蜜經　能斷金剛般若波羅蜜經

翔 十卷一百三十四張尾半五張

金剛能斷般若波羅蜜經佛說濡首菩薩無上清淨

分衛經　仁王護國般若波羅蜜經

實相般若波羅蜜經　般若波羅蜜多心經

摩訶般若波羅蜜大明咒經

文殊師利所說摩訶般若波羅蜜經

文殊師利所說般若波羅蜜經

寶積部

龍 十卷一百六十張尾半四張　師 十卷一百四十八張尾半五張　火 十卷一百四十一張尾半四張　帝 十卷一百六十三張尾半五張

鳥十卷一百七十六張尾半四張　官十卷一百五十張尾半三張　人十卷一百四十一張尾半六張　皇十卷一百七十五張尾半四張

始十卷一百四十六張尾半七張　制十卷一百一十八張尾半六張　文十卷一百四十八張尾半八張　字十卷一百七十二張尾半四張

大寶積

乃九卷一百八十二張尾半八張　大方廣三戒經

佛說無量清淨平等覺經　佛說阿彌陀經

佛說無量壽經

服九卷一百二十七張尾半五張　佛說阿閦佛國經

佛說大乘十法經　佛說普門品經

文殊師利佛土嚴淨經　佛說胞胎經

佛說法鏡經

衣 八卷一百三十三張尾半二張

郁迦羅越菩薩行經

幻士仁賢經　佛說決定毘尼經

發覺淨心經　優填王經

佛說須摩提經　佛說須摩提菩薩經

佛說離垢施女經　阿闍世王女阿述達菩薩經

裳 十卷一百五十六張尾半五張

得無垢女經

文殊師利所說不思議佛境界經

佛說如幻三昧經　善住意天子所問經

太子刷護經　太子和休經

推 十卷一百三十八張尾半二張

慧上菩薩問大善權經

大乘顯識經　大乘方等要慧經

彌勒菩薩所問本願經　佛遺日摩尼寶經

佛說摩訶衍寶嚴經　勝鬘師子吼一乘大方便

方廣經　毘耶沙門經

大集部

位十卷一百八十七張尾半六張　讓十卷二百零一張尾半七張　國十卷一百七十一張尾半五張

大方等大集經

有十卷一百八十四張尾半二張　大乘大方等日藏經

虞十卷二百張尾半七張　大方等大集月藏經

陶十卷一百五十張尾半六張　大乘大集地藏十輪經

唐 十卷一百三十五張尾半五張 佛說大方廣十輪經

大集須彌藏經

弔 十卷一百五十九張尾半三張 虛空孕菩薩經

虛空藏菩薩經 虛空藏神咒經

觀虛空藏菩薩經 佛說菩薩念佛三昧經

民 十卷一百一十九張尾半三張 佛說大方等大集菩薩念

佛三昧經

伐 九卷一百三十二張尾半四張 般舟三昧經

拔陂菩薩經 大方等大集賢護經

罪 十一卷一百六十三張尾半五張 阿差末菩薩經

周 十卷一百四十二張尾半三張　無盡意菩薩經

大集譬喻王經　大哀經

發 十卷一百六十三張尾半四張　寶女所問經

無言童子經　自在王菩薩經

奮迅王問經

殷 八卷一百二十張尾半四張　寶星陀羅尼經

華嚴部

湯 十卷一百七十二張尾半三張　坐 十卷一百六十六張尾半三張　朝 十卷一百六十三張尾半九張　問 十卷一百六十四張尾半三張

道 十卷一百五十七張尾半五張　垂 十卷一百九十三張尾半五張　大方廣佛華嚴經

拱 十卷一百四十五張尾半五張　平 十卷一百五十四張尾半三張　章 十卷一百五十一張尾半三張　愛 十卷一百三十八張尾半七張

育 十卷一百四十六張尾半六張 黎 十卷一百五十九張尾半六張 首 十卷一百五十七張尾半五張 臣 十卷一百六十三張尾半八張

大方廣佛華嚴經

伏 十三卷一百七十二張尾半六張 戎 十三卷一百七十一張尾半六張 羌 十四卷一百八十八張尾半七張

大方廣佛華嚴經普賢菩薩行願品

遐 八卷一百二十五張尾半六張

信力入印法門經

佛華嚴入如來德智不思議境界經

度諸佛境界智光嚴經

大乘金剛髻珠菩薩脩行分經

邇 十卷一百九十九張尾半六張

大方廣入如來智德不思議經

大方廣佛華嚴經修慈分

大方廣佛華嚴經不思議佛境界分
大方廣如來不思議境界經
大方廣普賢所說經　莊嚴菩提心經
菩薩本業經　大方廣佛華嚴經續入法界品
佛說兜沙經
大方廣菩薩十地經　諸菩薩求佛本業經
菩薩十住行道品經　菩薩十住經
漸備一切智經
壹　十二卷二百零九張尾半五張　十住經
顯無邊佛土功德經　度世品經

體 十一卷二百七十八張尾半六張　佛說如來興顯經

佛說羅摩伽經　等目菩薩所問三昧經

涅槃部

率 十卷一百七十三張尾半四張　賓 十卷一百六十五張尾半三張　歸 十卷一百六十八張尾半五張　王 十卷一百六十五張尾半一張

大般涅槃經

鳴 九卷一百八十六張尾半三張　鳳 九卷一百九十張尾半一張　在 九卷一百六十八張　樹 九卷一百九十一張尾半三張

南本大般涅槃經

白 八卷一百六十六張尾半四張　大般泥洹經

大般涅槃經後分

駒 九卷一百六十四張尾半七張　佛說方等般泥洹經

四童子三昧經　大悲經

五大部外重譯經

食 十二卷二百七十三張尾半五張　合部金光明經

金光明經

場 十三卷二百九十六張尾半七張　金光明最勝王經

伅眞陀羅所問寶如來三昧經

化 十卷一百六十七張尾半三張　被 十卷一百六十六張尾半四張　方廣大莊嚴經

普曜經

草 九卷二百七十五張尾半七張　妙法蓮華經

法華三昧經　薩曇分陀利經

無量義經

木 十卷一百七十八張尾半三張　正法華經

賴 十卷一百七十四張尾半八張　大乘大悲分陀利經

善思童子經

及 十卷一百七十九張尾半十張　悲華經

萬 十卷一百七十四張尾半三張　六度集經

大乘頂王經　大方等頂王經

方 十二卷二百八十八張尾半八張　維摩詰所說經

維摩詰經　說無垢稱經

蓋 十二卷二百九十五張尾半九張　妙法蓮華經

道神足無極變化經

此 十一卷二百五十九張尾半五張

佛說寶雲經

阿維越致遮經

身 十三卷二百六十一張尾半七張

佛說寶雨經

佛昇忉利天爲母說法經

髮 十卷一百八十一張尾半七張

不退轉法輪經

廣博嚴淨不退轉法輪經入定不定印經

不必定入定入印經

四 十一卷二百六十四張尾半四張

持人菩薩所問經

持世經

等集衆德三昧經

（大）十二卷一百九十一張尾半五張　集一切福德三昧經

大乘同性經　勝思惟梵天所問經

（五）十卷一百九十張尾半二張　持心梵天所問經

思益梵天所問經　佛說濟諸方等學經

大乘方廣總持經

（常）十二卷二百六十張尾半六張　證契大乘經

深密解脫經　解深密經

（恭）十六卷二百七十四張尾半三張　大灌頂神咒經

大樹緊那羅王所問經

（惟）十卷二百八十七張尾半四張　藥師如來本願經

藥師瑠璃光如來本願功德經

藥師瑠璃光七佛本願功德經

阿闍世王經　楞伽阿䟦多羅寶經

鞠 十卷一百七十三張尾半五張

入楞伽經

養 十卷一百七十二張尾半四張

大乘入楞伽經

菩薩行方便境界神通變化經

豈 十一卷一百六十六張尾半六張

大薩遮尼揵子受記經

梵書藥師瑠璃光七佛本願功德經

敢 八卷一百三十八張尾半五張

佛說解節經

分別緣起初勝法門經　緣生初勝分法本經

相續解脫地波羅蜜了義經

佛說文殊師利現寶藏經　大方廣寶篋經

毀　十卷一百七十二張尾半七張　普超三昧經

放鉢經　大方等大雲經

大雲請雨經

傷　十二卷一百七十張尾半一張　大雲輪請雨經

大方等大雲請雨經　佛說如來智印經

佛說慧印三昧經　諸法無行經

諸法本無經　佛說無極寶三昧經

女　十一卷一百九十一張尾半二張　月登三昧經

慕 十一卷一百六十一張尾半八張

佛說無所希望經　　佛說象腋經

佛說大淨法門品經　　莊嚴法門經

如來莊嚴智慧光明入一切境界經

度一切諸佛境界智嚴經　寶如來三昧經

月登三昧經

貞 十卷一百五十三張尾半六張

觀無量壽佛經

稱讚淨土佛攝受經　　佛說阿彌陀經

後出阿彌陀偈經　　不思議神力傳

觀彌勒菩薩上生兜率陀天經

佛說彌勒下生經　　佛說彌勒來時經

彌勒下生成佛經　觀彌勒菩薩下生經
彌勒成佛經　一切法高王經
第一義法勝經　大威燈光仙人問疑經
大阿彌陀經
潔 十卷一百三十六張尾半七張　順權方便經
諸法勇王經　太子須大拏經
菩薩睒子經　太子慕魄經
佛說睒子經　佛說九色鹿經
佛說太子沐魄經　樂瓔珞莊嚴方便經
無字寶篋經　大乘離文字普光照藏經

佛說長者子制經　佛說月光童子經
申日兒本經　佛說逝童子經
佛說犢子經　佛說乳光佛經
無垢賢女經　腹中女聽經
男 十卷一百三十六張尾半七張　大乘徧照光明藏無字法門經
佛說老女人經
佛說老母經　老母女六英經
菩薩逝經　文殊師利問菩提經
伽耶山頂經　佛說象頭精舍經
大乘伽耶山頂經　佛說德護長者經

佛說轉女身經　未曾有經

佛說甚希有經　佛說決定總持經

佛說謗佛經　寶積三昧文殊師利菩薩

問法身經　入法界體性經

如來師子吼經　大方廣師子吼經

大乘百福相經

效十卷一百三十二張尾半四張　佛說善恭敬經

稱讚大乘功德經　說妙法決定業障經

大乘百福莊嚴相經　大乘四法經

菩薩修行四法經　希有校量功德經

佛說銀色女經　阿闍世王受決經
採華違王上佛受決經　佛說正恭敬經
佛說最無比經　佛說前世三轉經
無上依經　佛說了本生死經
佛說自誓三昧經　貝多樹下思惟十二因緣經
佛說緣起聖道經　佛說稻稈經
佛說轉有經　文殊師利巡行經
文殊尸利行經　佛說作佛形象經
佛說龍施女經　佛說龍施菩薩本起經
八吉祥神咒經

才 十一卷二百四十四張尾半六張　佛說諫王經
如來示教勝軍王經　佛爲勝光天子說王法經
大方等修多羅王經　如來獨證自誓三昧經
佛說灌佛經　佛說灌洗佛經
佛說造立形像福報經　佛說八陽神咒經
佛說八吉祥經　佛說八佛名號經
佛說盂蘭盆經　佛說報恩奉盆經
佛說浴像功德經　浴像功德經
佛說校量數珠功德經　曼殊室利校量數珠功德經
不空羂索心咒王經　不空羂索咒經

不空罥索陀羅尼經　不空罥索咒心經
不空罥索神咒心經
艮 十卷一百三十八張尾半六張　知 十卷一百六十三張尾半八張　過 十卷一百六十五張尾半九張
不空罥索神變真言經
必 十一卷一百八十六張尾半六張　千眼千臂觀世音菩薩陀
尼神咒經　千手千眼觀世音菩薩姥
陀羅尼身經　千手千眼觀世音菩薩廣
大圓滿無礙大悲心陀羅尼經
觀世音菩薩秘密藏神咒經
觀世音菩薩如意摩尼陀羅尼經

觀世音菩薩如意心陀羅尼經

如意輪陀羅尼經　觀自在菩薩怛縛多唎隨

心陀羅尼經　大方廣菩薩藏經中文殊

師利根本一字陀尼經

曼殊室利菩薩呪藏中一字呪王經

十二佛名神呪校量功德除障滅罪經

佛說稱讚如來功德神呪經

大金色孔雀王呪經　大孔雀王神呪經

佛說大孔雀王雜神呪經　佛說孔雀王呪經

攺 十二卷一百八十六張尾半七張　佛說大孔雀呪王經

佛母大孔雀明王經　佛說十一面觀世音神咒經
佛說十一面神咒心經　千轉陀羅尼經
咒五首經　六字神咒經
咒三首經　佛說摩利支天陀羅尼經
佛說七俱胝佛母心大准提陀羅尼經
佛說七俱胝佛母准提大明陀羅尼經
佛說佛頂尊勝陀羅尼經最勝佛頂陀羅尼淨除業障經　佛說一向出生菩薩經
種種雜咒經　佛頂勝陀羅尼經
十卷一百九十七張尾半四張　佛頂最勝陀羅尼經

佛頂尊勝陀羅尼經　佛說觀藥王藥上二菩薩經

阿難陀目佉尼呵離陀經舍利弗陀羅尼經

阿難陀目佉尼阿離陀隣尼經

佛說無量門破魔陀羅尼經

出生無邊門陀羅尼經　勝幢臂印陁羅尼經

妙臂印幢陀羅尼經　佛說陀羅尼集經

能　八卷一百零四張尾半六張　佛說陀羅尼集經

莫　十二卷一百六十一張尾半七張　佛說無涯際總持法門經

尊勝菩薩所問一切諸法入無量法門陀羅尼經

金剛上味陀羅尼經　金剛場陀羅尼經

虛空藏菩薩問七佛陀羅尼經

無垢淨光大陀羅尼經　請觀世音菩薩消伏毒害

陀羅尼經　華積陀羅尼神咒經

華聚陀羅尼咒經　師子奮迅菩薩所問經

六字咒王經　六字神咒王經

佛說持句神咒經　佛說陀隣尼鉢經

東方最勝燈王如來助護持世間經

如來方便善巧咒經　善法方便陀羅尼咒經

金剛秘密善門陀羅尼經護命法門神咒經

內藏百寶經　溫室洗浴衆僧經

佛說四不可得經　梵女首意經

【志】十二卷二百八十一張尾半十六張　成具光明定意經

佛說須賴經　佛說寶網經

菩薩道樹經　菩薩生地經

諸德福田經　大方等如來藏經

摩訶摩耶經　佛說孛經抄

金色王經　佛語法法門經

演道俗業經　百佛名經

菩薩行五十緣身經　菩薩修行經

【圖】十二卷二百零二張尾半十一張　須眞天子經

佛說觀普賢菩薩行法經稱揚諸佛功德經

佛說無量門微密持經　佛說出生無量門持經

不思議光菩薩所說經　除恐災患經

觀世音菩薩得大勢菩薩受記經

超日月三昧經

談 十二卷二百八十八張尾半九張

十住斷結經

彼 十卷二百九十張尾半九張

十住斷結經

佛說海龍王經　未曾有因緣經

諸佛要集經

短 七卷二百零二張尾半四張

菩薩瓔珞經

靡 九卷一百七十四張尾半五張

菩薩瓔珞經

佛說首楞嚴三昧經

恃 十一卷一百七十八張尾半六張

賢刼經

單譯經

己 十卷一百八十四張尾半七張

佛說佛名經

長 十卷一百六十一張尾半四張

佛說佛名經

佛說不思議功德諸佛所護念經

過去莊嚴刼千佛名經

現在賢刼千佛名經

未來星宿刼千佛名經

力莊嚴三昧經

信 十二卷一百六十四張尾半九張
五千五百佛名神咒除障滅罪經

大方等陀羅尼經

使 十二卷一百五十五張尾半十一張
大方炬陀羅尼經

可 十二卷一百五十一四張尾半十張
大法炬陀羅尼經

僧伽吒經

覆 十二卷一百五十四張尾半九張
大威德陀羅尼經

器 十二卷一百四十六張尾半六張
大威德陀羅尼經

觀察諸法行經

欲 八卷一百七十八張尾半四張
佛說華手經

難 十卷一百九十四張尾半六張
佛說華手經

法集經　大方廣圓覺修多羅了義經

佛說施燈功德經

量　十卷一百四十四張尾半五張　觀佛三昧海經

墨　十卷一百五十九張尾半三張　大方便佛報恩經

菩薩本行經

悲　九卷一百九十一張尾半四張　菩薩處胎經

央掘魔羅經

絲　十二卷一百七十三張尾半九張　三昧弘道廣顯定意經

佛說明度五十校計經　無所有菩薩經

中陰經

染 十一卷一百七十七張尾半七張

月上女經

大法鼓經

大方廣如來秘密藏經

文殊師利問經

詩 十一卷一百七十八張尾半六張

大乘密嚴經

占察善惡業報經

一字佛頂輪王經

文殊師利問菩薩署經

佛說蓮華面經

讚 十卷一百七十一張尾半三張

大毘盧遮那成佛神變加持經

廣大寶樓閣善住秘密陀羅尼經

羔 十三卷一百五十 七張尾半七張

大佛頂如來密因修證了

義諸菩薩萬行首楞嚴經
大陀羅尼末法中一字心咒經
大乘造像功德經
宋 八卷一百七十九張尾半四張　金剛光焰止風雨陀羅尼經
牟黎曼陀羅咒經　蘇婆呼童子經
蘇悉地羯羅經
景 九卷一百七十六張尾半五張　金剛頂瑜伽中畧出念誦經
七佛所說神咒經　文殊師利寶藏陀羅尼經
行 十卷一百七十一張尾半五張　大吉義神咒經
阿吒婆拘上佛陀羅尼經佛說大普賢陀羅尼經

佛說大七寶陀羅尼經　阿彌陀鼓音聲王陀羅尼經

六字大陀羅尼經　安宅神咒經

幻師颰陀神咒經　佛說辟除賊害咒經

佛說咒時氣病經　佛說咒齒經

佛說咒目經　佛說咒小兒經

佛說摩尼羅亶經　佛說檀持羅麻油述經

佛說護諸童子陀羅尼咒經

諸佛心陀羅尼經　拔濟苦難陀羅尼經

八名普密陀羅尼經　佛說持世陀羅尼經

佛說六門陀羅尼經　清淨觀世音普賢陀羅尼經

諸佛集會陀羅尼經　佛說智炬陀羅尼經
佛說隨求即得大自在陀羅尼神咒經
百千印陀羅尼經　佛說救面然餓鬼陀羅尼經
甘露陀羅尼經　莊嚴王陀羅尼經
香王菩薩陀羅尼咒經　佛說一切法功德莊嚴王經
佛說拔除障咒王經　佛說善夜經
虛空藏菩薩能滿諸願最勝心陀羅尼求聞持法
金剛頂曼殊室利菩薩五字心陀羅尼品
觀自在如意輪菩薩瑜伽法要
金剛頂經五字心陀羅尼佛說佛地經

佛垂般涅槃畧說教誡經　出生菩提心經
佛說佛印三昧經
絓十一卷二百七十三張尾半四張　文殊師利般涅槃經
異出菩薩本起經　佛說賢首經
千佛因緣經　佛說月明菩薩經
佛說心明經　佛說滅十方冥經
佛說鹿母經　佛說魔逆經
佛說賴吒和羅所問德光太子經
賓王天子所問經　諸佛最上王經
大乘四法經　離垢慧菩薩所問禮佛法經

寂照神變三摩地經　造塔功德經

佛說不增不減經　佛說堅固女經

佛說大乘流轉諸有經　佛說大意經

受持七佛名號所生功德經

賓 十一卷二百五十三張尾半四張

佛爲海龍王說法印經

般泥洹後灌臘經　右遶佛塔功德經

佛說妙色王因緣經　師子王斷肉經

差摩婆帝受記經　師子王菩薩請問經

有德女所問大乘經　佛臨涅槃記法住經

佛說八部佛名經　菩薩内集六波羅蜜經

菩薩飼餓虎起塔因緣經　金剛三昧本性清淨經

佛說師子月佛本生經　佛說長者法志妻經

佛說薩羅國經　佛說十吉祥經

長者女菴提遮師子吼了義經

一切智光明仙人慈心因緣不食肉經

金剛三昧經　優婆夷淨行法門經

八大人覺經　佛說三品弟子經

佛說當來變經　過去佛分衛經

佛說四輩經　佛說法滅盡經

佛說甚深大迴向經　天王太子辟羅經

佛說十二頭陁經　佛說樹提伽經

佛說法常住經　佛說長壽王經

小乘經　阿含部

尅 十一卷二百九十 三張尾半三張　念 十一卷二百一十 二張尾半二張　佛說長阿含經

作 十卷二百九十 五張尾半四張　聖 十卷二百八十 六張尾半二張　德 十卷二百六十 六張尾半五張　建 十卷二百六十 三張尾半六張

名 十卷二百六十 六張尾半四張　立 十卷二百七十 張尾半五張　中阿含經

形 十卷二百二十 七張尾半五張　端 十卷二百五十 三張尾半四張　表 十卷二百七十 張尾半三張　正 十卷二百三十 八張尾半一五張

空 十卷二百六十 三張尾半五張　增壹阿含經

谷 十卷二百九十 張尾半三張　傳 十卷二百九十 七張尾半四張　聲 十卷二百九十 四張尾半四張　虛 十卷二百零二 張尾半五張

堂 十卷一百九十 三張尾半六張　雜阿含經

省 十卷一百七十一張尾半五張　聽 十三卷一百七十一張尾半三張　別譯雜阿含經

雜阿含經　長阿含十報法經

禍 十一卷二百九十二張尾半五張　佛般泥洹經

佛說方等泥洹經　大般涅槃經

佛說人本欲生經　佛說梵志阿颰經

佛說梵網六十二見經　佛說尸迦羅越六方禮經

佛說寂志果經

因 十卷一百五十五張尾半三張　起世經

惡 十卷一百五十三張尾半五張　起世因本經

積 十卷一百五十六張尾半五張　樓炭經

佛說七知經　佛說醎水喻經

佛說一切流攝守因經　佛說四諦經

佛說恒水經　佛說本相倚致經

中本起經　佛說緣本致經

禍 十一卷二百四十四張尾半八張

佛說頂生王故事經　佛說文陀竭王經

佛說閻羅王五天使者經　佛說鐵城泥犁經

佛說古來世時經　佛說阿那律八念經

佛說離睡經　佛說是法非法經

佛說求欲經　佛說受歲經

佛說梵志計水淨經　佛說苦陰經

佛說釋摩男本經　佛說苦陰因事經

佛說樂想經　佛說漏分布經

佛說問耨跋經　佛說諸法本經

佛說瞿曇彌記果經　佛說瞻婆比丘經

佛說伏婬經　佛說魔嬈亂經

佛說弊魔試目連經　泥犁經

優婆夷墮舍迦經　佛說齋經

佛說廣義法門經　佛說戒德香經

佛說四人出現世間經　佛說賴吒和羅經

佛說善生子經　佛說數經

佛說梵志頞波羅延問種尊經

緣 十卷一百六十張尾半五張　三歸五戒慈心厭離功德經

佛說須達經　佛為黃竹園老婆羅門說學經

佛說梵魔喻經

佛說尊上經　佛說鸚鵡經

佛說兜調經　佛說意經

佛說應法經　佛說鞞摩肅經

佛說婆羅門子命終愛念不離經

佛說十支居士八城人經佛說邪見經

佛說箭喻經　佛說普法義經
佛說波斯匿王太后崩塵土坌身經
須摩提女經　婆羅門避死經
施食獲五福報經　頻婆娑羅王詣佛供養經
佛說長者六過出家經　佛說鴦掘摩經
佛說鴦掘髻經　佛說四未曾有法經
佛說力士移山經　佛說舍利弗目揵連遊四衢經
七佛父母姓字經　佛說放牛經
緣起經　十一想思念如來經
佛說四泥犁經　阿那邠邸化七子經

大愛道般涅槃經　佛母般泥洹經

舍衛國王夢見十事經　佛說國王不黎先尼十夢經

阿難同學經　五蘊皆空經

佛說七處三觀經　佛說聖法印經

善　十二卷一百五十九張尾半四張　五陰譬喻經

佛說水沫所飄經　佛說不自守意經

佛說滿願子經　轉法輪經

佛說三轉法輪經　佛說八正道經

難提釋經　馬有三相經

佛說馬有八態譬人經　佛說相應相可經

治禪病秘要經　摩登伽經
舍頭諫經　修行本起經
鬼問目連經　雜藏經
餓鬼報應經　阿難問事佛吉凶經
慢法經　阿難分別經
五母子經
慶　九卷一百五十六張尾半十六張　沙彌羅經
玉耶經　玉耶女經
阿遬達經　摩鄧女經
摩鄧女解形中六事經　太子瑞應本起經

過去現在因果經　佛說柰女耆域因緣經

佛說柰女耆婆經

（尺）八卷一百五十四張星半四張　四十二章經

法海經　海八功德經

佛說罪業報應教化地獄經

佛說龍王兄弟經　長者音悅經

禪秘要法經　佛說七女經

佛說八師經　佛說越難經

佛說所欲致患經　阿闍世王問五逆經

佛說五苦章句經　佛說堅意經

佛說淨飯王般涅槃經　佛說進學經

得道梯隥錫杖經　佛說持錫杖法附

佛說貧窮老公經　佛說三摩竭經

壁 八卷一百五十六張尾半二張　生經

蓱沙王五願經　瑠璃王經

佛說義足經

單譯經

非 十卷一百五十八張尾半四張　寶 十卷一百六十四張尾半四張　寸 十卷一百五十七張尾半四張　陰 十卷一百六十六張尾半四張

是 十卷一百五十六張尾半五張　競 十卷一百五十四張尾半五張　資 十卷一百六十一張尾半五張

正法念處經

父 十二卷一百六十張尾半五張　事 十二卷一百五十八張尾半九張　君 十二卷一百五十九張尾半七張　曰 十二卷一百五十四張尾半九張

嚴 十二卷一百五十一張尾半六張　佛本行集經

與 十卷一百三十七張尾半二張　本事經

佛說興起行經　佛說業報差別經

敬 九卷一百二十張尾半二張　佛說大安般守意經

佛說罵意經　禪行法想經

佛說處處經　佛說分別善惡所起經

佛說出家緣經　佛說阿含正行經

佛說十八泥犁經　佛說法受塵經

須摩提長者經　者懊惱三處經

犍陀國王經　阿難四事經
分別經　未生怨經
四願經　猘狗經
八關齋經　孝子經
黑氏梵志經　阿鳩留經
佛爲阿支羅迦葉自化作苦經
孝　十卷一百一十七張尾半六張　陰持入經
五百弟子自說本起經　佛說大迦葉本經
佛說四自侵經　佛說羅云忍辱經
佛說沙曷比丘功德經　佛爲少年比丘正事經

佛說時非時經　佛說自愛經
佛說中心經　佛說見正經
佛說大魚事經　阿難七夢經
佛說阿鵰阿那含經　佛說燈指因緣經
佛說婦人遇辜經　佛說四天王經
佛說摩訶迦葉度貧母經　佛說十二品生死經
佛說轉輪五道罪福報應經
佛說五無反復經　佛說佛大僧大經
佛說耶祇經　佛說末羅王經
佛說摩達國王經　佛說旃陀越國王經

十卷一百零六張尾半四張

佛說五恐怖世經

佛說弟子死復生經　佛說懈怠耕者經

佛說辨意長者子所問經佛說無垢優婆夷問經

佛說賢者五福經　天請問經

佛說護淨經　佛說木槵經

佛說無上處經　佛說因緣僧護經

盧至長者因緣經　佛說五王經

佛說出家功德經　佛說栴檀樹經

佛說頻多和多耆經　佛說普達王經

佛滅度棺斂葬送經　佛說鬼子母經

佛說梵摩難國王經　佛說孫多耶致經
佛說父毋恩難報經　佛說新歲經
佛說群牛譬經　佛說九横經
佛說禪行三十七品經　比丘避女惡名欲自殺經
佛說身觀經　佛說無常經
佛說八無暇有暇經　長爪梵志請問經
佛說譬喻經　佛說比丘聽施經
佛說略教誡經　佛說療痔病經

宋元入藏諸大小乘經

十二卷一百五十張尾半八張　佛說大乘莊嚴寶王經

佛說大乘聖無量壽決定光明王如來陀羅蜜經
佛說大乘聖吉祥陀羅尼經
佛說無能勝旛王如來莊嚴陀羅尼經
最勝佛頂陀羅尼經　勝佛母小字般若波羅密
多經　七佛讚唄伽陀
大方廣總持寶光明經　佛說出生一切如來法眼
徧照大力明王經
力 十卷一百四十四張尾半二張　佛說守護大千國土經
佛說樓閣正法甘露鼓經佛說大乘善見變化文殊
師利問法經　分別善惡報應經

佛頂放無垢光明入普門觀察一切如來心陁羅尼經

大乘日子王所問經　佛說金耀童子經

嗟韈曩法天子受三歸依獲免惡道經

佛說校量壽命經　讃法界頌

聖虛空藏菩薩陁羅尼經　佛說大獲明大陁羅尼經

大寒林聖難拏陁羅尼經　佛說諸行有餘經

息除中天陁羅尼經　秘密篋印心陁羅尼經

忠　九卷一百三十九張尾半五張

如意陁羅尼經　消除一切閃電障難隨求

最勝上燈明如來陁羅尼經

妙法聖念處經　佛說大迦葉問大寶積正

法經　　佛說沙彌十戒儀則經

聖持世陀羅尼經　　佛說法集名數經

多羅菩薩一百八名陀羅尼經

則八卷一百五十六張尾半五張　**盡**十卷一百三十一張尾半二張　大方廣菩薩藏文殊師利

根本儀軌經　　十二緣生祥瑞經

佛說目連所問經　　外道問大乘無我義經

毘俱胝菩薩一百八名經　讚揚聖德多羅菩薩一百

八名經　　聖觀自在菩薩一百八名經

勝軍化世百喻伽陁經　　六道伽他經

佛說苾蒭五法經　　佛說苾蒭迦尸迦十法經

諸佛心印陀羅尼經　妙臂菩薩所問經

寶月童子問法經　佛說蓮華眼陀羅尼經

觀想佛母般若波羅密經　如意摩尼陀羅尼經

命　十卷一百四十四張尾半四張　佛說大自在天子因地經

佛說寶生陀羅尼經　佛說十號經

佛爲娑伽羅龍王所說大乘經

佛說普賢菩薩陀羅尼經大金剛妙高山樓閣陀羅尼經　廣大蓮華莊嚴曼拏羅滅一切罪陀羅尼經　一切如來大秘密王未曾有最上微妙大曼羅經佛說聖寶藏神儀軌經

佛說寶藏神大明曼拏羅儀軌經

佛說尊聖大明王經　佛說智光滅一切業障陀

羅尼經　佛說如意寶總持王經

佛說持明藏八大總持王經

聖無能勝金剛火陀羅尼經

佛說聖大總持王經　佛說最上意陀羅尼經

臨　十二卷一百三十五張尾半八張　佛說大摩里支菩薩經

佛說聖莊嚴陀羅尼經　佛說聖六字大明王陀羅

尼經　千轉大明陀羅尼經

佛說華積樓閣陀羅尼經佛說聖幡瓔珞陀羅尼經

佛說普賢曼拏羅經　佛說長者施報經

佛說毘沙門天王經　佛說毘婆尸佛經

佛說聖觀自在菩薩梵讚經

佛百八名讚經　佛說布施經

佛說聖曜母陀羅尼經　佛說大三摩惹經

佛說月光菩薩經

深　十三卷一百八十一張尾半五張　佛說衆許摩訶帝經

佛說文殊師利一百八名梵讚經

佛說解憂經　犍稚梵讚經

佛說七佛經　佛說大乘無量壽莊嚴王經

鳳十卷一百五十張尾半三張

佛說護國尊者所問大乘經

佛說持明藏瑜伽大教尊那菩薩大明成就儀軌經

佛說妙吉祥瑜伽大教金剛陪囉嚩輪觀想成就儀軌經

大乘八大曼拏羅經

聖金剛手菩薩一百八名梵讚經

佛說較量一切佛刹功德經

囉嚩拏說救療小兒疫病經

迦葉仙人說醫女人經

佛說大愛陀羅尼經

佛說阿羅漢具德經

一切佛攝相應大教王經

聖觀自在菩薩念誦儀軌經

佛說俱枳羅陀羅尼經　佛說消除一切災障寶髻
陀羅尼經　佛說妙色陀羅尼經
佛說栴檀香身陀羅尼經佛說鉢蘭那賒嚩哩大陀
羅尼經　佛說宿命智陀羅尼經
佛說慈氏菩薩誓願陀羅尼經
佛說滅除五逆罪大陀羅尼經
佛說無量功德陀羅尼經佛說十八臂陀羅尼經
佛說洛叉陀羅尼經　佛說辟除諸惡陀羅尼經
佛說八大靈塔名號經　八大靈塔梵讚附
三身梵讚附　佛說尊那經

佛說徧照般若波羅蜜經

優 十卷二百四十一張尾半五張

佛說帝釋般若波羅蜜多心經

佛說諸佛經

大乘舍梨娑擔摩經

佛說四無所畏經

佛說一切如來頂輪王百八名讚經

增慧陀羅尼經

聖六字增壽大明陀羅尼經

佛說大乘戒經

聖多羅菩薩梵讚經

聖救度佛母二十一種禮讚經

佛說聖最陀羅尼經

佛說五十頌聖般若波羅蜜經

金剛手菩薩降伏一切部

多大教王經　最上大乘金剛大寶王經
佛說薩鉢多酥哩踰捺野經
佛說一切如來烏瑟膩沙最勝總持經
菩提心觀釋　佛母寶德藏般若波羅密經
佛說幻化網大瑜伽教十忿怒明王大明觀想儀軌經
傳 十二卷二百三十五張尾半七張　佛說金剛香菩薩大明成
就儀軌經　金剛薩埵說頻那夜迦天
成就儀軌經　佛說妙吉祥最勝根本大
教經　佛說大乘觀想曼拏羅淨
諸惡趣經　佛說大金剛香陀羅尼經

興 十一卷一百五十五張尾半六張

佛說瑜伽大教王經

寶授菩薩菩提行經

曼殊室利菩薩吉祥伽陀經

佛說妙吉祥菩薩陀羅尼經

佛說無量壽大智陀羅尼經

佛說宿命智陀羅尼經

佛說慈氏菩薩陀羅尼經

佛說虛空藏菩薩陀羅尼佛三身讚附

大正句王經

佛說人仙經

佛說舊城喻經

佛說頻婆娑羅王經

佛說信解智力經

佛說善樂長者經

佛說聖多羅菩薩經

佛說大吉祥陀羅尼經

佛說寶賢陀羅尼經　佛說八名陀羅尼經

佛說觀自在菩薩母陀羅尼經

佛說戒香經　佛說延壽妙門陀羅尼經

佛說一切如來名號陀羅尼經

佛說息除賊難陀羅尼經法身經

佛說信佛功德經

溫十卷一百五十六張尾半三張　佛說最上根本大樂金剛

不空三昧大教王經　佛說最上秘密那天經

佛說解夏經　佛說帝釋所問經

佛說決定義經　佛說護國經

清 九卷一百四十九張尾半五張

佛說未曾有正法經

佛說大生義經

佛說分別布施經

佛說分別緣生經

佛說法印經

佛說大方廣善巧方便經

佛說大乘不思議神通境界經

佛說發菩提心破諸魔經

佛說聖佛母般若波羅蜜多經

似 十四卷一百四十三張尾半六張

蘭 十三卷一百三十九張尾半三張

佛說出生三法藏般若波羅蜜多經

佛說給孤長者女得度因緣經

斯 十二卷一百四十八張尾半四張

佛說大集法門經

佛說淨意優婆塞所問經　佛說無二平等最上瑜伽

大教王經　佛說佛母般若波羅蜜多

大明觀想儀軌經　佛說光明童子因緣經

佛說寶帶陀羅尼經　佛說金身陀羅尼經

佛說入無分別法門經　佛說金剛場莊嚴般若波

羅蜜多教中一分　佛說息諍因緣經

馨　十卷一百四十九張尾半六張　佛說初分說經

佛說無畏授所問大乘經　佛說月喻經

佛說醫喻經　佛說灌頂王喻經

佛說秘密相經　佛說尼拘陁梵志經

佛說白衣金幢二婆羅門緣起經

佛說福力太子因緣經　佛說身毛喜竪經

佛說八種長養功德經　穢跡金剛說大滿陀羅尼

法術靈要門經　穢跡金剛法禁百變法門經

十一面觀自在菩薩心密言念誦儀軌經

如　十卷一百六十三張尾半五張

松　十卷一百三十九張尾半二張

一切如來眞實攝大乘現證三昧大教王經　大乘大方廣佛冠經

之　十一卷一百五十六張尾半六張

大乘本生心地觀經

金剛頂一切如來眞實攝大乘現證大教王經

盛　十卷一百三十二張尾半六張

除蓋障菩薩所問經

金剛恐怖集會方廣軌儀觀自在菩薩三世最勝心明王經

川 九卷一百六十八張尾半四張

金剛恐怖集會方廣軌儀觀自在菩薩三世最勝心明王大威力烏樞瑟摩明王經

一字奇特佛頂經　呵唎多羅陁羅尼阿嚕力經

金剛頂瑜伽念珠經　佛說大方廣曼殊室利經

大樂金剛不空眞實三摩耶般若波羅蜜多理趣經

流 十卷一百六十一張尾半一張

菩提場所說一字頂輪王經

底哩三昧耶不動尊威怒王使者念誦經

佛說出生無邊門陁羅尼經

一切如來心秘密全身舍利寶篋印陀羅尼經

大吉祥天女十二名號經　佛說一切如來金剛壽命陀羅尼經

佛說大吉祥天女十二契一百八名無垢大乘經

仁王護國般若波羅蜜經

佛說穰麌利童女經

佛說雨寶陀羅尼經

慈氏菩薩所說大乘緣生稻䕸喻經

才卷一百五十六張尾半五張

大雲輪請雨經

大寶廣博樓閣善住秘密陀羅尼經

菩提塲莊嚴陀羅尼經

葉衣觀自在菩薩經

毘沙門天王經

文殊問經字母品第十四

金陵梵剎志

大乘密嚴經

息十一卷一百五十一張尾半四張　佛說一切如來金剛三業最上秘密大教王經　佛說秘密三昧大教王經

淵十二卷一百七十七張尾半五張　佛說大集會正法經

七俱胝佛毋所說準提陀羅尼經

佛說三十五佛名經　佛說救拔焰口餓鬼陀羅尼經

觀自在菩薩說普賢陀羅尼經

八大菩薩曼荼羅經

能淨一切眼疾病陀羅尼經

除一切疾病陀羅尼經

佛說如幻三摩地無量印

法門經
佛說蟻喻經
聖觀自在菩薩不空王秘密心陀羅尼經
佛說勝軍王所問經
佛說輪王七寶經
佛說園生樹經
了義般若波羅密經
大方廣未曾有經善巧方便品
大堅固婆羅門緣起經
瑜伽集要燄口施食儀文

澄 十一卷一百六十五張尾半三張

海意菩薩所問淨印法門經
金剛峯樓閣一切瑜伽瑜祇經

取 十一卷一百四十七張尾半四張

妙吉祥平等最上觀門大教王經
聖迦柅忿怒金剛童子菩

薩成就儀軌經　　瑜伽金剛頂經釋字母品

佛說一切如來安像儀軌經

文殊師利菩薩根本大教王金翅鳥王品

佛說大方廣曼殊室利經觀自在菩薩受記品

佛說巨力長者所問大乘經

暎 十卷一百三十二張尾半十二張　如來不思議秘密大乘經

容 十卷一百四十五張尾半十六張　大乘瑜伽曼殊室利千臂

千鉢經

止 十一卷一百五十三張尾半十六張　守護國界主陀羅尼經

瑜伽集要救阿難陁羅尼熖口儀軌經

十一卷一百五十七張尾半七張 大乘理趣六波羅蜜經

佛說大白傘蓋總持陀羅尼經

思 十一卷二百八十二張尾半六張 佛說大悲空智金剛大教

王儀軌經 普徧光明燄鬘清淨熾盛

如意寶印心無能勝大明王大隨求陀羅尼經

佛說妙吉祥菩薩所問大乘法

佛說四品法門經 佛說八大菩薩經

佛說施一切無畏陀羅尼經

聖八千頌般若波羅蜜多一百八名眞實圓義陀羅

尼經 金剛頂瑜伽理趣般若經

聖妙吉祥眞實名經　佛說一髻尊陀羅尼經

金剛摧碎陀羅尼經　不空罥索毘盧遮那佛大

灌頂眞言經　佛爲優塡王說王法政論經

佛說五大施經　佛說摩利支天經

佛說無畏陀羅尼經　佛說大威德金輪佛頂熾

盛光如來消除一切災難陀羅尼經

佛說熾盛光大威德消災吉祥陀羅尼經

地藏菩薩本願經　項生王因緣經

言　十卷一百五十七張尾半五張

大乘隨轉宣說諸法經　佛說大乘入諸佛境界智

光明莊嚴經　佛說大乘智印經

末利支提華鬘經　法乘義決定經

（辭）十卷一百四十二張尾半五張　（安）十卷一百五十一張尾半七張　大乘菩薩藏正法經

西土聖賢撰集

（定）八卷一百九十二張尾半四張　（篤）九卷一百九十四張尾半三張　（初）十卷二百零二張尾半六張

出曜經　佛本行經

（誠）九卷一百七十八張尾半二張　（美）九卷一百八十六張尾半二張　賢愚因緣經

佛所行讚經

（慎）十一卷一百五十二張尾半四張　撰集百緣經

道地經

終 十卷一百五十九張尾半七張

修行道地經

佛說佛醫經　惟日雜難經

思惟要略法　十二遊經

宜 九卷一百七十八張尾半十六張

僧伽羅刹所集佛行經

大乘修行菩薩行門諸經要集

佛說迦葉赴佛般涅槃經　菩薩訶色欲經

四品學法經　佛入涅槃密迹金剛力士

哀戀經　佛使比丘迦旃延說法沒

盡偈經　佛說佛治身經

佛說治意經

令十卷一百七十張尾半二張
百喻經　坐禪三昧法門經　僧伽斯那所撰菩薩本緣經
五門禪經要用法　禪要訶欲經
內身觀章句經　法觀經
榮十卷一百六十二張尾半一張
達磨多羅禪經　付法藏因緣經
禪法要解經
業十一卷二百八十五張尾半三張
那先比丘經　襍寶藏經
所十一卷二百七十六張尾半五張
雜譬喻經　舊襍譬喻經
衆經撰襍譬喻經

王子法益壞目因緣經　法句經

無明羅刹經

基　十一卷二百零二張尾半五張　阿育王譬喻經

阿育王經　阿育王傳

籍　十卷二百零二張尾半五張　法句譬喻經

四阿含暮抄解　迦葉結經

撰集三藏及雜藏傳　三慧經

阿毘曇五法行經　一百五十讚佛頌

讚觀音菩薩頌　文殊師利發願經

六菩薩名亦當誦持經　小道地經

阿含口解十二因緣經　馬鳴菩薩傳
龍樹菩薩傳　提婆菩薩傳
甚　十一卷二百零二張尾半三張　勸發諸王要偈
龍樹菩薩勸戒王頌　婆藪槃豆傳
龍樹菩薩爲禪陁迦王說法要偈
賓頭盧突羅闍爲優陀延王說法經
請賓頭盧經　大勇菩薩分別業報略經
迦丁比丘說當來變經　大阿羅漢難提蜜多羅所
說法住記　法集要頌經
菩提行經　賢聖集伽陀一百頌

廣發大願頌

佛吉祥德讚

無十一卷二百七十二張尾半七張

不動使者陀羅尼秘密法金剛頂瑜伽修習毘盧遮

那三摩地法　百千頌大集經地藏菩薩

請問法身讚　普賢菩薩行願讚

金剛頂經瑜伽文殊師利菩薩法一品

金剛頂瑜伽經十八會指歸

呵利帝母眞言法　金剛頂蓮華部心念誦儀

金剛頂千手千眼觀自在菩薩修行儀軌

阿閦如來念誦供養法　佛頂尊勝陀羅尼念誦儀軌

金剛頂瑜伽護摩儀軌　普賢金剛薩埵瑜伽念誦儀
金剛王菩薩秘密念誦儀軌
金剛頂勝初瑜伽普賢菩薩念誦法經
竟　十三卷一百八十七張尾半七張　大樂金剛不空眞實三昧
耶經般若波羅蜜多理趣釋
金剛頂瑜伽金剛薩埵五秘密修行念誦儀軌
無量壽如來修觀行供養儀
佛說最勝妙吉祥根本智最上秘密一切名義三摩
地分　佛說帝釋岩秘密成就儀軌
聖觀自在菩薩功德讚　觀自在菩薩如意輪念誦

儀軌　　瑜伽翳迦訖沙囉烏瑟尼
沙斫訖囉眞言安怛陀那儀則一字頂輪王瑜伽經
大虛空藏菩薩念誦法　　仁王般若念誦法
大方廣佛華嚴經入法界品四十二字觀
般若波羅蜜多理趣經大安樂不空三昧眞實金剛
菩薩等一十七聖大曼荼羅義述
陀羅尼門諸部要目　　金剛頂瑜伽三十七尊禮
受菩提心戒儀　　大聖文殊師利菩薩讚佛
法身禮　　甘露軍荼利菩薩供養念
誦成就儀軌　　觀自在多羅瑜伽念誦法

聖觀自在菩薩心眞言瑜伽觀行儀軌

梵本大悲神咒　一切秘密最上名義大教王儀軌

大樂金剛薩埵修行成就儀軌

曼殊室利菩薩吉祥伽陁

聖閻曼德迦威怒王立成大神驗念誦法

大方廣曼殊室利童子菩薩華嚴本教讚閻曼德迦忿怒眞言大威德儀軌品第三十

學　十二卷一百九十一張尾半四張

佛說密跡力士大權神王經

大方廣曼殊室利童眞菩薩華嚴本教讚閻曼德迦忿怒王眞言阿毘遮盧迦儀軌品第三十一

成就妙法蓮華經王瑜伽觀智儀軌
金剛頂瑜伽降三世成就極深密門
金剛頂瑜伽他化自在天理趣會普賢修行念誦儀軌
金剛壽命陀羅尼念誦法　大藥叉女歡喜母并愛子
成就法　五字陀羅尼頌
大孔雀明王畫像壇場儀軌
六聖歡喜雙身毘那耶迦法
大威怒烏芻瑟摩儀軌　大日經略說念誦隨行法
無能勝大明陀羅尼經　佛說如意輪蓮華心如來
修行觀門儀　無能勝大明心陀羅尼經

大毘盧遮那成佛神變加持經略示七支念誦隨行法

速疾立驗魔醯首羅天說阿尾奢法

大聖曼殊室利童子五字瑜伽法

金剛頂瑜伽金剛薩埵儀軌

一字金輪王佛頂要略念誦法

觀自在菩薩如意輪瑜伽念誦法

仁王般若陀羅尼釋　蘇悉地羯羅供養法

優 十二卷二百八十二張尾半三張　文殊師利菩薩及諸仙所

說吉凶時日善惡宿曜經

略述金剛頂瑜伽分別聖位修證法門

一字佛頂輪王念誦儀軌十不善業道經
金剛頂觀自在如來修行法
金剛首光明灌頂經最勝立印聖無動尊大威怒王
念誦儀軌法品　金剛頂經瑜伽觀自在王
如來修行法　金剛頂瑜伽經文殊師利
菩薩儀軌供養法　瑜伽蓮華部念誦法
事師五十頌　妙吉祥平等瑜伽秘密觀
身成佛儀軌　仁王護國經道場念誦軌儀
金剛頂經一切如來眞實攝大乘現證大教王經
文殊所說最勝名義經　大悲心陀羅尼修行念誦

略儀　妙吉祥平等觀門大教王

經略出護摩儀　金剛頂超勝三界文殊五

字真言

大乘律

登　八卷一百六十八張尾半五張　菩薩地持經

仕　九卷一百五十五張尾半六張　菩薩善戒經

攝　十卷一百六十七張尾半六張　菩薩善戒經

梵網經　優婆塞戒經

職　十卷一百六十二張尾半四張　菩薩瓔珞本業經

菩薩戒本　菩薩戒本經

菩薩戒羯磨文　佛說淨業障經

佛藏經　佛說受十善戒經

從　十一卷二百三十八張尾半十八張　佛說菩薩內戒經

優婆塞五戒威儀經　佛說文殊師利淨律經

清淨毘尼方廣經　寂調音所問經

大乘三聚懺悔經　菩薩五法懺悔經

菩薩藏經　三曼陀颰陀羅菩薩經

菩薩受齋經　舍利弗悔過經

佛說文殊悔過經　法律三昧經

十善業道經

小乘律

政八卷二百八十三張尾半一張　存八卷一百九十二張尾半三張　以八卷一百九十四張尾半二張　甘八卷一百八十七張尾半六張

棠九卷一百七十一張尾半五張

摩訶僧祇律

五分戒本

去十卷二百零七張尾半二張　而十卷一百九十七張尾半一張　益十卷二百一十三張尾半四張　詠九卷一百九十二張尾半一張

樂九卷二百一十張尾半三張　殊七卷一百五十九張　貴七卷一百六十五張尾半五張

十誦律

十誦毘尼序

波羅提木叉僧祇戒本

賤十卷一百五十二張尾半四張　禮十卷一百五十八張尾半五張　別十卷一百六十七張尾半五張　尊十卷一百六十張尾半八張

卑十卷一百五十二張尾半八張

根本說一切有部毘柰耶

上 十卷一百六十 六張尾半四張
和 十卷一百五十 八張尾半八張

根本説一切有部苾芻尼毘柰耶

下 十卷一百二十 五張尾半四張
睦 十卷一百四十 四張尾半七張
夫 十卷一百五十 九張尾半四張
唱 十卷一百六十 二張尾半六張

根本説一切有部毘柰耶雜事

婦 十一卷一百三十 六張尾半九張

根本説一切有部尼陁那目得迦

比丘尼僧祇律波羅提木叉戒經

隨 八卷一百六十 六張尾半三張
外 九卷一百七十 二張尾半四張
受 九卷一百五十 一張尾半五張
傅 九卷一百七十 六張尾半二張

彌沙塞部五分律

十誦律比丘戒本

十誦律比丘尼戒本

根本説一切有部戒經

根本說一切有部苾芻尼戒經

解脫戒本經

訓 十卷一百八十張尾半二張　入 十卷一百九十七張尾半五張　奉 十卷一百九十六張尾半二張　母 八卷一百七十九張尾半四張

儀 八卷一百八十六張尾半四張　諸 八卷一百五十八張尾半四張　姑 八卷一百五十九張尾半四張

四分律藏　四分戒本

伯 十卷二百三十一張尾半七張　根本說一切有部百一羯磨

叔 八卷一百八十二張尾半三張　五分比丘尼戒本

四分比丘尼戒本　沙彌威儀

沙彌尼離戒文　沙彌十戒法并威儀

大沙門百一羯磨法　十誦羯磨比丘要用

彌沙塞羯磨本　優波離問經

猶　六卷一百八十九張尾半三張　曇無德律雜羯磨

羯磨　四分比丘尼羯磨法

四分律刪補隨機羯磨　目連問戒律中五百輕重

事經

于　七卷一百七十六張尾半三張　四分僧羯磨

尼羯磨　沙彌尼戒經

舍利弗問經

兆　八卷一百四十八張尾半四張　根本說一切有部毘奈耶

尼陀那目得迦攝頌　根本說一切有部毘奈耶

雜事攝頌　　佛說大愛道比丘尼經

迦葉禁戒經　　犯戒罪輕重經

戒消災經　　佛說優婆塞五戒相經

根本說一切有部毘柰耶頌

兒 八卷一百三十九張尾半五張　孔 九卷一百六十三張尾半二張　根本薩婆多部律攝

大比丘三千威儀　　律二十二明了論

懷 十卷一百七十三張尾半三張　薩婆多部毘尼摩得勒伽

兄 十卷一百四十一張　戒因緣經

弟 十卷一百八十九張尾半七張　同 十卷一百八十九張尾半三張　善見毘婆沙律

佛阿毘曇經

氣九卷一百七十五張尾半一張 薩婆多毘尼毘婆沙

續薩婆多毘尼毘婆沙

連十卷一百五十三張尾半三張 枝十卷二百五十二張尾半三張 根本説一切有部毘柰耶

破僧事

交十卷一百七十四張尾半四張 毘尼毋論

説根本一切有部出家授近圓羯磨儀範

説根本一切有部苾芻習略法

大乘論

友十卷二百零四張尾半二張 投十卷二百一十一張尾半一張 分十卷一百九十三張尾半三張 切十卷一百九十五張尾半四張

磨十卷一百八十二張尾半四張 箴十卷十百七十九張尾半四張 規十卷一百八十三張尾半四張 仁十卷二百零二張尾半三張

十卷二百零四張尾半六張

十卷一百五十八張尾半三張 大智度論

十卷二百七十五張尾半六張 十地經論

十卷一百七十九張尾半四張 十地經論

彌勒菩薩所問經論 三具足經優波提舍

十卷一百八十二張尾半五張 佛地經論

金剛般若波羅蜜經論 能斷金剛經論頌

無量壽經優波提舍 轉法輪經優波提舍

十二卷一百七十六張尾半九張 金剛般若波羅蜜經論

能斷金剛般若波羅蜜經論

略明般若末後一頌讃述大寶積經論

寶髻經四法優婆提舍
大般涅槃經論
涅槃經本有今無偈論
離 十一卷一百八十五張尾半七張
金剛般若波羅蜜經破取著不壞假名論
文殊師利菩薩問菩提經論
妙法蓮華經論優波提舍
勝思惟梵天所問經論
遺教經論

節 十卷一百三十九張尾半四張
顛 十卷一百七十一張尾半八張
性 十卷一百七十二張尾半六張
情 十卷一百四十六張尾半三張

義 十卷一百八十二張尾半五張
沛 十卷一百六十三張尾半六張
靜 十卷一百八十二張尾半五張
逸 十卷一百五十三張尾半二張

廉 十卷一百六十張尾半六張
匪 十卷一百四十四張尾半五張
瑜伽師地論
顯揚聖教論

退 十卷一百六十九張尾半七張
虧 十卷一百六十一張尾半七張

心 十卷一百二十九張尾半八張
大乘阿毗達磨集論

王法正理論
瑜伽師地論釋

顯揚聖教論頌

動 十卷一百三十九張尾半五張
神 十卷一百九十張尾半二張
大乘阿毗達磨雜集論

中論

疲 十卷一百五十一張尾半六張
守 十卷一百八十二張尾半二張
般若燈論

十二門觀論
十八空論

百論
廣百論本

真 十卷一百七十九張尾半六張
廣百論釋論

志 十卷一百七十二張尾半四張
滿 十一卷一百六十一張尾半五張
十住毗婆沙論

陳啓

菩提資糧論

逐 十卷一百三十八張尾半三張

物 十卷一百七十三張尾半三張

大莊嚴經論

攝大乘論

意 十卷一百五十六張尾半三張

移 十卷一百六十八張尾半五張

大乘莊嚴經論

順中論

攝大乘論本

中邊分別論

堅 十卷一百四十四張尾半二張

持 十卷一百六十二張尾半一張

雅 十卷二百零二張尾半二張

操 九卷一百九十五張尾半六張

好 九卷一百八十七張尾半四張

攝大乘論釋

決定藏論

爵 十卷一百七十一張尾半三張

佛性論

辨中邊論　辨中邊論頌
大乘成業論　業成就論
因明正理門論本　因明正理門論
自　十一卷一百六十五張尾半六張　究竟一乘寶性論
成唯識寶生論　唯識三十論
因明入正理論　顯識論
康　十卷一百六十五張尾半一張　成唯識論
都　九卷一百六十三張尾半三張　大成唯十論
唯識二十論　轉識論
大丈夫論　入大乘論

大乘掌珍論　大乘廣五蘊論

大乘五蘊論

邑　九卷一百四十六張尾半十二張　寶行王正論

大乘起信論　發菩提心論

三無性論　方便心論

華　十卷一百三十四張尾半四張　無相思塵論

觀所緣緣論　觀所緣論釋

如實論　迴諍論

緣生論　十二因緣論

壹輸盧迦論　大乘百法明論

百字論　解拳論

掌中論　取因假設論

觀總相論頌　止觀門論頌

手杖論　六門教授習定論

大乘法界無差别論　提婆菩薩破楞嚴經中外

道小乘四宗論　提婆菩薩釋楞嚴經中外

道小乘涅槃論

小乘論

夏十卷一百四十六張尾半二張　東十卷一百三十六張尾半一張　西十卷一百四十四張尾半二張

阿毘曇八犍度論

二 十卷一百五十七張尾半十二張 京 十卷一百七十一張尾半十二張 阿毘達磨法智論

背 十二卷二百七十一張尾半六張 阿毘達磨法蘊足論

邙 十卷一百二十六張尾半四張 面 十卷一百一十九張尾半四張 阿毘達磨集異門足論

洛 十卷一百四十七張尾半三張 浮 九卷一百二十三張尾半四張 阿毘達磨識身足論

渭 十卷一百二十三張尾半四張 據 十卷一百三十張尾半十三張 涇 十卷一百五十九張尾半六張 阿毘達磨界身足論

阿毘達磨品類足論

衆事分阿毘曇論

宮 十卷一百五十八張尾半五張 殿 十卷一百五十五張尾半十二張 盤 十卷一百三十八張尾半四張 鬱 十卷一百四十二張尾半四張

樓 十卷一百四十三張尾半七張 觀 十卷一百二十七張尾半四張 飛 十一卷一百五十二張尾半二張 驚 十一卷一百五十四張尾半四張

毘曇毘婆沙論

圖十卷一百三十四張尾半三張　寫十卷一百四十七張尾半二張　禽十卷一百四十七張尾半三張　獸十卷一百四十六張尾半三張

畫十卷一百四十五張尾半二張　彩十卷一百三十九張尾半四張　仙十卷一百四十五張尾半三張　靈十卷一百四十一張尾半三張

丙十卷一百四十四張尾半三張　舍十卷一百四十七張尾半三張　傍十卷一百四十四張尾半五張　啓十卷一百五十四張尾半二張

甲十卷一百三十九張尾半二張　帳十卷一百二十四張尾半二張　對十卷一百二十三張尾半四張　楹十卷一百二十八張尾半三張

肆十卷一百二十張尾半七張　筵十卷一百二十七張尾半四張　設十卷一百三十張尾半四張　席十卷一百四十張尾半三張

阿毘達磨毘婆沙論

鼓八卷一百八十張尾半三張　瑟八卷一百七十七張尾半一張　吹八卷一百五十九張尾半十三張

阿毘達磨俱舍釋論　阿毘達磨俱舍釋論本頌

勝宗十句義論

笙十卷一百五十張尾半七張　陞十卷一百三十七張尾半七張　階十卷一百三十七張尾半五張

阿毘達磨俱舍論

納十卷一百七十四張尾半三張　陛十卷一百八十九張尾半三張　弁十卷一百六十八張尾半三張　轉十卷一百六十一張尾半三張

疑十卷一百四十九張尾半五張　星十卷一百四十九張尾半四張　右十卷一百三十五張尾半七張　通十卷一百四十三張尾半二張

阿毘達磨順正理論

廣十卷一百三十四張尾半三張　內十卷一百三十八張尾半五張　左十卷一百四十六張尾半三張　達十卷一百四十六張尾半八張

阿毘達磨顯宗論

承十卷一百七十一張尾半五張　阿毘曇心論

法勝阿毘曇心論

明七卷一百七十七張尾半三張　既八卷一百七十三張尾半一張　雜阿毘曇心論

阿毘曇甘露味論　隨相論

[集]七卷一百五十九張尾半五張　[墳]八卷一百五十二張尾半五張　尊婆須蜜菩薩所集論

三法度論　入阿毘達磨論

[典]十卷二百零八張尾半二張　[亦]十卷一百五十六張尾半四張　成實論

[聚]十卷一百五十一張尾半三張　立世阿毘曇論

[羣]八卷二百零四張尾半三張　[英]八卷一百八十三張尾半二張　[杜]八卷一百八十五張尾半一張

舍利弗阿毘曇論　五事毘婆沙論

[稾]十二卷一百七十七張尾半三張　解脫道論

[鍾]八卷一百七十五張　[隸]九卷一百六十張尾半六張　鞞婆沙論

二彌底部論

[漆]十卷一百七十五張尾半二張　分別功德論

四諦論　辟支佛因緣論

十八部論　部執異論

異部宗輪論

續入藏諸論

書　十卷一百五十八張尾半五張　集諸法寶最上義論

金剛針論　菩提心離相論

大乘破有論　集大乘相論

六十頌如理論　大乘二十頌論

佛母般若波羅密多圓集要義論

佛母般若圓集要義釋論　大乘寶要義論

壁 十卷一百五十四張尾半五張

聖佛母般若波羅蜜多九頌精義論

大乘緣生論

諸教決定名義論

廣釋菩提心論

大乘中觀釋論

大乘法界無差別論

金剛頂瑜伽中發阿耨多羅三藐三菩提心論

施設論

經 十卷一百五十五張

菩薩本生鬘論

府 十一卷一百九十五張尾半四張

大乘集菩薩學論

羅 八卷一百四十七張尾半二張

大宗地玄文論

彰所知論

金七十論

此方撰述

將 七卷一百六十二張　釋迦譜

相 六卷一百八十三張尾半一張　釋迦譜

釋迦氏譜　釋迦方誌

路 十卷一百五十八張尾半一張　俠 十卷一百六十張尾半二張　槐 十卷一百四十四張尾半二張　卿 十卷一百五十三張尾半三張

戶 十卷一百五十七張尾半四張　經律異相

封 十卷一百六十七張尾半三張　陀羅尼襍集

八 六卷一百五十四張尾半二張　縣 六卷一百六十九張尾半三張　家 六卷一百五十五張

諸經要集　諸經要集

給 七卷一百六十張尾半三張

集古今佛道論衡實錄　續集古今佛道論衡

千　十卷一百七十三張尾半五張

大唐西域記

兵　八卷一百九十張尾半三張

大唐西域記

大唐西域求法高僧傳　集神州塔寺三寶感通錄

法顯傳

高　十卷一百六十張尾半一張

大慈恩寺三藏法師傳

冠　十卷一百五十七張尾半六張

集沙門不應拜俗等事

破邪論　十門辯惑論

陪　八卷一百八十一張

辨正論

輦　九卷一百五十二張尾半五張

甄正論

高僧傳

驅八卷一百五十二張尾半三張　高僧傳

轂七卷一百五十九張尾半三張　振八卷一百八十三張尾半四張　纓八卷二百張尾半五張　世八卷二百二十五張尾半三張

續高僧傳

祿十卷一百七十八張尾半四張　侈十卷二百零二張尾半五張　富十卷一百六十三張尾半六張

宋高僧傳

車十卷一百九十一張尾半五張　駕十卷一百六十九張尾半六張　弘明集

廣弘明集

肥九卷二百二十八張尾半三張　輕九卷二百零九張尾半三張　策九卷二百二十六張尾半七張

廣弘明集

功 十一卷二百八十四張尾半五張

比丘尼傳

受用三水要行法

集諸經禮懺悔文

茂 十卷一百四十張尾半三張

實 十卷一百六十六張尾半一張

法華三昧懺儀

往生淨土懺願儀

請觀世音菩薩消伏毒害陀羅尼三昧懺儀

金光明最勝懺儀

南海寄歸內法傳

說罪要行法

護命放生儀軌法

梁武慈悲道場懺法

慈悲水懺法

金光明懺法補助儀

往生淨土決疑行願二法門

千手眼大悲心呪行法

禮法華經儀式　熾盛光道場念誦儀

釋迦如來涅槃禮讚文　如意輪課法

天台智者大師齋忌禮讚文

勒　八卷二百零三張尾半三張　碑　十卷二百一十五張尾半六張　刻　十卷一百九十八張尾半四張　銘　八卷二百一十七張尾半四張

磻　十一卷一百八十八張尾半四張　溪　十一卷二百一十一張尾半九張　伊　十卷二百零八張尾半五張　尹　十二卷二百零五張尾半三張

佐　十卷一百八十八張尾半二張　時　十卷一百九十七張

法苑珠林

阿　十卷一百七十三張尾半四張　衡　十卷一百五十四張尾半四張　奄　十卷一百八十九張尾半四張　宅　十卷一百七十七張尾半二張

曲　十卷一百六十八張尾半三張　阜　十三卷一百七十六張尾半五張　微　十二卷一百七十三張尾半二張　旦　十二卷一百六十八張尾半八張

孰　十三卷一百八十張尾半四張

宗鏡錄

營　九卷一百八十八張尾半二張

密咒圓因往生集

顯密圓通成佛心要集　元至元辨僞錄

護法論

植 十卷一百九十三張尾半四張　公 十卷二百四十二張尾半三張　輔 十卷二百五十七張尾半四張

景德傳鐙錄

合 十一卷一百八十九張尾半三張　濟 十卷二百一十六張尾半五張　弱 十卷二百零五張尾半四張

續傳鐙錄

扶 十一卷一百七十九張尾半四張　續傳鐙錄

圓悟佛果禪師語錄

傾 十一卷一百六十七張尾半五張　圓悟佛果禪師語錄

綺 十卷一百六十八張尾半四張　傳法正宗記

傳法正宗論
回　十一卷一百八十張尾半二張

輔教篇

雪竇明覺禪師語錄
漢　九卷一百八十五張尾半二張
惠　十一卷二百一十九張

宗門統要續集
說　十卷一百二十六張尾半五張
感　十卷一百二十一張尾半四張
武　十卷一百二十七張尾半三張

大慧普覺禪師語錄
丁　十卷一百五十四張尾半七張
俊　十卷一百五十五張尾半五張
乂　十卷一百三十張尾半三張

天目中峰和尚廣錄
密　十二卷二百零四張尾半二張
勿　十二卷二百一十二張尾半一張
多　十二卷二百九十九張
士　十二卷二百四十張尾半二張

六祖大師法寶壇經

古尊宿語
寔　十卷一百八十二張尾半二張
寧　十卷一百八十五張尾半四張

妙法蓮華經玄義一部

用銀壹錢捌分夏季限貳個月該銀壹拾兩捌錢甲首貳名工食銀肆兩冬季同

一冬季用銀壹拾肆兩捌錢（船家飯食在內俱夏租銀內扣用）

以上除盤費外實上寺

夏租銀（腊真庄盤費不足用本庄代給銀壹拾兩玖錢捌分）淨銀壹百壹拾肆兩玖錢肆厘

冬租米壹千伍百肆拾貳石陸斗叁升

腊真庄丈過實在田地塘溝共叁千捌拾柒畝柒分肆厘（坐落與戴子庄相連壹塊）

夏租銀共壹百玖拾陸兩伍錢柒分柒厘（每兩外加耗銀叁分）

冬租米共伍百貳拾肆石陸斗玖升伍合（每石外加脚耗

米壹斗

田貳千叄百壹拾捌畝玖厘

夏租銀每畝柒分　共銀壹百陸拾貳兩貳錢陸分陸厘

冬租米每畝貳斗　共米肆百陸拾叄石陸斗壹升捌合

地叄百玖拾畝貳厘

夏租銀每畝肆分　共銀壹拾伍兩陸錢

冬租米每畝壹斗伍升　共米伍拾捌石伍斗叄合

塘貳拾伍畝柒分肆厘

冬租米每畝壹斗　共米貳石伍斗柒升肆合

蘆地貳百叄拾叄畝捌分玖厘

晉 十卷二百一十一張尾半一張 楚 十卷二百張尾半一張

法華玄義釋籤一部

更 十卷二百零一張尾半三張 霸 十卷二百零四張尾半三張

妙法蓮華經文句一部

趙 十卷三百九十一張尾半五張 魏 十卷二百八十八張尾半五張

法華文句記一部

困 十卷一百六十八張尾半二張 横 十卷二百一十五張尾半四張

摩訶止觀一部

假 八卷二百零八張尾半三張 途 十卷二百一十張尾半一張 滅 十卷二百一十六張尾半二張 虢 十二卷二百零三張尾半四張

止觀輔行傳弘决

踐 十卷一百八十三張尾半一張

修習止觀坐禪法要

止觀義例

大乘止觀法門

大般涅槃經玄義

土 十卷一百八十八張尾半五張 會 十卷二百二十五張尾半一張 盟 十卷二百零三張尾半三張

涅槃經玄義發源機要

何 十二卷二百三十九張尾半五張

觀音玄義記

觀音義疏記

遵 十卷一百八十一張尾半一張

金光明經玄義

約 十卷二百七十八張尾半四張

法 十卷二百九十一張尾半五張

金光明經文句記

觀無量壽佛經疏

韓 十一卷二百零三張尾半二張

大般涅槃經疏一部

觀音玄義

觀音義疏

菩薩戒義疏

金光明經玄義拾遺記

金光明經文句

金剛般若經疏

觀無量壽佛經疏妙宗鈔

仁王護國般若波羅蜜經疏

弊　十卷二百零六張尾半四張　仁王護國般若波羅蜜經

疏神寶記　四教義

煩　十二卷二百五十五張尾半六張　請觀音經疏

請觀音經疏闡義鈔　覺意三昧

無諍三昧　安樂行義

四念處

刑　十一卷二百二十五張尾半三張　釋禪波羅蜜

天台傳佛心印記　淨土境觀要門

起　十二卷二百六十二張尾半五張　國清百錄

永嘉集　淨土十疑論

方等三昧行法　南岳思大禪師立擔願文

天台智者大師禪門口訣觀心論疏

翦　十二卷二百二十五張尾半六張　法界次第初門

天台智者大師別門　觀心二百問

止觀大意　始終心要

修懺要旨　十不二門

十不二門指要鈔　金剛錍

八教大意　天台四教儀

頗　八卷二百三十張尾半五張　牧　八卷二百五十八張尾半三張　用　八卷三百六十二張尾半二張　軍　八卷二百五十五張尾半一張

最 八卷二百四十九張尾半四張 大方廣佛華嚴經疏

精 八卷二百十五張尾半四張 宣 八卷二百三十五張尾半三張 威 八卷二百三十張尾半三張 沙 八卷二百五十張尾半四張

漠 八卷二百七十張尾半三張 馳 八卷二百三十一張尾半三張 譽 八卷二百一十五張尾半四張 丹 八卷二百一十二張尾半三張

華嚴隨疏演義鈔 遺教論疏節要

華嚴一乘教義分齊意

青 十卷二百二十五張尾半三張 華嚴法界觀門

法界玄鏡 金獅子章

彌陀經疏 妄盡還源觀

原人論 明法品內立三寶章

華嚴指歸 般若心經略疏

心經略疏連珠記　蘭盆經疏

九　十卷一百五十四張尾半二張　州　十卷一百五十四張尾半二張　禹　十卷一百五十六張尾半二張

首楞嚴經義海

跡　十卷二百一十二張尾半四張　百　十卷一百九十四張尾半五張　出三藏記集

衆經目錄　衆經目錄

郡　十卷一百九十張尾半三張

秦　十一卷二百零七張尾半三張　武周刊定衆經目錄

武周刊定僞經目錄

并　七卷　百一十三張　岳　九卷二百零七張尾半一張　大唐內典錄

續大唐內典錄　古今譯經圖記

附請經條例

南京禮部祠祭清吏司爲議定藏經規則合應勒石以垂示久遠事奉　本部批據本司呈前事奉批如議行奉此案查萬曆三十三年四月間該本司呈爲申明造經定規事據湖廣四川等處請經僧本宗樂聞古宗等節次稟稱經鋪冐濫掯勒緣由據此看得報恩寺藏經板一副原係
聖祖頒賜令廣印行先年該本司主事郭　責令經鋪酌議各項物料裁定規則來時給與書冊對查去時給與劄批防護條款甚詳邇來本寺將書冊廢閣各經鋪俱

不照行查本宗經壹藏多索價至肆拾餘兩紙絹仍濫惡不堪樂聞經壹藏違限至兩月古宗經壹藏將紙抵充絹用種種姦頑弊無紀極該寺見得有板頭銀兩亦竟坐視不爲稟理遠僧獨非人情造經獨非交易乃物價半值猶虧明欺無告易虐盤費經年累竭致使流落難歸漠不關情心亦何忍除將經鋪徐程鰤徐自強等各重責追價給僧管經僧正浹自高亦各責治外復拘集經鋪吊取紙絹逐項估筭編定上中下叁等等各叁號備細開明物價仍限造經日期來時領給號票去時繳票領給劄批逐月經鋪經匠具結查驗又照每印經

續古今譯經圖記

宗 七卷一百九十六張尾半三張 泰 八卷一百九十八張尾半二張 岱 七卷二百零二張尾半三張 禪 七卷一百八十二張尾半二張

開元釋教錄　　釋教錄略出

主 十卷一百八十九張尾半三張　　歷代三寶記

云 十卷二百一十二張尾半五張　　歷代三寶記

一切經音義

亭 十卷一百九十三張尾半四張 雁 十卷一百六十九張尾半九張　一切經音義

門 十卷一百九十六張尾半三張　　大藏聖教法寶標目

紫 十卷一百五十九張尾半四張　　至元法寶勘同總錄

塞 八卷一百七十一張尾半五張　　紹興重刊大藏音

華嚴經音義

大明重刋三藏聖教目錄

鷄 七卷一百九十八張尾半一張 田 七卷一百八十八張尾半三張 赤 七卷一百六十二張尾半三張

禪宗頌古聯珠集

城 十二卷二百四十一張尾半二張 昆 十一卷二百三十張尾半三張 池 十一卷一百九十七張尾半二張 碣 十一卷二百一十五張尾半四張

佛祖統紀

石 十一卷二百零四張尾半六張

大方廣圓覺經略疏註

般若波羅蜜多心經集註

壹藏有板頭銀壹拾貳兩藏内鈌續藏肆拾壹函合抵
銀捌兩刻補經板刻匠恐有潦草偷工亦給與號票繳
查等因呈　堂奉批悉照議行以垂永久奉此又于萬
曆三十四年八月内本司呈稱撥給禪堂以勵行僧事
議將板頭銀給禪堂贍僧自今除刻經捌兩經完日通
給堂内管經僧用堂内堂外各一人堂主管理住查
考呈　堂奉批僧非禪則不成僧寺無禪堂則不成寺
聖祖贍養本意原爲此輩俗僧反懷忌嫉殊可恨也如議
撥給有敢生事擾害者查出重究奉此今奉前因合將
酌定九號經價併條約行該寺刻簿立碑永爲定規遵

守施行

計開編定九號經價及條約于後

每經壹藏板共伍萬柒千壹百陸拾塊經共陸百叄拾陸函共陸千叄百叄拾壹卷共壹拾壹萬伍百貳拾陸張全葉壹拾萬柒千柒百捌拾貳張尾半葉貳千柒柒百肆拾肆張外有續藏肆拾壹函今刻過拾肆函餘尚未完工

上等壹號經用連四紙大包殼併上下掩面俱用段

成造數目

一印經用連四紙共約貳萬捌千張每壹張足裁經肆張內有尾葉不全多出紙用印佛頭併背掩面殼底及襯貼經簽每百張叄錢伍分

用小樣連四土名上號大連三極綿　共銀玖拾
白堅厚如帶灰竹薄黑不用此價
捌兩
一大包殼上下掩面用段每函約陸尺陸寸經樣長壹
尺加上下折頭捌分每用段壹尺零捌分裁掩
面四條每函約掩面貳拾條共該段伍尺肆寸
又大包殼壹個用段　共段肆百壹拾玖丈柒尺
壹尺貳寸牽湊裁
陸寸每尺叁分伍厘闊壹尺伍寸頗堪衣着如
澆薄不用此價染用金黃
閃紅及紅閃　共銀壹百肆拾陸兩玖錢壹分陸
金黃二色
厘
一復裹併簽用月白重表絹每函約壹尺伍寸共
絹玖拾伍丈肆尺每尺銀陸厘註下等
壹號內　共銀伍

兩柒錢貳分肆厘
一托復裏併托簽用月白公单紙約肆百伍拾張
每百張壹錢陸分共銀柒錢貳分
一背殼用小高紙九層每面約壹百壹拾張共約
紙柒萬張每百張壹分叁厘共銀玖兩壹錢
一玖分闊絹帶每面壹條貳轉約叁尺稍零共帶
貳百丈每丈貳分共銀肆兩
一柏簽陸百肆拾根共銀叁錢貳分
一作料烟煤伍簍銀壹兩麪伍百斤銀叁兩礬叁
拾斤銀壹錢貳分共銀肆兩壹錢貳分

一工食印經每千張捌分銀捌兩玖錢（要煤重字清）摺經每千張肆分銀肆兩肆錢伍分表經每函壹分貳厘銀柒兩陸錢叁分貳厘共銀貳拾兩玖錢捌分貳厘

以前上等壹號經通共銀貳百捌拾玖兩捌錢捌分貳厘（每函約銀肆錢伍分伍厘）

上等貳號經用連四紙大包殼併上掩面用叚下掩面用綾成造數目

一大包殼併上掩面用叚每函約叁尺玖寸共叚貳百肆拾捌丈零肆寸每尺叁分伍厘（註上等壹號內）

共銀捌拾陸兩捌錢壹分肆厘

一下掩面用上號金黃花表綾每函約貳尺柒寸

共綾壹百柒拾壹丈柒尺貳寸每尺壹分貳厘

註中等壹號內共銀貳拾兩陸錢陸厘

一托綾用金黃連七紙壹千叁百張每百張肆分

共銀伍錢貳分

一印經紙復裏簽絹托復裏簽紙背殼紙絹帶拍

簽作料工食共捌項俱照上等壹號經樣共銀

壹百肆拾貳兩玖錢陸分陸厘

以前上等貳號經通共銀貳百伍拾兩玖錢陸

釐每函約銀叁錢玖分肆釐

上等叁號經用連四紙大包殼用段上掩面用綾下掩面用絹成造數目

一大包殼用段每函約壹尺貳寸共段柒拾陸丈叁尺貳寸每尺叁分伍釐註上等壹號內共銀貳拾陸兩柒錢壹分貳釐

一上掩面用上號金黃花表綾每函約貳尺柒寸共綾壹百柒拾壹丈柒尺貳寸每尺壹分貳釐註中等壹號內共銀貳拾兩陸錢陸釐

一下掩面用金黃重表絹每函約貳尺肆寸共絹

壹百伍拾貳丈陸尺肆寸每尺陸厘註下等壹號內共
銀玖兩壹錢伍分捌厘
一托綾絹共用金黃連七紙貳千陸百張每百張
肆分共銀壹兩零肆分
一印經紙復裹簽絹托復裹簽紙背殼紙絹帶拍
簽作料工食共捌項俱照上等壹號經樣共銀
壹百肆拾貳兩玖錢陸分陸厘
以前上等叁號經通共銀貳百兩肆錢捌分貳
厘每函約銀叁錢壹分伍厘

中等壹號經用公单紙大包殼併上下掩面俱用綾

成造數目

一印經用公单紙共約伍萬陸千張每壹張足裁經貳張內有尾葉不全多出紙用印佛頭併背掩面殼底每百張壹錢貳分用小樣上好公单極綿白堅厚如帶灰竹不用此價共銀陸拾柒兩貳錢

一大包殼併上下掩面用上好金黃花表綾每個約陸尺陸寸每壹尺零捌分直裁掩面肆條壹尺貳寸牽裁大包殼壹個共綾肆百壹拾玖丈柒尺陸寸每尺壹分貳厘樣闊壹尺伍寸織文極均密不露縫花樣極明淨不模糊如帶稀踈茅草不用此價共錢伍拾兩叁錢柒分壹厘

一托綾用金黃連七紙約叁千叁百張每百張肆

分共銀壹兩叁錢貳分

一復裏併簽用月白連四紙貳百貳拾張每百張肆錢貳分共銀玖錢貳分肆厘

一背殼用小高紙七層每面約用捌拾伍張共約紙伍萬伍千張每百張壹分叁厘共銀柒兩壹錢伍分

一七分闊絹帶每面壹條貳轉約貳尺捌玖寸共帶壹百玖拾丈每丈壹分陸厘共銀叁兩肆分

一柏簽陸百肆拾根共銀叁錢貳分

一作料烟煤伍簍共銀壹兩麪肆百伍拾斤銀貳

兩柒錢蔡二十五斤銀壹錢共銀叁兩捌錢
一工食印經每千張捌分銀捌兩玖錢要煤重摺字清
經每千張肆分銀肆兩肆錢伍分表經每函壹
分壹厘銀陸兩玖錢玖分陸厘共銀貳拾兩叁
錢肆分陸厘
以前中等壹號經通共銀壹百伍拾肆兩肆錢
柒分壹厘每函約銀貳錢肆分貳厘
中等貳號經用公单紙大包殼併上掩面用綾下掩
面用絹成造數目
一大包殼併上掩面用上號金黃花表綾每函約

叁尺玖寸共綾貳百肆拾捌丈零肆寸每尺壹分貳厘（註中等壹號内）共銀貳拾玖兩柒錢陸分肆厘

一下掩面用金黄重表絹每函約貳尺肆寸共絹壹百伍拾貳丈陸尺肆寸每尺陸厘（註下等壹號内）共銀玖兩壹錢伍分捌厘

一托綾絹共用金黄連七紙約叁千叁百張共銀壹兩叁錢貳分

一印經紙復裹簽紙背殼紙絹帶柏簽作料工食共柒項俱照中等壹號經樣共銀壹百貳兩柒錢捌分

以前中等貳號經通共銀壹百肆拾叁兩貳分貳厘每函約銀貳錢貳分肆厘

中等叁號經用公单紙大包殼用綾上掩面用絹下掩面用紙成造數目

一大包殼用上號金黃花表綾每函約壹尺貳寸共綾柒拾陸丈叁尺貳寸每尺壹分貳厘註中等壹號內共銀玖兩壹錢伍分捌厘

一上掩面用金黃重表絹每函約貳尺肆寸共絹壹百伍拾貳丈陸尺肆寸每尺陸厘註下等壹號內共銀玖兩壹錢伍分捌厘

一下掩面用葱白連四紙每面半張共紙叁百貳拾張每百張肆錢貳分共銀壹兩叁錢肆分肆厘

一托綾絹約用金黄連七紙貳千張共銀捌錢

一印經紙復裹簽紙背殼紙絹帶揭簽作料工食共柒項俱照中等壹號經樣共銀壹百貳兩柒錢捌分

以前中等叁號經通共銀壹百貳拾叁兩貳錢肆分（每函約銀壹錢玖分叁厘）

下等壹號經用扛連紙大包殼併上下掩面俱用絹

成造數目

一印經所用扛連紙共約叁萬柒千伍百張每壹張足裁經叁張內有尾葉不全多出紙用印佛頭併背掩面殼底每百張柒分紙極厚白如帶有薄黑不用此價共該銀貳拾陸兩貳錢伍分

一大包殼併上下掩面用金黃重表絹每匹約伍尺玖寸每壹尺零陸分直裁掩面肆條半大包殼亦用此數共絹叁百柒拾伍丈貳尺肆寸每尺陸厘椽闊壹尺柒寸零極均客如稀疎不用此價共銀貳拾貳兩伍錢壹分肆厘

一托絹用金黃連七紙約叁千叁百張每百張肆分共銀壹兩叁錢貳分

一復裏併簽用公单紙肆百伍拾張每百張壹錢
貳分共銀伍錢肆分
一背殼用小高紙伍層每面約用陸拾張共紙肆
萬張每百張壹分叁厘共銀伍兩貳錢
一伍分闊絹帶每面壹條貳轉約貳尺陸寸共
帶壹百捌拾丈每丈壹分貳厘共銀貳兩壹錢
陸分
一柏簽陸百肆拾根共銀叁錢貳分
一作料烟煤伍觔銀壹兩麵肆百斤銀貳兩肆錢
礬貳拾斤銀捌分共銀叁兩肆錢捌分

一工食印經每千張捌分銀捌兩玖錢要㸌重字濤

摺經每千張肆分銀肆兩肆錢伍分表經每函壹分銀陸兩叁錢陸分共銀壹拾玖兩柒錢壹分

以前下等壹號經通共銀捌拾壹兩肆錢玖分肆厘每函約銀壹錢貳分伍厘

下等貳號經用扛連紙大包殼併上掩面用絹下掩面用紙成造數目

一大包殼併上掩面用金黃重表絹每函約叁尺伍寸共絹貳百貳拾貳丈陸尺每尺陸厘註下等壹

號內共銀壹拾叁兩叁錢伍分陸厘

一下掩面用葱白連四紙每面半張共紙叁百貳拾張每百張肆錢貳分共銀壹兩叁錢肆分肆厘

一托絹用金黄連七紙貳千張共銀捌錢

一印經紙復裏簽紙背殼紙絹帶柏簽作料工食

共桼項俱照下等壹號經樣共銀伍拾桼兩陸錢陸分

以前下等貳號經逼共銀桼拾叁兩壹錢陸分每面約銀壹錢壹分貳厘

下等叁號經用扛連紙大包殼用絹上下掩面用紙

成造數目

一大包殼用金黄重表絹每匹約壹尺零陸分共絹陸拾柒丈肆尺壹寸陸分每尺陸厘註下等壹號內共銀肆兩肆分肆厘

一上下掩面用葱白連四紙每匹壹張共紙陸百肆拾張每百張肆錢貳分共銀貳兩陸錢捌分捌厘

一托絹用金黄連七紙陸百伍拾張共銀貳錢陸分

一印經紙復裹簽紙背殼紙絹帶柏簽作料工食共柒項俱照下等壹號經樣共銀伍拾柒兩陸錢陸分

以前下等叁號經通共銀陸拾肆兩陸錢伍分貳厘每百約銀玖分捌厘

條約

一**領號票** 凡請經僧到不許經鋪前路截搶聽其經投禪堂管經僧即將號簿一本付與細查隨意擇取經鋪看定紙絹一同到司呈報併將樣紙一張樣段或綾絹各一尺送驗果係合式

本司即給請經僧管經僧經鋪經匠與經鋪同票各給票壹紙仍再給請經僧印信號簿壹本及經鋪准造告示於經殿門首領票後公同到寺交銀不許私立合同私自過付如未經領票輙先包攬經鋪重責枷號管經僧責治經鋪能互相出首即准將經給與攬造請經僧有自願成造不用經鋪者徑自同管經僧經匠與管經僧同票領票不許經鋪刁難每月初一日各經鋪經匠輪一人具依准結到司查驗

一定寓所　往時經僧寓於經鋪緇俗相混殊失

淸規今於禪堂造房七間延僧進住其飯食即禪堂供給每僧一日筭銀壹分不許多索如禪堂不爲欵留經鋪强欲邀截俱行究治過限外經不完飯銀追經鋪代出

一議雜費

本寺禪堂板頭銀壹拾貳兩今扣捌兩刻補經板止肆兩堂內瞻僧內相茶果銀叁兩肆錢官住轉交如多索即係官住作弊官住請劄銀捌錢如不爲申請劄批銀不許給管經僧銀肆錢如不爲催促經鋪查佑紙絹銀不許給號簿銀貳錢給請經僧貳拾本經鋪裝印管經僧查給隱匿究罪以上伍項通共銀壹拾陸兩捌錢又有請經僧飯錢照日計筭自此以

外更無毫釐費用如號簿不載有需索分毫者卽係誆騙許請經僧稟司重究

一**酌經式** 經樣長壹尺闊叁寸叁分各項物料俱用官尺大槩務照時價從寬估筭卽時有貴賤自可通同牽補不得據一項偶貴遂指求增價以亂定規經價雖定紙絹高下裝印工拙甚是不等經鋪經匠多以濫惡相充弊難盡舉請經僧一一查估有不值者俱聽稟究

一**繳號票** 造經定限三個月凡紙絹裝印等項

一列欵號票後經完日僧鋪人等俱於逐欵

下如綿白等項果合式註是字不合式註不字送司銷繳註不字者請經僧併將經壹函及前樣紙樣絹同票送驗果不合式經鋪重責枷號仍計價追出給還本僧造經過三月外經鋪經匠計日責治如紙絹等不合式管經僧不爲具稟一同究責

一給劄批　往時請經僧俱給劄付以示優異給批照以便回籍因候領日久若難不敢請給自今於繳票日許經僧具呈稟請本司即日給發並不羈留如有衙門人役需索刁難請經僧卽

時稟明定將該犯重責革役

一**造四經** 有止造四經者大般若寶積華嚴涅槃共計捌拾肆函計捌百肆拾叁卷每函價數照前九號後註定計算板頭壹兩捌錢又有印襯號者多寡不等板頭查照前例算

一**裝書册** 有用太史連印裝成書册者紙張裝裱聽其自辦僱印工食照前價數板頭等銀照前俱各減半如以勢要强免者追承攬工匠賠還

一**補經板** 經板少續藏肆拾壹函每板壹塊該

銀叁錢陸分每請一藏扣板頭銀捌兩刻板貳拾貳塊（如有板該刻二十五塊每塊板傍俱載用某僧板頭銀刻以備查驗）刻期限拾日每遇造經領票日管經僧即帶同刻匠赴司共領給號票一紙依限刻完將經板刷印同票驗銷每月初一仍將收除銀數開循環簿報查板用梨木打光捌分厚價銀肆分每板二面共陸拾行計壹千零貳拾字（内有尾葉不全滿拾行者筭半葉滿貳拾行者筭全葉不及拾行者不筭）刻用宋字樣寫工連紙銀貳分如差一字扣壹釐給校經僧刻工連光板齊邊每塊銀叁錢刻深三分爲度寫刻潦草偷

工罰令重寫重刻每藏銀捌兩刻貳拾貳塊共去銀柒兩玖錢貳分剩銀捌分作買紙烟煤水膠刷印呈樣工食等用續藏完日仍將模糊板刻換一併遍完板頭銀盡數贍僧

一**贍僧** 板頭銀給禪堂贍僧每年約二十藏該銀貳百肆拾兩四經亦約二十部該銀叁拾陸兩每僧一日飯食腐菜等銀壹分約贍僧柒拾陸名今扣捌兩刻經每年共約銀壹百壹拾陸兩該贍僧叁拾壹兩經完日仍如前數

一**記重修** 藏經房重修過前殿叁間正殿伍間左右貯經廊廡四十二間禪堂內新造講經房

二層七間起工于萬曆三十四年七月畢工于
本年十二月助工督修善人張文學張應文

一**收板銀**堂内置號簿一扇木櫃一口銀到即
送官住處登簿將銀投櫃於月終日會同官住
開封置買柴米贍僧堂主毋得私用

金陵梵刹志卷四十九終

金陵梵刹志卷五十

各寺租額條例

南京禮部祠祭清吏司爲
賜田幸蒙查明懇乞勒石以垂永久事奉　本部送據南
京僧錄司右覺義住靈谷等寺仁勛等申前事內稱
賜田租額見在勒碑今有靈谷寺靖東安西貳庄報恩
寺廊房復蒙定租乞一併刻入等因到部送司具呈
掌部事南京兵部尚書孫　奉批如議併入碑內奉此
案查萬曆叁拾貳年拾貳月該本司爲清查　欽賜
寺租事比因三大寺田租不明乞照萬曆拾壹年間本

司會同儀制司清查朝天宮事例具呈　掌部事南京
工部右侍郎范　奉批如議照例行奉此隨該本司郎
中葛　會同儀制司郎中汪　查得三大寺田地洲場
原係
聖祖欽賜有天界寺蔣山寺住持行椿行容等於洪武貳
拾柒年具奏荷蒙　欽賜贍僧田地一向自已用鈔
雇人耕種因事務煩瑣另議召佃徵租上江貳縣田每
畝米伍斗麥叁斗爲率溧陽溧水句容等縣田每畝米
柒斗伍升爲率各佃自運到寺散給衆僧又蒙　欽
賜蘆洲稞柴變價備辦香燈俱造冊送禮部查考不許

拖欠侵尅巳蒙依准申部遵守但今歲季着僧催徵租粮砍斫蘆柴收支票帖庫司無憑稽考田地召佃公據無憑合無請賜庫記奉

聖旨是着禮部給庫記與他天界寺蔣山寺欽此蔣山即

靈谷寺　欽錄集碑記証弘治年間天界寺溧陽庄因水荒告減每畝槩徵米肆斗伍升遂因爲例至嘉靖肆拾年佃户呂淮等復拖租不完本部行提監故參送法司斷追拖欠止照減後之數法司招卷証至隆慶叁年巡撫海　委應天府包治中清丈　賜田靈谷寺龍都庄每畝米叁斗陸升麥叁斗桐橋庄每畝上田米

伍斗中田米肆斗下田米叁斗俱載魚鱗册證目今見
徵天界寺湖墊庄每畝上田米肆斗中田米叁斗伍升
麥一槩貳斗陸升有租簿証餘庄獨多短少查各佃有
將田轉租每畝實收米柒捌斗麥叁肆斗至納寺則止
壹貳斗上下猶多刁措矣且非獨租減也而稅復日增
洪武拾伍年掌部事大理寺右少卿兼倉部試郎中麗
照等具奏奉
聖旨天界寺免他歲收叁千石内該納粮數蔣山寺免他
歲收肆千石内該納粮數餘有的田粮併差役俱都免，
他欽此載　欽錄集碑記誌書証至成化年間僧因

水災勸輸米貳升相因不改至隆慶年間包治中捏報靈谷寺田地丈多伍拾玖頃零起科其實原田如故於何處可增即將僧人續置自免於何處漏籍有秦通判議豁牒文証又高淳縣署印鄧同知匿 旨証中將天界寺坐落該縣田俱與民間一則起科有譚通判改斷招案証又蘆政委官將報恩寺原 賜蘆洲內田貳拾玖頃伍拾捌畝指爲丈多之洲陞入蘆課有欽錄集內四至証今查各縣徵冊由票在上元縣有靈谷寺田地塌樣貳百柒拾叁頃壹拾肆畝零因勸借及報多共加正米叁百叁拾玖石貳斗條折銀貳百陸拾

陸兩陸錢捌分天界寺田地貳拾伍頃玖拾畝零共加正米叁拾石肆斗條折銀壹拾壹兩陸錢貳分伍厘江寧縣有靈谷寺田地山蕩壹拾頃玖拾壹畝零共加正米肆拾壹石伍斗肆升丁米銀共玖兩捌錢叁分零高淳縣有天界寺田叁拾柒頃貳拾畝零共加銀壹百柒拾玖兩捌錢柒分零米陸石肆斗捌升溧水縣有靈谷寺田壹拾伍頃玖拾壹畝零共加銀柒兩玖分零米壹拾捌石肆斗肆升蘆政有報恩寺膽真庄田地貳拾玖頃伍拾捌畝共加銀壹百陸拾捌兩陸錢玖分零靈谷寺十八洲地壹千伍百貳拾壹畝共加銀肆拾肆兩肆

錢伍分止天界寺溧陽庄田采石洲地報恩寺戴子庄
田靈谷寺陳橋茄地洲地仍照　祖制例不起稅是
稅則由無而有甚至與民間一則租則由叁斗伍升而
伍斗而肆斗叁斗甚至止壹貳斗而猶復刁捎違背
祖制莫此爲甚詰其故有云前後接佃費有佃價不知
典佃寺田罪至遣戍律例寺碑鑿鑿有據況　欽賜
乎又況寺僧實不與聞而佃户私相授受者乎又有云
開墾荒地費有工本此或在洲田有之而腹內之田則
原係成熟沒官者何待開墾即開墾照例亦止該免租
叁年今其得利豈止叁年而猶不當復額乎又有云文

子相承係關血產此其說尤爲不通當時
聖祖欽賜原係官田非取本佃之產與寺也　國初原
僱召人種後改佃户即與雇召無異而可云血產乎然
其故非盡關佃户亦由管庄僧受佃户私嘱而官住又
受管庄僧私嘱今年讓升合明年遂執爲例以至日就
短少耳今欲直復　國初之例據各佃苦苦哀告情
難盡拂相應查據原額參以近例量田肥瘠酌與徵租
靈谷寺除靖東安西貳庄因寺僧佃有私田另行查覈
天界寺除高淳庄已經行咨撫院溧陽庄已經行文該
縣未據查復容後續報外其餘各庄在上江兩縣者各

金陵梵刹志

經拘集佃户張廷株笪鎮董貴等會行酌定靈谷寺龍都桐橋貳庄每畝上田米叁斗伍升麥銀柒分中田米貳斗伍升銀肆分伍厘下田米壹斗伍升銀叁分僧真散甲貳庄每畝上田米叁斗麥銀捌分中田下田與龍都一例天界寺湖墅庄每畝上田米肆斗麥銀陸分伍厘中田米叁斗伍升下田米貳斗伍升麥銀俱與上田一例靖安庄每畝上田米叁斗伍升麥銀陸分中田米貳斗伍升銀肆分下田米貳斗銀叁分報恩寺戴子庄每畝田一槩米叁斗麥銀叁分膈真庄每畝田一槩米貳斗麥銀柒分此外又有蕩田高田豆地基地山塘場

漾及蘆洲房屋等項科數詳載冊内佃户俱各承認無詞取有認狀在卷其靈谷寺溧水庄卽係寺僧贖回承佃姑從寬每畝上田米銀壹錢肆分中田米銀壹錢下田米銀陸分大約律以
國初原額則僅及其半而稍溢焉律以民間常額則幾及其半而尚縮焉庶在寺僧完粮之外尚得糊口
聖祖恤僧之意猶存什一在佃户卽云費有佃價工本而納租之外盈餘尚多則所以體其私者未嘗不至也等因具呈　掌部事范　奉批查弊定租詳悉適中永久可行俱照行奉此又經會查得各寺僧官除左覺義印

選得受庄僧重賄違例不行更換俱罪告退姑免追究外右覺義仁鏞違禁借債陸百玖拾兩俱無的據今姑責令認賠拾分之肆又擅動查過庫銀仍加革職各僧除天界寺湖墅庄僧隱報熟田數多已病故外佃洲僧力永違禁用銀陸百兩預撥采石蘆洲拾年今已曾過肆年姑准下年退還常住量償撥價壹百陸拾兩等因呈　堂奉批仁鏞革職餘照議行奉此又經會議徵租公費事例呈　堂奉批所議綜覈之法雖寓體恤之意良多悉如議行後之君子留心細玩不爲陰墁偏辭所惑卽永久可無更矣奉此至萬曆叁拾肆年肆月又奉

本部送准巡撫應天都察院右僉都御史周　咨覆爲
覇佃　賜田科黨抗法事内稱先准南京禮部咨查
天界寺高淳縣　賜田叁千柒百貳拾壹畝玖分玖
厘稅租緣由隨行應天府查議去後今據該府呈稱行
准本府管粮通判牒行高淳縣節次覆議得前田每畝
以米伍斗爲率其上中下不等聽該縣案籍酌之總計
每田壹畝實徵銀壹錢柒分玖厘陸絲柒忽其徵收之
法每年祠司行文管粮縣丞處管粮官照単催徵完日
呈報祠司令本寺僧官摘差的當僧人赴領有不完者
聽寺僧呈報管粮衙差人行催務令完報該縣造印冊

三本一送本部一存該縣一存該寺其各佃如由帖式
每人各將應納租數填發壹張執照以防弊竇等因到
部送司隨禀　堂行縣勒碑併發單給帖遵行訖又查
五次大寺　賜產先奉　本部送據能仁寺官住仁
勛等申爲聚兇倚勢逼占　賜田事該本司禀　堂
會同儀制等司拘審得該寺洲田與襄府佃洲相連節
被張松山楊繁等决埂淹田又占去划塲意圖逼献呈
堂蒙送問隨准襄城伯李　手本稱愿退還划塲賠補
欽墳等因到部送司具呈　掌部事南京吏部右侍郎
葉　奉批捌百畝　賜田貳百年舊業幾付東流此

本部之所不容坐視者也今脩完原掘之圩埂退還前
占之划塲疆界既明争端可杜該府足見虛心貧僧亦
保恒產矣該司移文禮科知會仍給堂帖付寺僧執照
他日或有强佃仍肆侵凌則上有　國法下有部科
孰敢蔑視而不顧乎業已講解可免衆送但該司與同
事者一片苦心則後來君子尚其念之毋以緇流而置
度外可也奉此又奉本部送據甘燕禮通狀告稱施田
入寺以供香火事該本司稟　堂拘審得慈相寺原有
賜田伍百貳拾餘畝寺僧稀少屢被盜賣有如意借甘
燕禮銀壹百零伍兩贖回原賣到雞鳴寺僧正英田地

隨故伊徒性曉等將田退還正英債銀兩無着洊耕廬
不甘願將田就近捨入弘覺寺又有餘田悉被弘覺寺
寺僧昌順等賤價計吞遞行查出等因呈　堂奉批
欽賜寺田安得私相買賣俱追入弘覺寺召佃輸租如
各寺下院之例昌順等本當究罪姑念愚僧豁免如再
執占即行案送餘依擬奉此隨經拘集五次大寺佃户
審定租額雞鳴寺大梅子洲每畝銀肆分伍厘小梅子
等洲銀伍分鰣魚洲銀伍分伍厘能仁寺梅子淵田因
節被水淹每畝上田麥銀叁分米貳斗伍升中田銀貳
分伍厘米貳斗下田銀壹分伍厘米壹斗鰣魚洲每畝

銀陸分，棲霞寺每畝上田麥銀柒分，米伍斗；中田銀伍分伍厘，米肆斗；下田銀肆分，米叁斗。弘覺寺每畝上田麥銀伍分，米伍斗伍升；中田銀肆分，米肆斗伍升；下田銀貳分伍厘，米叁斗伍升。靜海寺田每畝米肆斗，麥銀陸分。各取佃户認狀及造册俱如三大寺例，稟堂奉批如議行。奉此，各遵行在卷。本年肆月内奉本部送據靈谷等寺官仁勛等申同前事，内稱三大寺乃

國初　敕建

聖祖爲護衛　陵寢，改蔣山寺爲靈谷，爲化誘愚俗，加天界寺爲善世

成祖爲報答　皇考妣深恩改天禧寺爲報恩皆
賜有田地而靈谷　命瞻僧千人　賜田獨多向
被佃戶拖揹幸蒙清查俱已輸服懇乞勒石本部及僧
錄司以便遵守又奉　本部送擬雞鳴等寺大住持本
性等申同前事乞將雞鳴等五次大寺　賜産附入
三大寺碑內等因到部俱奉批查行送司該本司郎中
葛　主事鄭　會同儀制司主事洪　備查前卷會看
得三大寺委係　敕建香火以翼衛　陵寢則
國家萬年之基以報答　皇考妣弘恩則
成祖不貲之孝是以優恤特厚原與各寺院不同不意佃

戶漸次短少而官住庄僧朋比爲奸實作之偏今該會
同酌例審復佃戶俱各輸認卽高淳府縣公議亦增至
伍斗折銀壹錢捌分之數則知原租本自應復民情亦
自順從而寺僧作偏之弊益明矣法既更始處當垂後
至於雞鳴能仁原與靈谷等寺鼎立而棲霞弘覺靜海
亦並係　勅建名刹其田產既經查明亦合垂示永
久據僧錄司申乞勒石暨碑雞鳴等寺亦呈乞比例附
入俱應俯從具稟　掌部事葉　奉批寺田多出
欽賜此
聖祖特恩近爲豪家刁佃侵尅已極非該司不辭勞怨悉

心查理幾千名存而實亡矣各欵俱宜着實遵行屏茲
弊竇庶今日之苦心爲不虛也奉此本年伍月内續奉
本部送據本司呈爲寺僧暗佃　賜田護私妨公合
行酌議事該本司會同儀制司拘審得靈谷寺靖東安
西貳庄高處最腴低處獨瘠今低者俱作蕩田已自從
寬其租額不得與他庄有異隨據佃戶孫季等各認比
照龍都每畝上田米叁斗伍升麥銀柒分中田米貳斗
伍升銀肆分伍厘下田米壹斗伍升銀叁分蕩田銀伍
分又本寺僧亦佃有私田如與佃戶通同作弊追田重
究等因具呈　掌部事孫　奉批如議行奉此陸尸

又奉　本部送據報恩寺租户婁梗等告爲違法指僧需索事該本司拘審得報恩寺有　欽賜官廊房肆拾貳間每間額租叁兩陸錢積欠似難追徵始准照婁梗等所認每間月徵銀壹錢貳分加再短少即逐出不容居住等因呈　堂奉批房租加議月認壹錢貳分奉此今奉前因合將本司節次審定各寺租額具　堂奉批緣由備行僧録司即便照式勒石竪碑曉諭永遠遵守施行

今將三大寺及五次大寺定租數目開後

靈谷寺常住

靖東庄 又過實在田地塘共玖千壹百壹拾壹畝伍分 坐落上元縣長寧鄉麒麟門外相連壹塊膏腴多低窪少離寺陸路陸拾餘里水路貳百餘里

夏租銀共肆百貳拾兩柒錢陸厘 每兩外加耗銀叁分

冬租米共壹千柒百柒拾叁石叁合 每石外加腳耗米壹斗

冬租銀共柒拾伍兩肆錢貳分陸厘 每兩外加耗銀叁分

上田叁千貳百叁拾玖畝玖厘

夏租銀每畝柒分 共銀貳百貳拾陸兩柒錢叁分陸厘

冬租米每畝叁斗伍升 共米壹千壹百叁拾叁石陸斗捌升壹合

中田壹千捌百陸拾叁畝玖分陸厘

夏租銀每畝肆分伍厘 共銀捌拾叁兩捌錢柒分捌厘

冬租米每畝貳斗伍升　共米肆百陸拾伍石玖斗玖升

下田壹千壹百伍拾伍畝伍分伍厘

夏租銀每畝叁分　共銀叁拾肆兩陸錢陸分陸厘

冬租米每畝壹斗伍升　共米壹百柒拾叁石叁斗叁升貳合

蕩田壹千肆百陸拾伍畝伍分伍厘

夏租銀每畝貳分伍厘　共銀叁拾陸兩陸錢叁分玖厘

冬租銀每畝貳分伍厘　共銀叁拾陸兩陸錢叁分玖厘

地伍百伍拾貳畝陸分叁厘

夏租銀每畝肆分　共銀貳拾貳兩壹錢伍厘

冬租銀每畝肆分　共銀貳拾貳兩壹錢伍厘

基塲墳園肆百壹拾陸畝柒分

夏租銀每畝叁分共銀壹拾貳兩伍錢壹厘

冬租銀每畝叁分共銀壹拾貳兩伍錢壹厘

草塲塘肆百壹拾捌畝壹分

夏租銀每畝壹分共銀肆兩壹錢捌分壹厘

冬租銀每畝壹分共銀肆兩壹錢捌分壹厘

上江二縣官糧各庄俱在本庄代辦限陸月終照數送僧錄司起批赴部掛號觧縣交納取批迴照驗米限十月交衛僧司起批俱如前例

銀共叁百柒兩玖錢柒分壹厘

米共肆百貳拾貳石玖斗柒升陸合

一本色正米叁百叁拾玖石貳斗　耗米叁拾叁石玖斗貳升　使費銀壹拾伍兩貳錢陸分肆厘

一折色等銀共壹百肆拾貳兩貳錢伍分　耗費銀柒兩壹錢壹分貳厘

一條編銀壹百貳拾肆兩肆錢叁分柒厘　耗費銀陸兩貳錢貳分壹厘以上係上元官糧

一本色正米肆拾壹石伍斗肆升柒合　耗米捌石叁斗玖合　使費銀壹兩捌錢陸分玖厘

一折色正銀玖兩叁錢捌分肆厘　耗費銀玖錢叁分捌厘

一丁米銀肆錢伍分壹厘　耗費銀肆分伍厘

以上係江寧官粮

本庄盤費

銀共叁拾貳兩

米共肆拾石伍斗

一夏季用銀壹拾陸兩　正副管庄僧連帶跟每日工食併雜費用銀貳錢夏季限貳個月該銀壹拾貳兩甲首貳名工食銀肆兩冬季同

一冬季用銀壹拾陸兩

一貼腳米肆拾石伍斗運米共壹千叁百伍拾石貳升柒合每石除腳

米柒升外

又貼叁升

以上除官糧盤費外實上寺

夏租銀玖拾陸兩柒錢叁分伍厘

冬租米壹千叁百玖石伍斗貳升柒合

冬租銀伍拾玖兩肆錢貳分陸厘

新卷 本司行上元縣議定僧錄司徵解文卷 南京

禮部祠祭清吏司爲酌議 賜田徵解以杜侵

漁事照得靈谷天界報恩棲霞等寺俱有 欽

賜田地坐落上元縣 國初奉 旨田粮併

差役俱免至成化年間偶因蘇松水災每畝勸借

米貳升隆慶年間捏稱丈多田地陸續陞科今僅

免雜泛差徭而日前加派遂爲定額節年交粮被

包晉僧將銀花費延挨不完及至催比輙濫開使用

及債利等項正銀之外費尚不訾深爲該寺之累每各寺申報完粮申文及循環簿到司全無的據本司明知其詐難以詰責今議每年寺粮不必分限零徵本部行委僧錄司轉行各寺將一年折色條編等銀通行催齊約以一歲之中不先不後七月初一日僧錄司起批赴部掛號齎縣盡數一併交納守取批迴驗銷其漕粮原有定限仍照舊期蘆課銀　欽限原在七月今定六月初一盡數通完起批掛號俱如前例止委僧錄司催齊起解各寺包管僧盡行革去若過限不完及完不如數則本司當任其咎論　欽賜田地原宜加恩不與民間一例況今寧起解以免催徵寧併納以免零派雖爲各寺杜奸實於該縣有益弊絕風清彼此兩便揆之情理似無不宜文到即備查靈谷等四寺　欽賜田地蘆洲若干及額定本折條編銀米蘆課若干見今三十四年完過若干未完若干造冊并遵行緣由作速申報以憑查考轉行解發牌行上元縣查照去後隨該本縣申稱查得靈谷寺實徵平米伍百玖拾伍石貳斗壹升玖合伍勺每年除兑運漕粮米叁百叁拾玖石貳斗柒升

伍合伍勺壹抄壹撮伍圭實該折色米貳百伍拾伍石玖斗柒升四合叁勺捌抄伍撮每石折銀伍錢實該折色銀壹百貳拾柒兩玖錢捌分陸厘貳毫案照漕粮原有定期折色銀兩每歲係十月開徵分爲十限追完又查條編實徵平米伍百玖拾伍石貳斗壹升玖合伍勺內除 欽賜米貳百陸石不編外實該當差平米叁百捌拾玖石貳斗壹升玖合伍勺每石約派銀叁錢壹分共銀壹百貳拾兩陸錢陸分伍厘原該正月開徵陸續輸納今奉明文折色條編俱於七月僧錄司起批解縣深爲妥便以杜拖累第二項銀兩逐年俱奉撫院會計每平米壹石外派綱司水脚學耗孤老及科舉閏月并本府坐派加增等銀每歲增減不 遽難擅開候會計至日再行申報及筭本年條銀先奉 恩詔蠲免馬價止該銀壹百壹拾伍兩壹分伍厘除完過壹百柒兩壹錢伍分尚欠銀柒兩捌錢陸分伍厘見今追比折色銀兩請乞催解又查天界寺該實徵平米伍拾石玖斗肆升貳合陸勺內除兊運米貳拾玖石叁升該折色米貳拾壹石玖斗壹升貳合陸勺每石折銀伍錢該銀壹拾

兩玖錢伍分陸厘叁毫止該條編米壹石壹斗玖
升貳勺約該銀叁錢柒分棲霞寺平米壹拾柒石
柒斗肆升陸合伍勺內除兌運米拾石該折色米
柒石柒斗肆升陸合伍勺每石折銀伍錢該銀叁
兩捌錢柒分伍毫俱係編入各該圖分糧里催齊
類交縣庫與靈谷不同再查報恩寺蘆洲課銀壹
百陸拾捌兩零亦於本年陸月僧錄司觧縣起批
轉府倒文申觧南京工部蘆政并巡江衙門掛號
及節慎庫投納取批驗銷此係　欽限錢糧難
以遲緩向報前來又經牌行該縣案照靈谷天界
棲霞三寺　賜田官粮先該本司議委僧錄司
徵觧行縣酌議續據回稱三寺折色條編正數先
於七月初僧錄司解縣其綱司水脚學耗孤老等
銀痛會計单到另報部行寺找足此具見體恤罔
到處置得宜除行僧錄司永遠遵照及將本年條
折正銀嚴限起觧外又看得三寺既一例解納其
編户亦宜歸併或將靈天棲中名共爲一户或將
天界棲霞改入靈谷甲內該縣任擇所便目今先
註入丁粮冊候大造年即爲改正又報恩寺蘆課
雖納節慎庫原係該縣催徵今既議定六月初僧

錄司起解亦合免其零催官粮既有僧錄司責成本司定嚴行查比如有拖延決不姑惜以辜該縣相成雅意復據該縣申稱內開案照靈谷天界棲霞三寺　賜田官粮先該本司議委僧錄司徵解行縣酌議續據回申三寺折色條編銀兩於七月初起解已行僧錄司未遠遵照外又看得三寺既一例解納其編户亦宜歸併一户串爲靈天棲或改入靈谷甲内該縣任擇所便目今先註丁粮冊内以候大造之年即爲改正等因奉此遵依隨經行拘各該圖里書并該甲里長開具田粮數目暫撥填入靈谷寺内䅲名靈天棲三寺名目仍候大造之年即爲改正緣由回復到司據此擬合備行牌仰僧錄司遵照牌内事理每年依期照數徵完起批送　司掛號轉解該縣允收隨取獲庫收批迴銷照毋得違錯　一牌行僧錄司　諭居三十四年八月三十日

附舊卷秦通判議靈谷寺田不宜加派牒文　應天府通判秦　爲乞天超命事准本府牒抄蒙欽差巡撫右副都御史宋　批據靈谷寺僧惟崧等狀告前事蒙批仰應天府委官查報等因批行

到府備牒到廳煩爲逐一淸查明實一併具由牒
府以憑覆審轉詳施行等因准此案照先爲懇恩
分豁超拔蟻命以便焚修事准本府送據靈谷寺
僧性竤等連名告稱洪武年間蒙　太祖高皇
帝特爲　陵寢香火　勑建本寺撥賜蠲免
肆千石歲糧田地坐落上江等四縣地方贍僧焚
修後於弘治年間因陝西荒旱勸借米捌拾伍石
玖斗柒升於嘉靖年間將草折米共貳百伍石玖
斗柒升差後俱無亦於隆慶肆年將原　賜數
內荒田丈量報熟加糧貳百陸拾捌石陸斗伍升
若無告辯致累寺廢僧窮今蒙仍加官糧玖拾柒
石餘編銀捌拾捌兩肆錢肆分蟻僧不無逃竄告
鳴超拔等情批開管糧廳查報准此隨經吊取上
元縣惟政鄉壹圖嘉靖肆拾壹年隆慶伍年貳次
大造黃冊并本府歷任治中包　丈量歸户實徵
文冊及拘本寺僧人性竤隆珍等賫捧成化拾捌
年僧官德黙題覆蠲免護持香火　勑旨并執
出嘉靖叁拾叁年府給優免帖文各到職逐一查
得本寺舊冊原田地塘山灘塌雜差共貳百壹拾
肆頃叁厘伍毫節次加派糧草共平米貳百零伍

石玖斗叁升並無差役本寺亦無私置田土續於
隆慶叁年奉例丈量於本寺原　賜田地內丈
出熟田叁千玖百肆拾貳畝玖分肆厘伍毫熟地
壹千玖百伍畝壹分柒厘叁毫叁絲隨該共加粮
貳百柒拾貳石伍斗叁升陸合壹勺連前通共該
粮肆百柒拾捌石肆斗陸升陸合壹勺責令本寺
照數辦納外續於萬曆叁年該本府陞任府尹汪
覆議賦役查得將靈谷寺前項丈出田地照民則
例起科加編粮米玖拾柒石於今年伍月內又派
條編銀捌拾捌兩肆錢肆分行縣派徵去後攄告
前情准送到職看得該寺田地委係　欽賜向
奉蠲免近奉丈量多出畝數已經節加官粮肆百
柒拾捌石有零例所丈多之田查廼　欽賜額
內丈出並無私置新增若照民則起科復加粮差
則寺廢僧窮委難完辦具由牒府批送到職案候
問今准前因覆查無異再照該寺丈出田地委非
私置但所加粮米玖拾柒石已經議派相應令僧
輸納其條編差銀捌拾捌兩合無俯賜行縣豁免
則於　國稅無損而　聖恩亦不匱矣緣准
牒查事理未敢擅便擬合牒復爲此今將前項緣

由粘連原送批牒合行移牒本府煩爲詳奪轉申

施行　萬曆貳拾壹年叁月日具

附舊卷靈谷寺派糧緣由

靈谷寺嘉靖叁拾叁年玖月貳拾陸日奉本府帖文開載洪武年間欽賜民田水漾草塌貳萬壹千肆百畝叁厘伍毫實該納隨田粮草均攤平米貳百伍石玖斗叁升至隆慶肆年奉本府治中包　丈量本府汪刻賦役書冊開載田壹萬叁百畝每畝勸米貳升該米貳百陸石地叁千陸百捌拾叁畝玖分柒厘玖毫每畝勸米壹升該米叁拾陸石捌斗叁升玖合柒勺玖抄低窪田陸千捌百陸拾貳畝每畝科米伍合該米叁拾肆石叁斗壹升荒田伍拾畝陸分陸厘捌毫每畝科荒白米柒升柒勺陸抄該荒米肆石壹斗伍升壹合貳勺捌抄荒地柒畝柒分柒厘伍毫每畝科荒白米肆升該荒米叁斗壹升壹合雜差伍百伍拾肆畝伍厘陸毫每畝科米叁合該米壹石陸斗陸升貳合壹勺陸抄捌撮丈多田叁千玖百肆拾貳畝玖分肆厘伍毫每畝科米肆升該米壹百伍拾柒石柒斗壹升柒合捌勺丈多地壹千玖百伍畝壹分柒厘叁毫叁抄每畝科米

貳升該米叁拾捌石壹斗叁合肆勺柒抄以上共平米肆百柒拾肆石陸斗叁升叁合貳勺貳抄捌撮後萬曆叁年奉本府汪　題　請萬曆叁年奉本府會計單開將靈谷寺丈多田地俱照民間一例科差每田壹畝科平米陸升貳合柒勺壹抄陸撮地每畝科平米叁升伍合共加出平米壹百壹拾捌石壹斗陸升壹合柒抄貳撮通共納平米伍百玖拾貳石柒斗玖升伍合内除　欽賜平米貳百陸石尚該平米叁百捌拾陸石柒斗玖升伍合新加陳嘉會丈多田粮貳石貳斗有零

安西庄丈過實在田地塘共壹萬貳千貳百肆拾陸畝叁分陸厘坐落與靖東庄相連壹塊

夏租銀共叁百玖拾玖兩捌錢柒分壹厘每兩外加耗銀叁分

冬租米共壹千肆百捌石叁斗叁升每石外加脚耗米壹斗

公租銀共壹百叁拾叁兩貳錢叁分每兩外加耗銀叁分

上田壹千陸拾貳畝柒分肆厘

夏租銀每畝柒分共銀柒拾肆兩叁錢玖分壹厘

冬租米每畝叁斗伍升共米叁百柒拾壹石玖斗伍升玖合

中田叁千肆畝陸分柒厘

夏租銀每畝肆分伍厘共銀壹百叁拾伍兩貳錢壹分

冬租米每畝貳斗伍升共米柒百伍拾壹石壹斗陸升柒合

下田壹千玖百壹畝叁分陸厘

夏租銀每畝叁分共銀伍拾柒兩肆分

冬租米每畝壹斗伍升共米貳百捌拾伍石貳斗肆合

蕩田叁千伍百肆拾伍畝肆分伍厘

夏租銀每畝貳分伍厘　共銀捌拾捌兩陸錢叁分陸厘

冬租銀每畝貳分伍厘　共銀捌拾捌兩陸錢叁分陸厘

地叁百伍拾捌畝壹分肆厘

夏租銀每畝肆分　共銀壹拾肆兩叁錢貳分伍厘

冬租銀每畝肆分　共銀壹拾肆兩叁錢貳分伍厘

基地叁百玖拾畝陸分柒厘

夏租銀每畝叁分　共銀壹拾壹兩柒錢貳分

冬租銀每畝叁分　共銀壹拾壹兩柒錢貳分

草場塘壹千捌百伍拾肆畝玖分貳厘

夏租銀每畝壹分共銀壹拾捌兩伍錢肆分玖厘

冬租銀每畝壹分共銀壹拾捌兩伍錢肆分玖厘

溝弁廟基壹百貳拾捌畝肆分壹厘　免科

本庄盤費

銀共叁拾伍兩

米共肆拾貳石貳斗肆升玖合

一夏季用銀壹拾陸兩正副管庄僧連帶跟每日工食併雜費用銀貳錢夏季限貳個月該銀壹拾貳兩甲首貳名工食銀肆兩冬季同

一冬季用銀壹拾玖兩外加別院管庄僧壹名盤費銀叁兩

一貼脚米肆拾貳石貳斗肆升玖合運米共壹千肆百捌

石叁斗叁升每石除脚米柒升外又貼叁升

以上除盤費外實上寺

夏租銀叁百捌拾叁兩捌錢柒分壹厘

冬租米壹千叁百陸拾陸石捌升壹合

冬租銀壹百壹拾肆兩貳錢叁分

溧水庄

丈過實在田地山塘共壹千陸百玖拾叁畝陸厘坐落本縣崇賢長壽貳鄉田地貳塊磽瘠多腴少離寺陸路壹百里水路壹百叁拾里

冬租銀共玖拾陸兩貳錢伍分每兩外加耗銀叁分

上田貳百玖拾柒畝貳分貳厘

冬租銀每畝壹錢肆分共銀肆拾壹兩陸錢壹分

中田壹百玖拾叁畝伍分捌厘

冬租銀每畝壹錢共銀壹拾玖兩叁錢伍分捌厘

下田貳百玖拾捌畝柒分肆厘

冬租銀每畝陸分共銀壹拾柒兩玖錢貳分肆厘

蕩田叁百玖拾貳畝捌分貳厘

冬租銀每畝貳分共銀柒兩捌錢伍分陸厘

地玖拾玖畝柒厘

冬租銀每畝陸分共銀伍兩玖錢肆分肆厘

山肆拾叁畝貳分叁厘

冬租銀每畝壹分共銀肆錢叁分貳厘

塘溝捌拾伍畝捌分伍厘

冬租銀每畝貳分　共銀壹兩柒錢壹分柒厘

荒田基地塘共貳百捌拾壹畝捌分玖厘

冬租銀每畝伍厘　共銀壹兩肆錢玖厘

官庄基陸分陸厘　免科

溧水縣官粮

銀共壹拾捌兩貳錢玖分柒厘

一粮銀柒兩玖分貳厘　加耗使費銀壹兩陸

分叁厘

一糙米壹拾捌石肆斗肆升　折銀壹拾兩壹

錢肆分貳厘每石折銀伍錢伍分連耗費在内

本庄盤費

銀共玖兩貳錢正副管庄僧連帶跟每口工食併雜費銀壹錢貳分冬季限貳個月該銀柒兩貳錢甲首壹名銀貳兩

以上除官糧盤費外實上寺

冬租銀陸拾捌兩柒錢伍分叁厘

實在田地山塘共貳百叁拾玖畝陸分伍厘

坐落句容縣孝義人信貳鄉離寺陸路壹百餘里

冬租銀共叁拾壹兩柒厘

田地共貳百壹拾捌畝肆分伍厘

冬租銀每畝壹錢肆分（共銀叁拾兩伍錢捌分叁厘）

山塘貳拾壹畝貳分

冬租銀每畝貳分（共銀肆錢貳分肆厘）

官粮銀共壹拾叁兩捌錢肆分肆厘（耗費在內）

盤費銀貳兩

（實上寺）冬租銀壹拾伍兩壹錢陸分叁厘

白水洲田

丈過實在田壹百壹拾捌畝叁厘（坐落儀真縣離寺水路捌拾里）

冬租銀壹拾陸兩伍錢貳分伍厘　每畝壹錢肆分

盤費銀壹兩

實上寺　冬租銀壹拾伍兩伍錢貳分伍厘

大洲丈過實在洲壹千貳百貳拾畝貳分坐落和州西梁山離寺水路貳百餘里

冬租銀陸拾肆兩刀工除外

蘆課銀伍拾兩加耗使費在內

催租盤費銀壹兩

實上寺　冬租銀壹拾叁兩

靈谷寺禪堂

常住丈過實在田地山塘共貳千壹百陸拾柒畝玖厘坐落上元縣[redacted]鄉仙鶴門外江城營油山前後等處近山相連壹塊膏腴多低窪少離

金陵梵刹志

寺陸路
伍拾里

夏租銀共壹百貳拾貳兩肆錢柒分貳厘每兩外加耗銀叁分

冬租米共肆百叁拾玖石伍斗玖升壹合每石外加脚耗米壹斗

冬租銀共貳拾叁兩壹錢叁分伍厘每兩外加耗銀叁分

上田玖百貳拾陸畝柒分叁厘

夏租銀每畝捌分共銀柒拾肆兩壹錢叁分捌厘

冬租米每畝叁斗共米貳百柒拾捌石壹升玖合

中田伍百伍拾叁畝貳分

夏租銀每畝肆分伍厘共銀貳拾肆兩捌錢玖分肆厘

冬租米每畝貳斗伍升共米壹百叁拾捌石叁斗

下田壹百伍拾伍畝壹分伍厘

夏租銀每畝叁分 共銀肆兩陸錢伍分肆厘

冬租米每畝壹斗伍升 共米貳拾叁石貳斗柒升貳合

上地貳百捌拾玖畝玖分捌厘

夏租銀每畝肆分伍厘 共銀壹拾叁兩肆分玖厘

冬租銀每畝陸分 共銀壹拾柒兩叁錢玖分捌厘

下地壹百捌拾畝玖分陸厘

夏租銀每畝叁分 共銀伍兩肆錢貳分捌厘

冬租銀每畝叁分 共銀伍兩肆錢貳分捌厘

山捌畝

夏租銀每畝貳分 共銀壹錢陸分

冬租銀每畝貳分 共銀壹錢陸分

塘貳拾玖畝玖分肆厘

夏租銀每畝伍厘 共銀壹錢肆分玖厘

冬租銀每畝伍厘 共銀壹錢肆分玖厘

荒地漩塘貳拾叁畝壹分叁厘 免科

本庄盤費

銀共貳拾肆兩陸錢叁分柒厘

一夏季用銀壹拾壹兩 正副管庄僧連帶跟毎日工食併雜費用銀壹錢伍分夏季限貳個月該銀玖兩

甲首壹名工食銀貳兩冬季同

一冬季用銀壹拾壹兩

一貼脚米用銀貳兩陸錢叁分柒厘運米共四百叁拾玖石伍斗玖升壹合每石貼脚銀陸厘

以上除盤費外實上堂

夏租銀壹百[illegible]拾壹兩肆錢柒分貳厘

冬租米肆百叁拾玖石伍斗玖升壹合

冬租銀玖兩肆錢玖分捌厘

桐橋庄丈過實在田地山塘共壹千叁百捌畝捌分陸厘坐落上元縣惟政鄉高橋門外其田地星散不一多係膏腴離寺陸路伍拾里

夏租銀共陸拾柒兩伍錢壹分伍厘

冬租米共叁百陸石捌斗伍升壹合

冬租銀共捌兩貳錢貳分肆厘

上田伍百伍拾壹畝伍分伍厘

夏租銀每畝柒分　共銀叁拾捌兩陸錢捌厘

冬租米每畝叁斗伍升　共米壹百玖拾叁石肆升貳合

中田肆百壹拾伍畝肆分捌厘

夏租銀每畝肆分伍厘　共銀壹拾捌兩陸錢玖分陸厘

冬租米每畝貳斗伍升　共米壹百叁石捌斗柒升

下田陸拾陸畝貳分陸厘

夏租銀每畝叁分　共銀壹兩玖錢捌分柒厘

冬租米每畝壹斗伍升共米玖石玖斗叁升玖合

蕩田壹拾伍畝貳分貳厘

夏租銀每畝貳分共銀叁錢肆厘

冬租銀每畝貳分共銀叁錢肆厘

上地壹百壹拾捌畝陸分玖厘

夏租銀每畝伍分共銀伍兩玖錢叁分肆厘

冬租銀每畝伍分共銀伍兩玖錢叁分肆厘

下地併基地共叁拾捌畝柒分肆厘

夏租銀每畝叁分共銀壹兩壹錢陸分貳厘

冬租銀每畝叁分共銀壹兩壹錢陸分貳厘

山肆畝玖分柒厘

夏租銀每畝壹分共銀肆分玖厘

冬租銀每畝壹分共銀肆分玖厘

塘潭灘柒拾柒畝伍分柒厘

夏租銀每畝壹分共銀柒錢柒分伍厘

冬租銀每畝壹分共銀柒錢柒分伍厘

荒地廟地庄基共叁畝捌分貳厘　免科

本堂菜地壹拾陸畝伍分陸厘　免科

本庄盤費

銀共貳拾叁兩肆錢

一夏季用銀壹拾壹兩柒錢正副管莊僧連幇費用銀壹錢貳分夏季限貳個月該銀柒兩貳錢甲首叁名工食銀肆兩伍錢冬季同跟每日工食併雜

一冬季用銀壹拾壹兩柒錢冬季銀不足用夏租銀内扣除叁兩肆錢柒分陸厘

以上除盤費外實上堂

夏租銀伍拾貳兩叁錢叁分玖厘

冬租米叁百陸石捌斗伍升壹合

冬租銀無

陳家洲地丈過實在洲貳千壹百叁拾捌畝叁厘

内茄地洲成熟地約百畝坐落和州西梁山離寺水路貳百里

冬租銀柒拾貳兩刀工除外

催租盤費銀貳兩

實上堂冬租銀柒拾兩

靈谷寺律堂

龍都庄丈過實在田地塘共叄千陸百肆拾捌畝玖分柒厘坐落上坊門外相近壹堍大圩葛橋等頭寺田與民田交雜其田多係膏腴離寺陸路陸拾里水路柒拾里　上元貳千陸百肆拾伍畝玖分貳厘　江寧壹千叄畝伍厘

夏租銀共壹百玖拾柒兩貳錢肆分肆厘每兩外加耗銀叄分

冬租米共玖百捌拾叄石玖斗伍升貳合每石外加脚耗米壹斗

冬租銀共玖兩貳錢壹厘每兩外加耗銀叄分

上田壹千陸百肆拾陸畝捌分陸厘

上元壹千叁百貳拾貳畝叁分

江寧叁百貳拾肆畝伍分陸厘

夏租銀每畝柒分　共銀壹百壹拾伍兩貳錢捌分

冬租米每畝叁斗伍升　共米伍百柒拾陸石肆斗壹合

中田壹千伍百肆拾叁畝捌厘

上元壹千玖拾陸畝捌分捌厘

江寧肆百肆拾陸畝貳分

夏租銀每畝肆分伍厘　共銀陸拾玖兩肆錢叁分捌厘

冬租米每畝貳斗伍升　共米叁百捌拾伍石柒斗柒升

下田壹百肆拾伍畝貳分壹厘

上元伍拾捌畝柒分貳厘

江寧捌拾陸畝肆分玖厘

夏租銀每畝叁分　共銀肆兩叁錢伍分陸厘

冬租米每畝壹斗伍升　共米貳拾壹石柒斗捌升壹合

蕩田陸拾捌畝捌分柒厘

上元壹拾捌畝伍分捌厘

江寧伍拾畝貳分玖厘

夏租銀每畝貳分　共銀壹兩叁錢柒分柒厘

冬租銀每畝貳分　共銀壹兩叁錢柒分柒厘

地伍拾壹畝伍分叁厘

上元叁拾柒畝玖分伍厘

江寧壹拾叁畝伍分捌厘

夏租銀每畝陸分　共銀叁兩玖分壹厘

冬租銀每畝捌分　共銀肆兩壹錢貳分貳厘

基墳地玖拾玖畝貳分玖厘

上元柒拾叁畝柒分柒厘

江寧貳拾伍畝伍分貳厘

夏租銀每畝叁分共銀貳兩玖錢柒分捌厘

冬租銀每畝叁分共銀貳兩玖錢柒分捌厘

潭塘溝柒拾貳畝肆分柒厘

上元貳拾伍畝肆分陸厘

江寧肆拾柒畝壹厘

夏租銀每畝壹分共銀柒錢貳分肆厘

冬租銀每畝壹分共銀柒錢貳分肆厘

荒灘田貳拾壹畝陸分陸厘　免科

上元壹拾貳畝貳分陸厘

江寧玖畝肆分

本庄盤費

銀共叁拾捌兩肆錢柒分壹厘

一夏季用銀壹拾伍兩叁錢正副管庄僧連帶跟每日工食併襍費用銀壹錢捌分夏季限貳個月該銀壹拾兩捌錢甲首叁名工食銀肆兩伍錢冬季同

一冬季用銀壹拾伍兩叁錢冬季銀不足用夏租銀內扣除陸兩玖分玖厘

一貼脚米用銀柒兩捌錢柒分壹厘運米共玖百捌拾叁石玖斗伍升貳合每石貼脚銀捌厘冬季銀不足用夏租銀內扣除

以上除盤費外實上堂

夏租銀壹百陸拾柒兩玖錢柒分肆厘

冬租米玖百捌拾叁石玖斗伍升貳合

冬租銀無

散甲庄丈過實在田地山塘共伍百壹畝捌分叁厘

坐落上元縣[redacted]鄉滄波麒麟姚坊等門外田地星散不一俱係膏腴離寺遠近不等陸路約叁肆拾里

夏租銀共貳拾叁两柒錢壹分伍厘每两外加耗銀叁分

冬租米共陸拾貳石伍合每石外加脚耗米壹斗

冬租銀共壹拾两壹錢肆分貳厘每两外加耗銀叁分

上田壹百陸拾肆畝壹分捌厘

夏租銀每畝捌分共銀壹拾叁两壹錢叁分肆厘

冬租米每畝叁斗共米肆拾玖石貳斗伍升肆合

中田肆拾貳畝陸分陸厘

夏租銀每畝肆分伍厘共銀壹兩玖錢壹分玖厘

冬租米每畝貳斗伍升共米壹拾石陸斗陸升伍合

下田壹拾叁畝玖分壹厘

夏租銀每畝叁分共銀肆錢壹分柒厘

冬租米每畝壹斗伍升共米貳石捌升陸合

上地壹百貳拾陸畝肆分玖厘

夏租銀每畝肆分伍厘共銀伍兩陸錢玖分貳厘

冬租銀每畝陸分共銀柒兩伍錢捌分玖厘

下地併基地柒拾貳畝貳分叁厘

夏租銀每畝叁分共銀貳兩壹錢陸分陸釐

冬租銀每畝叁分共銀貳兩壹錢陸分陸釐

山壹拾捌畝叁分肆釐

夏租銀每畝貳分共銀叁錢陸分陸釐

冬租銀每畝貳分共銀叁錢陸分陸釐

塘肆畝貳分壹釐

夏租銀每畝伍釐共銀貳分壹釐

冬租銀每畝伍釐共銀貳分壹釐

黄公祠田慈仁寺基地并荒田堆木廠地共伍拾玖畝捌分壹釐　免科

本庄盤費

銀共壹拾貳兩陸錢

一夏季用銀陸兩叁錢正副管庄僧連帶跟每日工食并雜費銀捌分夏季限貳個月該銀肆兩捌錢甲首壹名工食銀壹兩伍錢冬季同

一冬季用銀陸兩叁錢

以上除盤費外實上堂

夏租銀壹拾柒兩肆錢壹分伍厘

冬租米陸拾貳石伍合

冬租銀叁兩捌錢肆分貳厘

天界寺常住

湖熟庄文過實在田地壹千柒百畝陸分伍厘坐落上元縣[illegible]鄉高橋門外白米夏稼貳圩與民田交雜星散不一其田多係膏腴離寺水路壹百貳拾里陸路陸拾里

夏租銀共壹百叁兩玖錢玖分玖厘每兩外加耗銀叁分

冬租米共伍百肆拾玖石貳斗陸升壹合每石外加脚耗米壹斗

冬租銀共陸兩柒錢肆分柒厘每兩外加耗銀叁分

上田陸百陸拾伍畝貳分捌厘

夏租銀每畝陸分伍厘共銀肆拾叁兩貳錢肆分叁厘

冬租米每畝肆斗共米貳百陸拾陸石壹斗壹升貳合

中田伍百肆拾貳畝柒分

夏租銀每畝陸分伍釐共銀叁拾伍兩貳錢柒分伍釐

冬租米每畝叁斗伍升共米壹百捌拾玖石玖斗肆升伍合

下田伍拾玖畝玖分肆釐

夏租銀每畝陸分伍釐共銀叁兩捌錢玖分陸釐

冬租米每畝貳斗伍升共米壹拾肆石玖斗捌升伍合

高田貳百肆拾伍畝柒分叁釐

夏租銀每畝陸分伍釐共銀壹拾伍兩玖錢柒分貳釐

冬租米每畝叁斗共米柒拾叁石柒斗壹升玖合

中蕩田貳拾貳畝伍分

夏租銀每畝貳分伍釐共銀伍錢陸分貳釐

冬租米每畝貳斗共米肆石伍斗

地肆拾捌畝肆分叁厘

夏租銀每畝陸分伍厘共銀叁兩壹錢肆分柒厘

冬租銀每畝壹錢共銀肆兩捌錢肆分叁厘

基塲墳墩地叁拾捌畝玖厘

夏租銀每畝伍分共銀壹兩玖錢肆厘

冬租銀每畝伍分共銀壹兩玖錢肆厘

荒水塌基塲墳墩地柒拾柒畝玖分捌厘　免科

上元縣官粮本庄帶靖安庄同納銀照數送僧錄司起批赴部掛號解縣交納取批廻

照驗米送折價與

靈谷靖東庄附納

銀共貳拾捌兩玖錢柒分柒厘

一本色正米叁拾石肆斗　折銀壹拾陸兩柒

錢貳分每石折銀伍錢伍分連耗費在内

一折色正銀壹拾壹兩叁錢肆厘　耗費銀伍

錢陸分伍厘

一條編正銀叁錢柒分　耗費銀壹分捌厘

本庄盤費

銀共貳拾捌兩

一夏季用銀壹拾肆兩正副管庄僧連帶跟每日工食及費用銀壹錢伍分甲首飯食在内夏季限貳個月用銀玖兩甲首貳名半工食銀伍兩冬季同

一冬季用銀壹拾肆兩冬租銀不足用於夏租銀內扣除銀柒兩貳錢伍分叁厘

以上除官糧盤費外實上寺

夏租銀伍拾叁兩柒錢陸分玖厘

冬租米伍百肆拾玖石貳斗陸升壹合

冬租銀無

附舊卷 應天府查究[illegible]帖文

應天府為乞憐　賜給以免後累事據天界寺管庄僧顯林狀告前事案照先據該寺僧顯林狀告為乞憐本寺原荷　聖祖勑建香火俯賜豁免加派以杜後累事節行上元縣駁查續據上元縣申稱案照先奉本府帖文據天界寺僧顯林狀告前事奉此遵依行拘本縣丹陽鄉壹圖里長張孜等各到官審據結勘得　欽賜天界寺田地貳拾伍頃

柒拾陸畝該平勸米伍拾叁石伍斗遞年辦納不
缺續奉府帖文爲缺設足事每石加派銀壹錢陸
分叁厘叁毫捌絲伍忽該銀捌兩柒錢叁分捌厘
叁毫玖絲告乞豁免等情據此隨經查得本寺前
項田地始自洪武年間　欽賜至成化年間因
蘇杭貳州水災蒙巡撫都爺王　奏　請凡
欽賜田地每畝勸米壹升不爲常例迄今不免比
納隨田勸米不當夫馬雜泛外派差徭已經具由
申報外續據本縣稅糧科舊役書手湯盤呈爲檢
舉事件覩　大明律内一款凡公事失錯自覺
舉者免罪欽此欽遵切有丹陽鄉壹圖里長王廷
瑞下一户天界寺　欽賜田地實該均攤平米
伍拾石伍斗伍升貳勺比時督造緊急傳寫差錯
失將該寺粮米比額多開米叁石今方知覺合行
檢舉改正據此恐有不的又經行拘里長王廷瑞
經必茂張福一趙文斌張得薛再十李昇經造趙
陶求太曹礼姚趙科高王六各到官審據復結得
天界寺官民田地山共貳拾伍頃柒拾陸畝俱係
欽賜田土並無續置實該撥米伍拾石伍斗伍升
貳勺遞年辦納不缺中間並無欺隱據此查得先

次申開米數比與湯盤檢舉委的多開米叁石隨
拘該圖里長張孜并告僧顯林各到官結報相同
爲照本僧所告前項田粮額外加泒段疋銀捌兩
貳銭伍分玖厘壹毫貳絲查與先申詳豁靈谷寺
僧本欽告免加泒粮銀以憑遵奉施行等因隨該
本府看得天界寺田既係 欽賜凡一應差銀
自當優免仰縣准與除豁以仰體 聖祖優恤
至意毋得額外加徵以啟攤泒科泒之漸此繳當
擬上元縣申將本寺優免緣由繳報在卷今告前
因擬合就行給帖執照爲此今將上元縣優免該
前項銀兩數目緣由合行帖仰本寺管事僧執照
施行須至帖者 右帖下天界寺管事僧准此
嘉靖叁拾叁年玖月拾叁日令典史吳璞魯文舉
行

溧陽庄

原額田共叁千玖百玖拾伍畆肆分壹厘内
除社壇庄基官溝絶墳外 實徵田叁千捌百柒
拾陸畆伍厘 坐落溧陽縣永成鄉黄蘆鴈坨西趙叁圩黄蘆鴈坨俱膏腴獨西趙圩内

稍有低窪腴瘠不等離寺陸路
貳百陸拾里水路伍百肆拾里

額徵米壹千柒百肆拾肆石貳斗貳升貳合今實納米
壹千叄百玖拾玖
石壹斗叄升壹合

每畝一槩肆斗伍升各佃俱遵納獨西趙圩田
玖百叄拾捌畝叄分佃户
周楊烈等止每畝納米壹斗捌升史鄉宦房
族共佃田壹千捌百叄拾伍畝止每畝納米
肆斗每年共拖欠米叄百肆拾伍石玖
升因外縣恃遠頑梗候移文撫院議復

官粮　無

本庄盤費

米共叄百玖拾伍石貳斗叄升肆合

一冬夏季共米壹百捌石正副管庄僧連帶跟
每日工食及盤費總

用米肆斗伍升在庄約捌個月看庄米亦在内

一罨乾共折米[illegible]拾柒石玖斗叁升玖合每石折米柒升

一甲首肆名工食米柒拾貳石

一公務銀折米叁拾石爲拖欠告徵之費

一脚米用捌拾柒石貳斗玖升伍合運米共壹千玖拾壹石壹斗玖升貳合每石脚米除捌升

以上除官粮盤費外實上寺

夏初收到冬租米壹千叁石捌斗玖升柒合

附舊卷戶部覆議溧陽寺租額帖文 應天府溧陽縣洪武叁拾年正月貳拾叁日承本府帖文該奉戶部劄付爲李興壽告田粮事洪武叁拾年正月拾伍日午時立案近據江西清吏司案呈該通政

司連狀送應天府溧陽縣民人李興壽告本鄉有田叁拾玖頃玖拾壹畝零每該原科粮米叁斗壹升至拾捌年撥與天界寺供衆齋粮本寺不照原額起科却作叁等起科一等每畝科米柒斗玖升一等科米柒斗伍升一等科米柒斗貳升各佃自行運赴本寺交納今思得馬生受具告照沒官則例科徵便益來告責據本寺僧人彌淨狀供前因自洪武拾肆年間　欽賜本寺贍僧粮米叁千石田地坐落溧陽縣佃户蔣壽一等佈種先該禮部差僧會司官踏勘照依肥瘦作叁等起科至拾捌年住持行椿奏　請刻碑爲記未爲本寺收業已行本縣着落各佃照舊送納去後今據僧祢淨狀告前事催徵各佃不肯照舊送納只照沒官田則例每畝米叁斗壹升來告參照佃户李興壽等既係拾捌年佃種照粮已定今告照沒官田則例科徵納粮一節難以准理如若各佃仍前恃頑不納就行提解赴部追問除具奏仍令各僧前去照舊催收文書到日仰本府即行溧陽縣着落當該官吏照依科劄付内事理施行奉此參照前事先奉帖文已經帖下李興壽等各該里老着落各

佃照舊送納去後今奉前因擬合就行帖下該區糧里甲帖文到日依奉劄付内事理着落各佃照舊送納毋得仍前展轉不納糧里老甲毋得扶同混賴僧人不便須至帖者　右帖下本城鄉貳都伍保里長老人馬亞員等准此

附[illegible]司問擬溧陽庄追佃招由

一問得一名羅志年叁拾歲係應天府溧陽縣民狀招有天界寺於洪武拾伍年　欽賜溧陽縣田地叁千玖百餘畝坐落黄蘆鴈埂西趙叁圩等地方每年辦納租米叁千石給本寺僧衆焚修并修葺殿宇等項蒙户部編定第一等田每畝派租柒斗玖升第二等田每畝派租柒斗伍升第三等田每畝派租柒斗貳升是志等祖父相沿領種逓年納租不缺弘治伍年間各因水災納租不及三分之一有巳故僧官戒讌呈蒙禮部及巡撫等衙門各委官詣田踏勘災傷量減每畝納租肆斗伍升取具供結回報在官向後各佃每畝亦止輸納租米肆斗伍升至嘉靖元年間有今在官趙宗五即趙祥呂應禄沈仲鈞呂應禮呂應袍郝信呂應製毛容徐御鄭丙禮郎爵及胡漢不在官父胡珊

馬鎡沈仲元與南城見監先存今故呂淮等各逅
年拖欠租管租僧人畏懼人衆狡猾無奈容恐至
嘉靖貳拾捌年間本寺差在官僧人道成親在田
所管理仍撥差不在官僧圓證并已故惠昂親往
徵租比有趙祥等倚災租米顆粒不納致僧圓證
等具告卄掌縣事應天府張通判處批差不在官老
人高悌岳理酌處租米數目比趙祥不合賠與岳
理等私議將被災田畝免徵外却將成熟田每畝
納租叁斗寫立議單貳紙朦朧稟官批與趙祥不
合收執見存其圓證等並不知識立情弊以致衆
佃乘機倣傚每畝止納叁斗至嘉靖貳拾玖年本
寺今在官僧惠賢并不在官行深徵租間有不在
官佃户鄭遂計海楊林等壹拾玖名照舊每畝辦
租肆斗伍升不缺志不合與不在官係充禮計玲
馬鎡史鈞一等貳拾玖名共拖欠租米壹百肆拾
餘石嘉靖叁拾年分有郎爵鄭丙禮徐御等亦各
照舊每畝辦納肆斗伍升完納其趙祥呂應禮呂
應袍呂應祿各不合與胡廷珊馬鎡郝信沈仲轅
沈仲鈞侍才拖欠不完共約欠米陸拾餘石叁拾
壹年本寺又換在官僧人德安管庄差在官僧人

能美郎成美文譽等徵租餘御因欠稻米捌斗貳
升將板棹貳張抵還鄭丙禮見証成美等見得趙
祥等肆才徵取拾不及壹在官晉事僧能埠將情
於嘉靖叁拾貳年正月拾伍日具呈僧錄司轉中
南京禮部祠祭司牌行南城兵馬司批差在官弓
兵王茂楊松賚文前到溧陽縣添差不在官民壯
黃君哲等協拘胡珊郎爵徐御馬鎡呂應祿等到
縣起解間馬鎡趙祥等思欠租米數多誠恐追徵
比併計令呂淮先行來京於本年貳月貳拾肆日
具通狀告蒙本部連呂淮牌發南城兵馬司監候
馬鎡等共措銀壹兩與志并呂應祿族弟呂應製
作爲盤費星夜來京告狀志與呂應製各不合將
自巳名字隱匿止寫馬鎡呂應祿在狀捏稱本寺
用大斛每畝徵租陸斗耗米壹斗樣米叁升并徐
御先抵還板棹誣坐檢搶等項虛詞混扯不在官
田甲沈華沈廷萬楊廷一朱賔羅綽姓名具狀於
本月貳拾陸日告赴南京兵科蒙批仰西城兵馬
司提究解報移文溧陽縣行拘趙祥呂應祿呂應
袍等到官自知涉虛各又不合賴稱不知告狀情
節俱是志與呂應製肙名告理及拘志與呂應製

審証前情明白本寺亦將各佃歷年拖欠并盜佃
及告申　禮部提問情詞備細具狀令僧能璋等
訴蒙本科批仰西城兵馬司從公併問解報蒙將
志等對証取具鄭丙禮毛容等各供稱並無檢搶
打詐等情甘結在官將志等具詞連人申解本科
審証前情及蒙審得黃蘆鳫圩等圩田每畝每年
納米叁斗柒升西趙圩田每畝每年納米叁斗責
令志等遵守定納批仰叅送前來覆審得黃蘆鳫
圩貳圩田畝各佃至今完納肆斗伍升者甚多今
止趙祥等數人倚奸拖欠希圖槩減租額一失日
恐後無可復之時蒙斷令趙祥呂應禮呂應袍呂
應祿胡廷珊馬鎡郝信沈仲蘇沈仲鈞郎爵孫克
仁鄭丙禮徐御并志等各將所佃田畝退還本寺
聽能璋等另行召佃各隨田畝肥瘦年歲豐約兩
相情願收租其各佃原納肆斗伍升不缺者聽令
照舊佃種依數辦納各無詞除郝信沈仲鈞除御
毛容孫克仁楊松王茂鄭丙禮胡漢郎爵文譽成
美定賓宗大本惠賢道成德安隨審外將志等取
問罪犯一議得羅志等所犯羅志呂應袍呂應製
呂應禮趙祥呂應祿俱各依不應得爲而爲之者

律羅志事理重者杖捌拾呂應袍呂應製呂應禮
趙祥呂應祿各笞肆拾俱有　大誥減等羅志
杖柒拾呂應袍呂應製呂應禮趙祥呂應祿各笞
叁拾俱民審俱無力各依律的決完日與供明能
璋各發寧家焚修一照出羅志呂應製能璋告紙
呂應袍呂應禮趙祥呂應祿民紙各一分收赴本
部山西司供各衙門應用其趙祥呂應禮呂應袍
呂應祿胡廷珊馬鎡郝信沈仲轅沈仲鈞郎爵孫
克仁鄭丙禮徐御等各將退還田畝責令各寫吐
退交契并解來文簿玖扇俱給天界能璋等收領
另行召佃隨田肥瘦兩愿收租及原立前後合同
文約伍紙塗抹取能璋等領狀附卷　嘉靖貳拾
貳年閏叁月貳拾捌日

附錄卷　禮部撫院議溧陽庄徵租帖文　應天府爲
欺天變制殺命事抄蒙　欽差總理粮儲提督
軍務兼巡撫應天府等地方都察院右副都御史
翁　批呈前事蒙批參詳招情趙祥等以　欽
賜田土認爲血產既不納租又不退田情甚可惡
依擬各贖決發落仍追欠租給主庫收領狀繳此
事處分在僧則以欠租與詞在民則以多收訐告

終無歸一似應每畝照法司斷案徵租肆斗伍升該縣追收租銀每年拾月終起解　南京禮部定奪仍呈本院知會以杜後詞蒙此又據經歷司案呈抄蒙巡按直隸監察御史黃　批據本司呈同前事批開姑依擬趙祥等贖決發落田照舊徵租給帖以杜後爭通取庫收領狀繳餘如照行等因呈府案照已經行准本府推官程　牒送問完犯人趙祥等招由前來呈詳去後蒙批前因又經呈蒙　南京禮部照詳隨奉劄付祠祭清吏司案呈奉　本部送據應天府呈稱問得犯人趙祥等招開原佃天界寺　欽賜田叁千玖百玖拾貳畝玖分戶部編納本寺每畝租米柒斗玖升各佃拖欠數多於嘉靖叁拾貳年寺僧告赴　南京禮部蒙發南京刑部將各犯問罪每畝准改租米肆斗伍升至嘉靖叁拾柒年祥等奸頑又復拖欠本寺租米通共壹百肆拾捌石壹升叁勺蒙府斷明依律議罪招呈巡撫都察院批開每畝照法司斷案徵租肆斗伍升該縣徵收租銀每年拾月終起解南京禮部給僧收領實爲長便其租銀數目該府酌量定議轉呈禮部定奪以杜後詞抄招呈乞照

詳施行等因到部部看得　欽賜僧田免其官民
雜差實以僧無他產欲其取給於此也原舊戶部
編租每畝柒斗有餘後減至肆斗伍升雖爲中制
已非本意今欲定議徵銀誠見僧民之告擾欲立
兩便之久計也但每歲之豐歉無常米價之盈縮
不一則租既非舊而價又不足以充之是徒受虛
賜而何濟實惠並開其告擾之端也相應從常計
處爲此劄仰本府仍照法司定租每年納米肆斗
伍升使僧不致多取如遇甚荒之年許佃戶具告
本部量其災傷輕重徵租則民有一定之守亦足
以杜後爭之詞矣其招欠租米即速追給各僧收
領具由呈繳查考等因奉此隨經備由呈蒙巡撫
都察院照詳蒙批既稱徵銀不便於僧准照舊徵
租繳蒙此遵照已將犯人趙祥等各追紙贖銀兩
貯庫並追給主租米外擬合就行爲此合行抄招
給帖付寺僧行瀌等收執照依帖文招由內事理
每年秋收依期前去照數徵收租米毋得多取惹
罪未便須至帖者　右帖付天界寺收執准此
嘉靖肆拾年貳月拾叁日典史沈添暘行

附舊卷　溧陽縣奉部文徵租告示

應天府溧陽縣

爲欽天變制殺命事承奉本府帖文該蒙　欽
差巡撫都御史翁　並　欽差巡按御史黄
批呈俱爲前事查得帖文内開該　南京禮部劄
仰本府仍照法司定租每年納米肆斗伍升使僧
不致多取如遇甚荒之年許佃户具告本部量其
所傷輕重徵租則民有一定之守亦足以杜後爭
之詞矣其招欠租米即速追給各僧收領具由呈
繳查考等因蒙府帖仰本縣官吏照依帖文招由
内事理遵照施行仍出給告示曉諭各佃户知悉
每遇秋收依期辦納租米毋得仍前拖欠致惹告
擾取究等因奉此擬合就行曉諭爲此示仰原佃
種　欽賜天界寺黄蘆鴈圪西趙圩田佃户趙
祥等知悉以後遞年務要遵照　南京禮部刑部
並撫按等衙門供斷每畝納租肆斗伍升俱限拾
月終依期赴縣辦納解赴　南京禮部給僧收領
如遇甚荒災傷之年許令佃户人等徑自赴告本
部量其追納前租以憑徵解毋得以熟作荒致生
僧民告擾亦不許佃户仍前拖欠定行申究不恕
須至示者　嘉靖肆拾年貳月貳拾肆日給

高淳莊　原額田地共叁千柒百貳拾壹畝玖分玖釐

内除迷失拋荒外　實徵田叁千肆百伍拾玖畝

肆分捌釐坐落高淳縣永寧鄉縱爲甲外相國圩内一處相離不遠但有民田夾雜田地俱係膏腴離寺陸路貳百肆拾里水路貳百捌拾里

額徵冬租銀陸百壹拾伍兩肆錢肆分叁釐

每畝自貳斗以至玖斗多寡不等湊筭每畝約

米伍斗折銀約壹錢捌分

高淳縣官粮

銀共貳百壹拾兩柒錢肆分捌釐

一正銀壹百柒拾玖兩捌錢柒分捌釐　加耗

使費銀貳拾陸兩玖錢捌分壹厘

一正米陸石肆斗捌升貳合　折銀共叁兩捌錢捌分玖厘每石折銀陸錢連耗費在内

本庄盤費

銀共陸拾壹兩陸錢

一冬季用銀肆拾壹兩陸錢正副管庄僧連帮跟每日工食及費用銀壹錢捌分限肆個月共銀貳拾壹兩陸錢甲首肆名共銀貳拾兩

一公務銀貳拾兩爲拖欠告徵之費

以上除官粮盤費外實上寺

冬租銀共叁百肆拾叁兩玖分伍厘

新卷本部移咨撫院行高淳縣[illegible]南京禮部
爲覇佃　賜田糾黨抗法事祠祭淸吏司案呈
奉　本部送據南京僧錄司右覺義住天界寺慈
燈住持覺然等申稱　國初　賜田該户部
定每畝起租柒斗伍升書册可據又奉　旨一
應税徭俱免碑刻見存溧陽等縣俱見行無異獨
高淳縣　賜田叁千柒百餘畝隆慶年間被刁
佃卞愛柒等啚欺減租誑稱本寺將私置民田肆
百伍拾畝零冒作　賜田漏税致署縣鄧同知
准信斷將　賜田通行罰粮肆年旋蒙本部查
明間鄧同知因怪寺僧復申將　賜田槩照民
田起科共該銀壹百玖拾兩零詳允又蒙本部移
咨撫院行應天府譚通判問明改正若被刁佃賄
捺未豁官粮既重佃户又恃遠用强租額日漸短
少所入僅足完官並無顆粒入寺已經稟明蒙本
部酌議貼粮每畝一則起租伍斗伍升劄應天府
行縣議覆復遭刁佃史文渙史明卿唐銀葛全美
徐應爵等結黨誆阻未結懇乞移文撫院衙門轉
行應天府嚴提斷復租額折銀徵收觧部給散庶
千餘僧命有賴而　聖祖恩賜不虛等情到部

送司卷查本司先奉 堂批該本司會同儀制主
客精膳等司備查得天界寺 欽賜田叁千柒
百貳拾壹畝坐落高淳縣相國圩歷來碑記案卷
及 欽錄集等項奉 旨一應差徭俱免委
與溧陽等縣無異成化年間每畝止勸米貳升至
隆慶叁年委有佃户卞愛七等誣稱該寺將私置
梁莊七等民田肆百伍拾畝零揑作 賜田冒
免粮稅該署縣鄧同知斷將 賜田通行罰粮
肆年補前冒免之數具申撫按詳允僧復清狀告
本部移咨南京户部户科吊查後湖黃冊 賜
田委係叁千柒百貳拾壹畝玖分玖厘並無私置
冒免情弊又該鄧同知倡議 賜田應與民田
一例科粮混申撫按詳允本部行僧錄司具申撫
院轉行應天府批管粮廳譚通判提卞愛七等審
明具招問罪申府行縣改正今招卷見存未見除
豁以致歷年納稅壹百玖拾兩零是的又查
國初 賜田租額該户部定每畝上田柒斗玖
升中田柒斗伍升下田柒斗貳升有溧陽案卷可
証又查得該縣相國圩地方近宣州金寶等處號
爲沃土每畝收租稻貳石有零有該縣回書可証

又查寺租歷年循環簿高淳田租每年雖約收米千石除完稅盤費外止叁拾叁年剩米伍拾石給僧其餘委無顆粒入寺是的看得天界寺　賜田出自　聖祖德意原無粮稅原與溧陽等縣一例在高淳田叁千柒百貳拾有奇即以溧陽案卷所定中田柒斗伍升計之自當坐收米貳千捌百石之數無他妄費自鄧同知始入私田冒免之說繼以查明見格必欲釋憾該寺遂倡一則起科之議于是稅忽增爲壹百玖拾餘兩而刁民介恃縣官敢爲逋負于是租漸減爲壹千壹百餘石乃寺僧復稱盤費襍用等項時溢稅額之外其所收類多粃穀又不足數時縮租額之內以致所入僅供所出此其情雖未可知然備查循環簿中前田委虛有叁千柒百之名實無顆粒養僧之惠則亦奚怪寺僧之嘵嘵也已經劄行應天府查議去後未據回報今該僧錄司申稱前來相應備從移咨撫院轉行應天府專委精明官壹員虛心查勘該寺所有高淳縣田既係　欽賜奉　旨免稅何以不奉　旨而科稅又何以溧陽等縣不科而高淳獨科既科稅矣是等　賜田于民田可

以民田租多而　賜田租少況　賜田民田
又同在相國圩內膏腴相等難以差別也即云
賜田有修築之費然田既成熟費能幾何何以租
額之多寡懸絕若是伍斗伍升之租視柒斗伍升
已爲寬減何以尚有異議如以爲緇流冗蠹不得
齒于齊民何以　聖祖之優恤若是相應逐一
議明以息爭端至稱納稅收租之間此有溢費彼
無盈數既難究詰則折銀之說亦似清源革弊之
良策也每石委應折銀若干亦應議明務使情法
兩盡僧民兩平庶幾　聖祖明賜不至委諸草
莽案呈到部擬合就行爲此移咨貴院煩爲轉行
應天府查照議覆仍希文過部以憑施行　一咨
巡撫　萬曆叁拾叁年拾壹月拾壹日

新卷撫院咨覆本部行高淳縣定租文

欽差
總理粮儲提督軍務兼巡撫應天等府地方都察
院右僉都御史周　爲覇佃　賜田糾黨抗法
事萬曆叁拾叁年拾壹月拾伍日准南京禮部咨
據南京僧錄司右覺義住天界寺慈燈住持覺然
等申稱高淳縣刁佃欺減　欽賜田租緣由前
事後咨貴院煩爲轉行應天府查照議覆仍希回

文過部以憑施行等因到院准此隨行應天府查議去後今據該府呈稱行准本府管糧通判張牒稱先准本府移牒前事隨經帖行該縣查議去後今據回稱看得息爭者當息其爭之所自起寺僧之告雖爲加租然其初非爭於斗數也即所稱有叁千柒百之名而無顆粒養僧之惠是其爭之故耳爲今日計者不必多取其贏以爲民憂而當清覈其實以爲僧惠每年額收米壹千壹百陸拾捌石每石賣銀伍錢可得銀伍百捌拾肆兩除納粮編各項外尚餘剩銀肆百零肆兩壹錢貳分此實數也惟是每年爲管事頭目從中操權多方作弊故民之納租也未嘗後期而寺之得租也後期民之納租也未嘗短少而寺之得租也短少民之納租也未嘗糠粃而寺之得租也糠粃以僧民之髓而爲肆伍奸猾朋肆乾沒良可惜也欲去此弊莫如革去管事之僧而定議於折色則不加租而用自足即以今年爲始本縣出示與百姓約今年寺租議定折銀伍百捌拾肆兩如遇上納錢粮之時各姓佃户即於各還租内扣銀代納免僧到官其遇槩縣收租之時即將租米變銀在手候該寺

的當僧齋取本寺印信領狀當官給領如是則寺僧每年淨收銀肆百零肆兩壹錢貳分而錢糧不聞焉庶幾可免往叱之痛苦乎俯將寺租議定改折革去管事僧名色佃户情愿爲僧納賦本縣亦情願爲僧追租誠爲長便等因據此又准　南京禮部祠祭清吏司爲覇佃　賜田糾黨抗法事據僧録司右覺義慈燈等稟稱高淳縣議租米每石折銀伍錢除錢糧令佃户扣納外該寺實得銀肆百兩零該縣徵收寺僧當官領給管庄僧甲首盡行革除而加租貼糧之說仍未議及據此看得高淳原爲貼背　上旨擅加之説初非無故議增今據該縣所議體恤寺僧誠屬美意但止該縣在事之日可行耳若在他日以么麽之緇流而欲仰面領銀于有司方便給發其勢未便該縣果爲持平但于催徵稍一加意僧人即已受賜如必盡屬之官而僧無與焉則田自田僧自僧佃户之與業主兩不相蒙推收轉佃孰爲清查移坵換段孰爲稽覈不過數年而此田盡爲烏有矣故今日議曰革管庄之僧以免侵漁也于蠹去矣然而管庄似未易革也何也以有管庄而後僧之與田始相聯

屬也懲噎者當治其噎而廢食則過矣議又曰免
僧人之納稅徑令佃戶扣納也于費省矣然而扣
納似未易行也何也以佃戶納稅則此田似佃戶
有也索物者必問其主而非主則混矣大都此事
之是非甚明不必多言只觀各縣之　賜田未
嘗加稅而租反多獨高淳之　賜田既擅加稅
而租反少則其理可知也此事之處置亦甚易不
必紛爭只以近日之加稅派于佃戶而以佃戶之
納租仍乎舊貫則其情可平也今之所以相持而
不決者豈有他端不過以僧流可欺即業出
欽賜亦不得比於齊民之恒產而刁佃覇占已久
遂爲已業有司亦不加察耳試平心而論此田爲
高皇帝之特恩果屬之佃戶乎抑屬之僧乎如屬
之僧也則僧爲業主矣今高淳之田租其低昂多
寡果皆由佃戶乎抑由業主乎如由業主也有肯
以叁斗以上起租者乎抑皆自一石以上乎
國初賜田租額原皆柒斗伍升已爲從輕今本部
高不敢比民田次不敢比　國初之舊額而僅
以伍斗伍升爲說亦甚恕矣況該縣初審已將此
田分爲數則牽合肆斗伍升各佃業已輸服寺僧

抄有草冊歷歷可據本部尚以爲太輕柰何并此說而變之乎此該縣爲民父毋之苦心而非其持平問斷之本意合將該縣原定文冊再行應天府從公酌議務求至當毋啟弊端其寺僧稟稱舊例晉庄僧每租壹石貼口食米壹斗共約壹百壹拾柒石亦應申明以便議處備由呈堂奉批仰司再移文應天府粮廳酌議奉此備用手本到廳煩爲查照酌議等因准此又經覆行該縣查議去後續准送據高淳縣民人卞宗淸等連人哀告爲蔑制加租軋縣屠民激變事批開粮廳速查議報准此今據該縣申稱行拘佃户史明卿等再三曉諭隨據佃户稱折銀過多委實難堪必不得已再認加銀貳拾肆兩其口食一項乞賜除免等情據此看得寺租原額壹千壹百陸拾捌石今議折銀伍百捌拾肆兩蓋就價長時言之也歲有豐荒價惟畫一小民必且倍費以充額又分外增銀貳拾肆兩民情至此已極似應俯從以垂定制今議自萬曆叁拾叁年爲始每年折色租銀陸百零捌兩田數共叁千柒百貳拾貳畝每畝通融計筭共該折色銀壹錢陸分叁厘叁毫伍絲零以爲該寺收租之

數其租米原額高低不等沿舊制難以强齊議將前銀照米分攤如條折以平米起科之例爲各佃細租之數時值年豐佃户不得以狠戾之故交米而靳銀時值年歉寺僧不得以貴玉之故辭銀而索米規則一定永杜更變其管事僧民作弊之僧不可有綱紀之僧不可無然事在該部縣不與聞嶌而肆團舊甲俱係積奸相應禁革聽縣另着有身家忠實者董理其事每年交租俱於本年以内不得遲緩候允示下縣另造細數文冊肆本一申禮部一給寺僧一存本縣一發各佃庶便遵守等因據此爲照該縣議將寺租壹千壹百陸拾捌石自今爲始每年折銀陸百零捌兩計每畝該折銀壹錢陸分叁厘叁毫伍絲而管年僧口食米壹百壹拾柒石不與焉夫口食一項及今不議永停妥將來各僧再爲藉口未便莫若每畝再加銀壹分伍厘柒毫壹絲柒忽總計每田壹畝以米伍斗爲率而部文所云口食米者盡在其中實徵銀壹錢柒分玖厘陸絲柒忽規制一定佃户固不得以低銀搪塞寺僧寺僧亦不得以本色索取佃户其徵收之法每年祠司行文管粮縣丞處管粮官照單

催徵其各佃租銀俱赴粮衙投櫃完日呈報祠司
令本寺僧官出給領狀加以司印摘差的當僧赴
領有不完者聽寺僧呈報到管粮衙查筭明白差
人行催務令完報其應輸官漕折里甲等銀壹百
柒拾陸兩捌錢柒分捌厘即在前項銀內僧人領
銀之日如數收官至如壞事僧人愿聞等及積年
民害劉大威陸前唐滔王思恩悉行斥革該寺另
選有行高僧該縣另選殷實鄉民各司其事其另
造細數文冊悉如縣議等因准此爲照天界寺
賜田坐落高淳相國圩者該縣先議每畝折銀壹
錢陸分叁厘有奇該廳復議加管年僧口食米折
銀壹分伍厘有奇是本部一清查間而寺僧除納
粮外尚可得銀肆百餘兩比前所稱僅足完官並
無顆粒入寺之說相去天淵矣但徵收一節尚應
酌議寺租有該寺僧官管理管年僧既復其食米
又折銀則追租已自有人舍僧官而專委之管粮
縣丞未便合無將前寺租秉令清查之後令縣造
印冊叁本壹送本部壹存該縣壹存該寺其各佃
如由帖式每人各將應納租數填發壹張執照俱
用印信以防弊竇每歲管年僧催完租稅行令陸

續赴該寺僧官交納報數晉粮官如有拖負及用低銀交納者許知會粮官查追佃民固不許愆期逋欠晉年僧亦不許作弊乾沒見在壞事僧人積年民害盡行斥革嗣後有踵前弊者仍行盡法究治等因備呈到院據此看得天界寺　賜田坐落高淳縣相國圩者其租額之數折銀之說屢經該縣勘議已悉又經該府及粮廳覆議甚妥無庸說矣惟是寺僧之意謂該縣在事之日可行若在他日以么麽緇流仰面有司其勢未便茲議僧官收租粮官查理此法一立縱垂之經久亦無不可庶僧民各得其平而爭端從此永息矣相應咨覆爲此合咨貴部煩爲查照施行　萬曆叁拾肆年肆月初拾日

新卷高淳縣奉　本部定租勒碑文

應天府高淳縣爲　賜租幸蒙官徵懇乞查照撫院明文行縣立碑并發單給帖以存永制事奉　南京禮部祠祭清吏司信牌前事奉　本部送據南京僧錄司右覺義住天界寺慈燈等申稱本寺高淳座　賜田蒙本部移文撫院轉行府縣酌議每畝通融湊合租米伍斗折銀壹錢柒分玖厘陸絲柒忽每

年祠司行文管粮衙催徵復申巡撫周　詳允蒙
批僧官收租粮官查理據議甚妥自後如再有拖
欠等弊粮官據法究治永爲成規行繳送府行縣
隨據該縣造冊報部遵行訖據此田租尚未復額
而官徵實免拖累似亦便益懇乞比照朝天宮太
倉州例行縣勒石豎碑仍照上江二縣例各户塡
給佃帖租單發粮衙遵照以便催徵芓寺因到部送
司案查先奉　本部送准總理粮儲提督軍務巡
撫應天地方都察院右僉都御史周　咨覆爲覇
佃　賜田糾黨抗法事內稱先准南京禮部咨
查天界寺　賜田叁千柒百貳拾壹畝玖分玖
厘稅租緣由隨行應天府查議去後今據該府呈
稱行准本府管粮通判牒行高淳縣節次覆議得
前田每畝以米伍斗爲率其上中下不等聽該縣
案籍酌之總計每田壹畝實徵銀壹錢柒分玖厘
陞絲柒忽其徵收之法每年祠司行文管粮縣丞
處管粮官照單催徵完日呈報祠司令本寺僧官
摘差的當僧人赴領有不完者聽寺僧呈報管粮
衙差人行催務令完報乗今清查之後令將造印
冊叁本一送本部一存該縣一存該寺其各佃如

由帖式每人各將應納租數填發壹張執照以杜
弊竇佃民固不許延捱逋欠㫖年僧亦不許作弊
乾沒等因到院看得天界寺 賜田租額之數歷
折銀之說屢經該縣酌議巳悉又經該府及糧廳
覆議甚妥無庸說矣惟是寺僧之意謂該縣在事
之日可行若在他日以么麼緇流仰面有司其勢
未便茲議僧官收租糧官查催此法一立縱番之
經久亦無不可相應咨覆爲此合咨貴部查照施
行等因到部送司看得本寺 賜田坐落高淳
縣相國圩者原最膏腴原額徵米柒斗伍升奉
旨免稅今稅加租減此寺僧不免嘵嘵而本部所
由咨查也據議每畝折銀壹錢柒分玖厘陸絲柒
忽共該實徵銀陸百陸拾肆兩肆錢捌分除完糧
壹百柒拾玖兩捌錢捌分實剩給寺銀肆百捌拾
陸兩陸錢零此與 國初租額甚懸雖難遽巳
然府縣共議旣爲糧衙催徵之法務使僧人實沾
其惠而不令奸佃逋負意亦良善旣經撫院詳允
咨覆始照議行又據該縣呈送實徵花户册内開
銀數巳的米數尚未照府廳原議開明寺僧仍以
原額未復爲詞留此釁端恐亦非後日佃户之福

今查府廳原議每畝奏筭米伍斗折銀壹錢柒分
玖厘陸絲柒忽大約每石以叁錢陸分折筭即照
此科則另造冊肆本壹存本部壹發該縣壹發粮
衙壹給寺僧各遵照其佃帖每户各塡壹張發粮
衙給散自後但有欠佃俱赴粮衙告明每年終徵
租完日類總報部塡帖給發如有不經告明私佃
者粮衙即追田嚴究其租单就近約拾户以上貳
拾户以下共壹单以租多者爲单首同甲首執单
照催每玖月初本司發单粮衙開徵拾壹月終全
完单首齎送該衙報完文冊赴部呈遞如拖欠不
完及以低銀搪塞粮衙嚴比仍將单首甲首解部
究治此係撫院詳允事理粮衙毋得推諉責有攸
歸又查得蘇州府太倉州有朝天宮租粮亦經本
部行文立碑該州門首令攢僧錄司申稱前因合
應比例行縣勒石該縣門首永爲遵照稟　堂奉
批准行縣勒碑奉此合行牌仰該縣即便轉行管
粮官照牌事理同本部差委僧官將佃帖租单給
散各佃户照數交納取各佃領結類繳仍勒石竪
碑永遠遵照等因奉此看得天界寺　賜僧之
田坐落本縣相國圩每因拖負以致寺僧嗷嗷有

由帖式每人各將應納租數填發壹張執照以杜
弊竇佃民個不許德拗逋欠管年僧亦不許作弊
乾沒等因到院看得天界寺　賜田租額之弊
折銀之說屢經該縣酌議已悉又經該府及糧廳
覆議甚妥無庸說矣惟是寺僧之意謂該縣在事
之日可行若在他日以么麽緇流仰面有司其勢
未便茲議僧官收租糧官查催此法一立縱甾之
經久亦無不可相應咨覆爲此合咨貴部查照施
行等因到部送司看得本寺　賜田坐落高淳
縣相國圩者原最膏腴原額徵米柒斗伍升奉
旨免稅今稅加租減此寺僧不免嘵嘵而本部所
由咨查也據議每畝折銀壹錢柒分玖厘陸毫柒
忽共該實徵銀陸百陸拾肆兩肆錢捌分除完糧
壹百柒拾玖兩捌錢捌分實剩給衆銀肆百捌拾
陸兩陸錢零此與　國初租額甚懸雖難遽已
然[illegible]縣共議設爲糧衙催徵之法務使僧人實沾
共惠而不令奸佃逋負意亦良善既經撫院許允
咨覆始照議行又據該縣呈送實徵花户冊內開
銀數已的米數尚未照府廳原議開明寺僧仍以
原額未復爲詞留此釁端恐亦非後日佃户之福

今查府廳原議每畝奏筭米伍斗折銀壹錢柒分玖厘陸絲柒忽大約每石以叁錢陸分折筭即照此科則另造冊肆本壹存本部壹發該縣壹發糧衙壹給寺僧各遵照其佃帖每户各塡壹張發糧衙給散自後但有攺佃俱赴糧衙告明每年終徵租完日類總報部塡帖給發如有不經告明私佃者糧衙卽追田嚴究其租單就近約拾户以上貳拾户以下共壹单以租多者爲单首同甲首執单照催每玖月初本司發单糧衙開徵拾壹月終全完中首齎送該衙報完文冊赴部呈遞如拖欠不完及以低銀搪塞糧衙嚴比仍將单首甲首解部究治此係撫院詳允事理糧衙毋得推諉責有攸歸又查得蘇州府太倉州有朝天宫租糧亦經本部行文立碑該州門首今據僧録司申稱前因合應比例行縣勒石該縣門首　爲遵照稟　堂奉批准行縣勒碑奉此合行[illegible]　該縣卽便轉行管糧官照牌事理同本部差委僧官將佃帖租单給散各佃户照數交納取各佃領結類繳仍勒石豎碑永遠遵照等因奉此看得天界寺　賜僧之田坐落本縣相圖圩每因拖負以致寺僧嗷嗷有[illegible]

詞所據節申緣由遵奉　部院并本府酌議已經
遵行在卷今奉前因合行翻刻，令後各佃務要遵
照　部院詳文并本府原議事理每年照數折銀
遵期完納永為定規嚴以玖月初旬、部司差收
租僧到縣糧衙查理拾壹月終全完如期報部不
許似前拖欠過限逋延及低銀搪塞違者甲首單
首一併解治至於各佃遇有改佃情由許赴糧衙
告明年終類總給帖不許私相佃受如違糧衙嚴
究申　部一面將前田并帖追還入寺另行召佃
斷不輕貸科則既定穩歎無分事有專責各宜遵
守　萬曆歲在丙午孟冬望日

新卷[illegible]帖文又開據本僧稱前
田每年約收租壹千石夫緻治田最下而相國圩
近宣州金寶等處號為沃土每畝收租稻貳石有
零前田約租稻柒千肆百餘石可得米叁千柒百
餘石即以逋減而至壹石亦叁千柒百餘石可得
米壹千捌百伍拾餘石今云收租壹千石是每畝
止收租稻伍斗零實得米貳斗柒升也基下試訪
老農本圩田止收租稻伍斗否蓋本田之弊甚多
寺僧聽之管事數僧管事數僧串通佃户移坵易

叚將熟換荒事或有之然極下亦未有收租稻仟
斗者也

附舊卷　經通判問高淳庄田原無冊籍免給卷　一問
得一名卞愛柒年柒拾叁歲係應天府高淳縣永
寧鄉一都五啚軍籍狀招洪武年間有南京天界
寺蒙　欽賜贍僧香燈田地叁千柒百貳拾壹
畝玖分玖厘坐落高淳縣相國圩地方寄庄未到
排年徐慎下爲户前田俱係今未到唐科已故梁
旺柒周仁孫禮叁吳桂夏勝伍王蒲壹陳安柒唐
仁肆芮俊徐善孫玉六芮敬張瓚四等佃種遞年
辦租交與本寺焚修俱有黄册并原　賜本寺
謄黄碑文册籍可證成化年間奉例每畝徵納勸
米貳升嘉靖元年本寺收到馬祿没官田壹畝至
嘉靖拾壹年又收顯慈寺没官田貳畝貳分連前
賜田叁千柒百貳拾伍畝壹分玖厘俱辦官糧勸
米不缺至嘉靖拾柒年縣奉巡撫都老爺歐陽
明文丈田均糧比梁旺柒周仁唐仁肆芮俊徐善
孫玉六芮敬張瓚肆孫禮貳吳桂夏勝五王蒲一
陳安七等希要日後占田減租共隱下　賜田
肆百伍拾畝叁分捌厘止報田叁千貳百柒拾肆

畝捌分壹厘開載書冊其租仍照叁千柒百貳拾
伍畝壹分玖厘交寺辦納粮米一向無異梁旺七
等俱故比在官陳應祥故父陳橋分佃田捌畝貳
分柒厘餘田叁千柒百壹拾陸畝玖分貳厘俱係
未到唐道六唐沔陶志袁璉并在官葛梗夏濟與
唐科伍百餘户接佃共辦寺租不缺隆慶叁年内
比掌縣事鄧同知奉例丈量田地開續蒙巡撫都
老爺海　示開凡功臣田土的是　欽賜明有
憑據外若私自置買者盡報入官當差違者查寔
參申究治等因到縣曉諭外比愛七因當着里見
得本寺僧人復清開造原額　賜田比與歐陽
書冊多田肆百伍拾畝叁分柒厘愛七與在官區
長徐應舉各就不合添捏寺田叁千貳百柒拾肆
畝捌分壹厘今蒙丈量越有田地開作　欽賜
冒免差役等情詞并排年徐慎亦不合將欺弊等
情各另具狀首縣審問間愛七又不合妄執梁旺
七等將田肆百伍拾伍畝伍分柒厘詭寄捏作
賜田冒免差役等情虛情在官比時復清不合不
行稟吊湖冊及又不執原　賜明文辦理以致
鄧同知斷將前田肆百伍拾伍畝伍分柒厘照民

當差取供將復清問擬欺隱田粮減等杖玖拾審
稍有力納贖具招於隆慶叁年捌月內申蒙巡按
及本府詳允追贖發落訖復清要得辦明備將乞
查湖冊情由具通狀告赴　南京禮部祠祭清吏
司移文户科等衙門查得前冐田地原係　賜
田照冊開单回司轉行僧錄司備由申蒙巡撫都
老爺海　并謝冊批行應天府查報該司又移文
本縣改正間愛七又將前項妄報情由仍稟鄧同
知將　賜田與民田一例科粮等因備由忝申
撫按并本府詳允本縣將原納勸米貳升與民一
則每畝科米玖升伍合陸勺地每畝叁升照數辦
納今有在官管事僧滿登能章等又將愛七等朦
朧供報前情及　賜田與民田一槩科粮不服
等情具告僧錄司申蒙　南京禮部隨蒙抄黏湖
冊原額田地數目劄行本府查審及滿登與管事
僧能章等又將分辨情詞具告本府蒙俱併遞管
粮廳查明詳報行間比僧官與善等亦將分理情
由具揭稟府愛七亦將遮飾情詞及葛梗混要減
租亦不合混稱天界寺原　賜田地叁千柒百
畝正德捌年府縣委官查勘數內迷失田壹百貳

拾伍畝伍分實存叁千伍百柒拾肆畝伍分每畝歲收租米貳斗伍升共米捌百玖拾叁石陸斗貳升伍合豈被僧貎妄加壹千壹百餘石等虛情混實具狀俱於隆慶伍年玖月拾貳日前赴本府告送晉粮廳併審隨蒙譚老爹吊取黃冊碑文一應冊簿到官逐一查看得 國朝版籍俱以湖冊爲宗天下江山盡取裹於此查得天界寺 欽賜額田蒙 禮部發下湖冊一单撫院海 發下湖冊一单本寺查來湖冊一单除洪武拾肆年貳拾肆年爛不存有永樂元年永樂拾年貳拾年宣德柒年正統柒年景泰捌年天順陸年成化捌年弘治伍年拾伍年正德柒年嘉靖元年拾壹年貳拾壹年叁拾壹年肆拾壹年除於嘉靖元年收官田壹畝又於拾壹年收貳畝貳分俱係叁拾柒項貳拾壹畝玖分玖厘又擴謄黃冊并碑文皆與黃冊數目相同此則基本不可動者也擴招內與歐陽書冊係叁千貳百柒拾肆畝捌分壹厘不知歐陽書冊原未臨田履畝不過即民間之所見存者立爲則例使人不得移易耳蓋亦一時之書不可執信假令書冊之田畝毫髮無有潛差江南亍

之已久，卽書冊足矣，去年又何必丈量增一番勞若爲耶？此不可憑者一也。又攄招內逐年會計文卷查得本府嘉靖柒年會計单浥瀾不存，嘉靖捌年會計单開高淳縣原額秋糧正米貳萬玖千陸百陸拾玖石陸升陸合陸勺，弘治拾伍年造冊新收開墾起科秋粮正米貳百玖拾伍石叁升玖合壹勺，共實徵正米貳萬玖千玖百伍拾陸石伍合捌勺。又於嘉靖拾伍年會計单開正米貳萬玖千陸百陸拾石陸升陸合捌勺，亦未明開天界寺田止若干畝，米該若干石，此不可憑者二也。又攄招稱肆百伍拾伍畝伍分柒厘係天界寺收佃逃絕故民梁旺七、周仁、唐仁四、芮俊、徐善、孫玉六、芮敬、張瓚四、孫禮三、吳桂、夏勝五、王滿一、陳安七等田入户作爲　欽賜，一槩冒免。續有見今佃户葛粳具狀告稱前田實無叁千柒百之數，因先年迷失壹百貳拾伍畝，止有叁千伍百柒拾肆畝伍分，今日妄加額租，致累佃户。細看葛粳之詞，名雖欲僧減租，實則減寺之田，其意正與卞愛七相同，其字跡筆畫皆出一人之手，其謀可知矣。其一書冊內開於正德捌年具告撫按，批縣差官老人里長

知因人并佃户連名結狀唐仁四等佃種玖百捌
拾捌畝捌分陸厘伍毫孫禮三佃種玖百伍拾柒
畝柒分肆厘伍毫吳桂等佃種柒百壹畝陸分伍
厘芮俊等佃種玖百貳拾陸畝貳分肆厘俱係開
出名畝數此皆佃天界寺之田非天界寺佃此衆
人之田况人皆具存非逃絶安得又冒收此數人
之田耶即爲逃佃絶户之田當有推收何年今查
之即無一字可據此不可憑者三也今槩爲一則
於一視同仁之中有関農重本之意雖爲善美但
於原額　欽賜之數不足叁千柒百之額而又
泯沒其　欽賜之跡不得沾一毫優恤之恩逆
知天界萬萬必不肯甘心帖然也似於法有碍合
將以叁千柒百貳拾壹畝玖分玖厘畫行還寺仍
照舊規貳升勸米起科雜差悉免爲當蒙將愛七
等取供備由於本年拾月初捌日連人牒送本府
詳審蒙批據議查審既悉區處亦當但所少額田
肆百伍拾畝叁分原日報丈之時混入何區何里
其田土號段界址坐落何處歷年租佃何人即今
斷以歸僧應於何區何里何人名下追給必須逼
併查明窮究始末庶免覆蹈往年認租包田之弊

金陵梵刹志
以滋刁豪指畝影射之奸毋厭煩瑣冀杜後訐
詳報奪及僧滿登不合具揭添捏原　賜前田
被卞愛七等佃種年深視爲已業將田以窄易寬
以厚易薄以低易高以荒易熟逐年減租故作拖
欠等情并開佃户占田書冊一本投遞本府批送
管粮廳查審開詳隨蒙譚老爹覆加查審得原隱
前田肆百伍拾畝叁分捌厘俱坐落該縣永寧鄉
相國圩該縣先以書冊作寺續收民田今查實係
原額　賜田之内見係佃户葛梗徐應舉陳應
祥唐道六等伍百餘户接佃種該寺收租冊籍可
証及查滿登原揭占田人户止有數内佃户陳應
祥不合將原佃田捌畝貳分柒厘拖欠租米壹石
埊斗應合究罪追給其前田合候詳允行縣改正
徵納及該寺續收顯慈寺等田共叁畝貳分不在
賜田之内合照民納粮當差今將愛七取問罪犯
一議得卞愛七陳應祥徐應舉葛梗滿登復清所
犯俱合依不應得爲而爲之事理重者律各杖捌
拾俱有　大誥及遇蒙　恩例通減二等各
杖陸拾卞愛七等俱民滿登復清俱僧滿登復清
審俱有力徐應舉審稍有力各照例納各贖

粳陳應祥審俱無力卞愛七招年柒拾以上依律收贖各完日與供明憂濟各發焚修寧家合候具招牒府覆審轉詳施行一照出供明人俱免紙外潚登卞愛七葛粳各納告紙稻壹石貳斗伍升陳應祥徐應舉復清各納民紙稻陸斗貳升伍合潚登復清各贖罪稻壹拾貳石徐應舉納贖罪稻陸石卞愛七收贖鈔銀折稻貳斗貳升伍合俱追收本府常平倉聽候備賑斷令陳應祥將原欠寺僧租稻米壹石陸斗繳其原作寺續收民田肆百伍拾畝叁分捌厘今查係原額　賜田叁千柒百貳拾壹畝玖分玖厘內之數仍聽葛粳等照舊佃種納租該寺續收顯慈寺田叁畝貳分不在賜田之內合照民田辦納當差俱行縣改正未到有罪徐慎另提結唐科等供明人免提弔來縣卷一宗發回收架余無照

附舊卷高淳縣議應豁糧申文　應天府高淳縣爲清弊事案照隆慶叁年捌月初壹日抄蒙　欽差總理糧儲提督軍務兼巡撫應天等府地方都察院右僉都御史海　批據本縣申詳犯僧復清冐領田糧緣由蒙此依擬發落取庫收繳僧復青

自肆年以後不免肆年以償前冒免銀數繳蒙此
遵行申繳訖卷查先該陞任掌縣事直隸安慶府
同知鄧楚望申明丈田均粮查得天界寺自洪武
年間蒙　欽賜高淳縣地名相國圩民田叁千
貳百柒拾肆畝捌分壹厘後寺僧將先存今故民
梁旺七等投寄民田肆百伍拾伍畝伍分柒厘一
槩朦朧揑作寺田冒免雜差隨該本官清出前弊
將僧復清問擬應得罪名招開復清冒隱民田肆
百伍拾伍畝伍分柒厘但未脫漏版籍始免入官
仍令改正立户當差其叁拾餘年冒免過各項差
粮及近年粮價等銀大約該追銀壹百貳兩責償
不無窘迫合自隆慶肆年爲始將前項應免田叁
千貳百柒拾肆畝捌分壹厘不免肆年以償冒免
過銀數自隆慶肆年爲始至萬曆元年止編差不
免肆年補還與民迄今萬曆貳年分原蒙　欽
賜寺田叁千貳百柒拾肆畝捌分壹厘各條編銀
兩相應照舊優免其原冒免肆百伍拾伍畝伍分
柒厘已經立户與民一例當差不免外原係查復
賜田優免事理卑縣未敢擅便擬合申請爲此縣
司今將前項緣由理合具申伏乞照詳明示施行

須至呈者　右申　欽差總理糧儲提督軍務
兼巡撫應天等府地方都察院右僉都御史宋
批語　欽賜庄田住照例優免近來有司將僧
民異視多致恤民磨僧非均平之政也該縣毋效
前輒可焉繳

附舊卷高淳縣議仍派糧申文　應天府高淳縣該
蒙巡撫都院張　據南京僧錄司申具天界寺住
持方矩等呈前事帖仰本縣即將前項田數作速
查明申報中間若有別故亦要明白申說等因隨
據合縣里老耆民呈爲豪僧欺誑箎法害民事等
因勘得該寺田畝先該同知鄧丈田均糧通行申
報已經納糧叁年訖今寺僧見鄧已陞任仍圖冐
免妄執謄黄書文爲證夫謄黄碑文乃　聖旨
所出也孰敢違之寺僧既有此據當遇均糧之時
何不執出辯証直待均田納糧之後方執此以告
擾耶縱碑文近真則均派已定冊籍既成亦噬臍
無及矣申蒙撫按俱批依擬

天界寺禪堂

靖安庄（附寺前地）丈過實在田地蕩共玖百貳拾伍畝柒分叁厘　房地壹拾貳間（坐落上元縣長寧鄉與民田交雜星散不一其田多係低窪瘠薄離寺水路壹百肆拾里陸路壹百貳拾里房地菜地坐落寺前）

夏租銀共貳拾肆兩柒錢貳分捌厘（每兩外加耗銀叁分）

冬租米共玖拾捌石肆斗壹升陸合（每石外加腳耗米壹斗）

冬租銀共捌兩玖錢捌分（每兩外加耗銀叁分）

上田伍拾畝伍分叁厘

夏租銀每畝陸分（共銀叁兩叁分壹厘）

冬租米每畝叁斗伍升（共米壹拾柒石陸斗捌升伍合）

中田貳百貳畝柒厘

夏租銀每畝肆分共銀捌兩捌分貳釐

冬租米每畝貳斗伍升共米伍拾石伍斗壹升柒合

下田伍拾肆畝肆分陸釐

夏租銀每畝叁分共銀壹兩陸錢叁分叁釐

冬租米每畝貳斗共米壹拾石捌斗玖升貳合

蕩田壹百玖拾叁畝貳分貳釐

夏租銀每畝貳分共銀叁兩捌錢陸分肆釐

冬租米每畝壹斗共米壹拾玖石叁斗貳升貳合

草塌叁百伍拾貳畝伍分貳釐

夏租銀每畝壹分伍釐共銀伍兩貳錢捌分柒釐

冬租銀每畝壹分伍厘共銀伍兩貳錢捌分柒厘

地貳拾壹畝伍分陸厘

夏租銀每畝貳分共銀肆錢叄分壹厘

冬租銀每畝陸分共銀壹兩貳錢玖分叄厘

荒蕩田塘叄拾陸畝貳分捌厘　免科

寺前房地壹拾貳間

夏租銀每間貳錢共銀貳兩肆錢

冬租銀每間貳錢共銀貳兩肆錢

寺前菜地壹拾伍畝玖厘外塘壹口　本堂自種

本庄盤費

銀共壹拾貳兩陸錢

一夏季用銀陸兩叁錢正副管庄僧連帶跟每日工食及雜用銀捌分甲首飯食在内夏季限貳個月用銀肆兩捌錢甲首壹名工食銀壹兩伍錢冬季同

一冬季用銀陸兩叁錢

以上除盤費外實上堂

夏租銀壹拾捌兩肆錢貳分捌厘

冬租米玖拾捌石肆㪷壹升陸合

冬租銀貳兩陸錢捌分

采石蘆洲　又過洲貳千柒百玖拾柒畝陸分土名鯽魚洲坐落太平府當塗縣離寺壹百貳拾里渡江拾里至洲

實上堂冬租銀壹百陸拾兩盤費刀工除外

施捨田地

又過實在田地山塘共壹百伍畝壹分江寧縣叁拾玖畝貳分柒厘江浦縣陸拾伍畝捌分叁厘

夏租銀共柒兩陸錢玖分叁厘

冬租米共伍拾肆石柒斗捌升貳合

冬租銀共壹兩伍錢壹分捌厘

上田伍拾畝貳分柒厘係江浦縣

夏租銀每畝玖分共銀肆兩伍錢貳分肆厘

冬租米每畝捌斗共米肆拾石貳斗壹升陸合

中田貳拾畝係江寧縣

夏租銀每畝玖分共銀壹兩捌錢

冬租米每畝伍斗共米壹拾石

地壹拾伍畝貳分貳厘

夏租銀每畝玖分共銀壹兩叁錢陸分玖厘

冬租米每畝叁斗共米肆石伍斗陸升陸合

基地山壹拾伍畝壹分捌厘

冬租銀每畝壹錢共銀壹兩伍錢壹分捌厘

塘肆畝肆分壹厘　免科

官粮　銀共肆兩伍錢伍分捌厘耗費在内

實上堂　夏租銀叁兩壹錢叁分伍厘

冬租米伍拾肆石柒斗捌升貳合

冬租銀壹兩伍錢壹分捌厘

報恩寺常住

戴子莊丈過實在田地塘蕩共伍千捌百伍拾玖畝柒分叁厘坐落上元縣長寧鄉麒麟門外對江相連壹塊其田多係膏腴惟黑魚蕩大圩貳處間有低窪離寺水路壹百捌拾里陸路玖拾里渡江至洲拾里

夏租銀共壹百伍拾伍兩肆錢捌分肆厘每兩外加耗銀叁分

冬租米共壹千伍百肆拾貳石陸斗叁升每石外加脚耗米壹斗

田肆千壹百壹拾畝玖分柒厘

夏租銀每畝叁分（共銀壹百貳拾叁兩叁錢貳分玖厘）

冬租米每畝叁斗（共米壹千貳百叁拾叁石貳斗玖升壹合）

上蕩田肆百玖拾玖畝叁分肆厘

夏租銀每畝貳分伍厘（共銀壹拾貳兩肆錢捌分叁厘）

冬租米每畝貳斗伍升（共米壹百貳拾肆石捌斗叁升伍合）

下蕩田圩灘貳百伍拾柒畝捌分肆厘

夏租銀每畝壹分（共銀貳兩伍錢柒分捌厘）

冬租米每畝壹斗（共米貳拾伍石柒斗捌升肆合）

地柒百伍拾陸畝玖分貳厘

夏租銀每畝貳分（共銀壹拾伍兩壹錢叁分捌厘）

冬租米每畝貳斗　共米壹百伍拾壹石叁斗捌升肆合

塘柒拾叁畝叁分陸厘

冬租米每畝壹斗　共米柒石叁斗叁升陸合

草地叁拾貳畝陸分

夏租銀每畝陸分　共銀壹兩玖錢伍分陸厘

溝埂刬塲壹百貳拾捌畝柒分　免科

蘆課　無

本庄盤費

銀共貳拾玖兩陸錢

一夏季用銀壹拾肆兩捌錢　正副管庄僧連帶跟每日工食及費

夏租銀每畝捌分共銀壹拾捌兩柒錢壹分壹厘

灘塘荒塲泥灘壹百貳拾畝　免科

蘆課膌真洲膌真畔洲新生洲共叁票

銀共壹百捌拾伍兩伍錢伍分柒厘

一正銀壹百陸拾捌兩陸錢捌分玖厘　加耗

并使費銀壹拾陸兩捌錢陸分捌厘

本庄盤費

銀共貳拾貳兩本庄除納蘆課外止餘銀壹拾壹兩貳分尚欠銀壹拾兩玖錢捌分於戴子庄借用

一夏季用銀壹拾壹兩正副管庄僧連帮跟每日工食及費用銀壹錢

伍分夏季限貳個月該銀玖兩
甲首壹名工食銀貳兩冬季同
一冬季用銀壹拾壹兩船家飯食在內
以上除官課盤費外實上寺
夏租銀無
冬租米伍百貳拾肆石陸斗玖升伍合

附[illegible]帖文 僧錄司爲禮儀事近奉禮部劄付准戶部咨承准中軍都督府照會准鎮守南京襄城伯李咨准本府咨該戶部咨承准本府照會准本府爵咨委官指揮同知徐仲善呈及准戶部咨呈該差辦事官龍兗嵩與同本寺僧善相前去踏勘前項蘆塲及空地緣由移咨戶部欽遵施行照會到部不見開到緣由難以施行照會到部咨呈該府定奪希報備呈查得先同戶部欽奉 勅書欽遵各委官員踏勘得前項蘆塲及空地緣由轉行戶部欽遵施行照會到部左

[illegible]開[illegible]部咨宣德叁年肆月初拾日同鎮守南京襄
城伯李節該欽奉　勅書洪武年間　太祖
皇帝原撥　賜大報恩寺當江沙洲蘆塲等處
砍斫蘆柴入寺應用比聞爲人所占　勑至郎
照舊與之及寺西邊越王臺下有空地一段原做
木厰如今空閒不用就撥與大報恩寺種菜供衆
如非原舊撥　賜蘆洲及非空閑之地仍具奏
來聞故　勅欽此欽遵行咨工部咨開洪武年
間本部定撥本寺歲撥蘆柴叁萬陸千束移咨爲
無開到蘆塲原由行准禮部咨備僧錄司中據大
報恩寺管事僧善相呈查得洪武貳拾年伍月貳
拾陸日鞍轡局大使黃立恭等于　大庖西等
處節該欽奉　太祖皇帝聖旨當江沙洲蘆塲
與天禧寺砍柴供衆欽遵開差辦事官龍克嵩同
鎮守南京襄城伯李差指揮同知徐仲善應天府
委官陰陽學正術薛仲得等同本寺僧善相指引
到當江沙洲蕺子洲前項蘆塲踏勘得除高資鎮
巡檢司等衙門照舊採辦官用外餘有陸拾貳頃
餘畝及寺西邊越王臺下有地一段空閑據呈欽
遵將前項蘆塲空地撥與本寺砍柴種菜供衆

鎮守南京襄城伯李行該府將原奉　勅書
繳外合咨該部須行僧録司轉行該寺欽遵施行
准此查得先准戶部咨爲前事據僧録司申已經
備行去後今准前因合行本司該寺欽遵施行奉
此案照先于前事已行備申去後今奉前因擬合
就行爲此文書到日仰寺欽遵知會施行須至帖
者　右帖下大報恩寺准此　宣德叁年陸月貳
拾捌日帖

寺前房地

號房肆拾貳間半
夏租銀每間柒錢貳分共銀叁拾兩陸錢
冬租銀每間柒錢貳分共銀叁拾兩陸錢
浴堂房壹所每年租銀貳拾貳兩內除衆僧洗浴銀柒兩
夏租銀每年柒兩伍錢

冬租銀每年柒兩伍錢

菜地伍拾肆畝伍分壹厘

夏租銀每畝貳錢貳分伍厘共銀壹拾貳兩貳錢陸分肆厘

冬租銀每畝貳錢貳分伍厘共銀壹拾貳兩貳錢陸分肆厘

基地壹塊

夏租銀壹錢　冬租銀壹錢

寶上寺夏租銀共伍拾兩肆錢陸分肆厘

冬租銀共伍拾兩肆錢陸分肆厘

附舊卷撥賜報恩寺廊房帖文

行在工部爲廊房事宣德叁年陸月貳拾日該主事任禮于內府賚出白紙帖開本月貳拾陸日御用監太監尚義于　左順門奏南京大報恩寺洪武年間

賜官廊房肆拾貳間與常住討房錢用
蓋寺殿開拆了如今合無將本寺前面的廊房照
數撥與他奏知奉　聖旨工部兵馬司還撥與
他欽此揭帖開數傳奉到部除欽遵外欲行工部
查照明白轉行該城兵馬司將前項廊房照數撥
與本寺常住討房錢用原奉傳奉事理未敢擅便
宣德叁年陸月貳拾陸日早本部官于　右順
門題奏奉　聖旨是欽此欽遵合行移咨該部
及行該城兵馬指揮司照依奏奉　欽依內事
理欽遵施行須至咨者計撥廊房肆拾貳間南字
叁百拾陸號至叁百伍拾柒號肆拾壹間南字柒
百捌拾伍號壹間每間壹年房租銀叁兩陸錢差
辦事官李信賫捧　右咨工部　宣德叁年陸月
貳拾柒日對同都吏賈鼎

報恩寺禪堂

藏經板壹副 貯本寺藏經殿內

印經壹藏　板頭銀壹拾貳兩 每年約貳拾藏 銀貳百肆拾兩

印四經壹部　板頭銀壹兩捌錢每年約貳拾部銀叁拾陸兩

印穙號壹函　板頭銀貳分每年約肆兩

實上堂每年銀約貳百捌拾兩

寺[illegible]

放生池壹口　聽人放生不許取利

菜地貳大條　本堂自種供衆無租

新增[illegible]　南京禮部爲議

復　勅建寺蹟事祠祭清吏司案呈奉　本部

送准南京内守備廳揭帖内開准南京禮部手本

前事查報恩寺放生池壹口臨池地貳條并庫司

小房叄間緣由等因准此隨行司禮監查得放生

池壹口臨池地貳條先年池内淤填地土拋荒有

提調官張潤挑挖開墾召人佃種歲取租錢後故

退與奉御張喜仍查庫司小房叄間向係奉御王

朝居住果屬空閑今各官將前項池地房屋還本寺其所議粮米願輸常住公費回報前來看得前項情由雖謂用過工本佃種多年但係寺中之蹟其池塘照舊爲放生之埜房屋聽憑修理所議粮米拾石貯收稍助僧衆之需擬合回覆緣由到部送司准此案照先爲前事已經移文內廠行令退還去後今准前因看得放生池雖經退還如看守不得其人恐後又復湮沒今責委本寺禪堂僧管理池塘仍舊放生不許網魚取利菜地卽與禪堂種菜供衆房叁間仍歸常住公用租米不必給與以成內監退讓之美合給劄刻碑永遠遵照又經稟　堂奉批准給劄鐫碑永遠遵守奉此案呈到部擬合就行爲此劄仰該寺官住併禪堂主僧照劄事理前池責委禪堂管理照舊放生不許網魚收利臨池地貳條亦入禪堂種菜供衆其庫司房叁間仍歸常住永遠遵照施行俱毋違錯　一劄付報恩寺官住併禪堂主僧收執　萬曆叁拾伍年肆月初肆日

雞鳴寺常住

小梅子洲丈過實在地玖百肆拾畝肆分即小柳尚洲坐落江浦縣地方出江東門外對江與大梅子洲相連離寺陸路叁拾里渡江至洲拾里水路肆拾里

冬租銀肆拾柒兩貳分　每畝伍分刀工盤費除外

蘆課銀　無

接生洲丈過實在地共伍百壹拾肆畝叁分相連小梅子洲

冬租銀貳拾伍兩柒錢壹分伍厘　每畝伍分刀工盤費除外

蘆課銀貳拾兩伍錢柒分肆厘　加耗使費該銀

貳兩伍分柒厘

冬租銀叁兩捌分肆厘

鰣魚洲丈過實在地柒百捌拾陸畝坐落太平府當塗縣采石地方

對江離寺陸路壹百貳拾里渡
江至洲拾里水路壹百伍拾里

冬租銀肆拾叁兩貳錢叁分　每畝伍分伍釐刀工

盤費
除外

蘆課銀　無

以上蘆地共貳千貳百肆拾畝柒分　實上寺

冬租銀共玖拾叁兩叁錢叁分肆釐

靈谷安西庄給粮叁百捌拾石

新卷本部議雞鳴寺附粮帖文南京禮部爲懇恩
查複舊例以隆　聖澤事祠祭清吏司案呈奉
本部送據南京僧錄司申前事到部送司拘審得
雞鳴寺爲代靈谷寺祀賓諸公原係靈谷別院靈

谷　賜田爲誌公而設　御祭乃在雞鳴祖
粮反少費用不給擾稱欲將靈谷田分撥辦祭於
理雖長於例未合查觀音閣係靈谷下院僧人俱
附該寺食粮雞鳴既係一家豈得獨外田畝不敢
擅撥而僧粮可以分給合將雞鳴寺僧悉附靈谷
寺食粮此不獨雞鳴僧得均沾其惠即靈谷僧亦
自無詞者也具由禀　堂奉批雞鳴寺既奉誌公
諭祭寺僧准附靈谷食粮奉此又具由禀　堂雞
鳴寺額定牒僧柒拾名學僧叁拾名共壹百名朔
望輪班到靈谷寺焚修餘日在本寺口粮毎名給
米叁石捌斗銀不給以毋失靈谷在寺在外之別
禀　堂奉批如議行奉此相應給劄執照案呈到
部擬合就行爲此合劄該寺照劄事理即便遵將
本寺僧人前去靈谷寺食粮施行毋得違錯　朔
望日毎次輪牒僧拾名到靈谷寺焚修　萬曆叁
拾肆年捌月初陸日

雞鳴寺禪堂

大梅子洲丈過實在地壹千伍百伍拾捌弘即大和

落與小梅子洲相連壹塊實上堂冬租銀柒拾兩壹錢壹分　每畝肆分伍厘刀江盤費除外

蘆課銀　無

能仁寺常住

梅子洲丈過實在田地塘共捌百壹畝柒分坐落江浦縣白馬鄉出江東門外對江相連壹塊其田多係膏腴惟臨江百餘畝低窪離寺水路拾伍里陸路拾里渡江至洲拾里寺內外地塘附此

夏租銀共壹拾玖兩肆錢陸分肆厘每兩外加耗銀叁分

冬租米共壹百肆拾叄石柒升壹合每石外加脚耗米壹斗

冬租銀共肆兩叁錢捌分每兩外加耗銀叁分

上田叁百叁拾畝肆分捌厘

夏租銀每畝叁分共銀玖兩玖錢壹分肆厘

冬租米每畝貳斗伍升共米捌拾貳石陸斗貳升

中田貳百壹拾壹畝陸分叁厘

夏租銀每畝貳分伍厘共銀伍兩貳錢玖分

冬租米每畝貳斗共米肆拾貳石叁斗貳升陸合

下田壹百捌拾壹畝貳分伍厘

夏租銀每畝壹分伍厘共銀貳兩柒錢壹分捌厘

冬租米每畝壹斗共米壹拾捌石壹斗貳升五

金陵梵刹志

基地蘆地壹拾貳畝陸分肆厘

冬租銀每畝柒分　共銀捌錢捌分肆厘

划塲肆拾捌畝捌分伍厘

冬租銀每畝肆分　共銀壹兩玖錢伍分肆厘

寺內外地壹拾肆畝玖分貳厘

夏租銀每畝壹錢　共銀壹兩肆錢玖分貳厘

冬租銀每畝壹錢　共銀壹兩肆錢玖分貳厘

寺內塘壹畝玖分叁厘

夏租銀伍分　冬租銀伍分

蘆課銀　無

新卷本部清還能仁寺判塲埂界告示　南京禮部

祠祭清吏司爲聚兇倚勢逼占　賜田事奉　欽
本部送據能仁寺官住仁勛等申稱本寺
賜梅子洲田捌百餘畝自來取租祝　鑾供衆
相傳貳百餘年今據作戶楊應節等報到肆月擡
陸日有地虎一起倚勢逼献糾黨叁拾餘人將圩
埂挖缺數丈放江水入圩夏麥盡淹秋禾失望
吞占　賜田事關部臺職掌懇乞俯准踏勘根
究庶　恩典不虛僧命有賴等因申部奉批能
仁寺也無此田則寺將廢矣該司速爲勘處仍
會同四司奉此隨該本司會同儀制主客精膳等
司公同踏勘會審得能仁寺原蒙　欽賜田捌
百畝坐落梅子洲與襄府新佃內廠田僅隔壹埂
埂內各自爲業埂頭相連自來無異廠田先年召
佃不一萬曆貳拾肆年始佃與誠意劉府貳拾玖
年誠府因親又轉佃與襄府俱楊繁等拾戶領種
寺田先年佃與陶富楊完朱朝臣叁家廠埂不知
何年所築寺埂包圍在外係嘉靖叁拾叁年僧官
趙松住持明洗所築陶富等祖父領種節次修築
費銀不等萬曆貳拾玖年貳月㕁

壹兩柒錢買木做瀝洞壹座有詐
手本可據寺埂以内划塲魚利原屬該寺佃户取
用先年邢探花家人邢五越取壹次理説伊主責
禁襄府徑自强取府佃楊繁等恃勢又各向寺佃
名下分種吞租不納叁拾壹年拾月初肆日襄府
票拿陶富等叁人到府索取寄埂銀肆兩批送江
浦縣監追本年拾貳月内陶富等退佃口詞存証
本年寺僧叚召李指揮弟生員李廷萃佃種襄府
又勒令李指揮退佃原文可據叁拾貳年該寺將
田自種襄府復差役偷掘圩埂渰沒無收僧義昇
等報狀可據及今叁拾叁年本寺又召陳午長等
佃種房舍農具俱備加築前埂費過銀壹百壹拾
餘兩肆月拾陸日府役張松山稱奉票差帶領楊
繁袁甫等叁拾餘人决開寺埂潤踰貳丈喝稱若
不投獻仍要將僧佃各行綑打陳午長楊應節陳
仲奇戎世科等証水入見今捌百餘畝僧田俱成
巨浸該四司親往踏看圩埂挖掘是的稟　堂移
文該府令將張松山楊繁等壹起送部查審候至
壹月餘占匿不發并不回覆本司于捌月拾貳日
遣役往拘止獲惡黨楊廣到部會審供稱本年肆

月間府裡張悠山來分竹圩長田文高袁甫周富丁倉肆人率令身等貳拾餘人各帶鉄鍬挖掘身等不敢抗違划場原是寺田兆成府裡因用寺田取土修埂就説是府裡划場魚利自來本寺佃戶陶富等捉取後府佃楊繁分佃寺田一同取用自萬曆貳拾肆年誠府着家人取去今裏府也自取衆佃無分據供隨録有口詞在卷仍令陳午長陶富楊完朱朝臣等對質相同又據該寺衆僧義昇等通狀告同前事到部送司一併呈堂覆審無異據此看得該寺　賜田管業已貳百餘年節相連廠監亦自帖然自劉誠意承佃始爲僧忠而繼之襄府圖謀更甚舊佃陶富等以祖父相傳佃業費本數百金而今日取溝魚明日索寄埂爲挨身入室之計而不使得旦暮安生然猶曰所失者徼利得恐猶可恐也既已改佃李指揮弟李生員仍逼退業必使寺田無一人耕種而後可然猶曰所禁者武弁他人未必能禁也該寺不得已自種又偷挖圩埂而一歲之計竟使絶粒然猶曰暗行姤害未敢明肆也今則新佃陳午長修埂造房經理布種一决成渠而洪水横流不

聚不異刼虜此其勢必欲令寺田糧年[illegible]不得
管業乃始拱手坐獻而安受其燼視寺僧直一机
上肉而惟所吞齧矣不意本部爲之詰問無可自
諱乃以划塲屬彼爲辭不知划塲即係彼物亦無
解于掘埂禍人之罪況划塲者有埂從中界彼此
各分埂內屬府埂外屬寺一勘自明而乃以平日
勢刼之舉爲目今[illegible]辯之詞豈該府惑于偏聽而
未識疆界之分耶該府節鉞重寄職在詰盗安民
乃縱容狐假之奸大肆鯨吞之計日侵月削無敢
誰何使貧僧終歲租粮未填谿壑而窮佃百金工
本盡付江流　聖祖之恩賜爲虛荒寺之香燈
欲滅此本部職掌所關不容坐視者也若以削髮
披緇之輩無足重輕遂使此疆彼界之田任從侮
奪揆之情法恐亦未平況地方重臣行事如此則
監司守令皆可魚肉乎部民而　國憲王章顧
反弁髦于大吏矣其爲利害又豈但在一寺之僧
徒捌百畝之僧田已哉合將楊賔先行叅送其張
松山[illegible]袁甫等尤係首犯聽候法司嚴拘鞫審
依律[illegible]非或會同本部襄府三面踏看至于寺僧
田租[illegible]戸工本作何賠償混賴划塲掘斷埂界作

何清理一聽理斷使豪强永杜兼併之謀僧佃復
見安生之業庶理法伸而本部僧可相安無事耳稱
稟 堂叅送聞隨奉 本部送據該府手本開稱
本爵自叁拾年爲内廠召佃江浦南北滌洲田一
處因先年刑探花誠意府承佃拖欠課銀欲與代
納以完 上用錢粮彼退此佃由帖具載經界
甚明但因本田連接能仁寺田梅子洲前月接得
南京禮部移文内云僧人告稱本爵佃户掘埂渰
田等情細查各佃俱無的據難以究處惟本田埂
外划塲向係誠意府佃日執管亦與本爵無干既
經移文前來若不通融議處誠恐彼此參差結局
無期今將划塲撥還寺僧管業其寺田圩埂壞缺
去處已經行各佃修築以成兩家和美向後不得
多事庶彼此相安各無異言等因到部奉批捌百
亂 賜田貳百年舊業幾付東流此本部之所
不容不視者也今修完原掘之圩埂退還前占之
划塲疆界既明爭端可杜該府足見虚心貧僧亦
保恒産矣該司移文禮科知會仍給堂帖付寺僧
執照他日或有强佃仍肆侵陵則上有 國法
下有部科孰敢蔑視而不顧乎哉

送但該司與同事者一片苦心則後

念之毋以緇流而置度外可也送司奉此合行出

示曉諭僧佃人等知悉惡黨張松山楊繁楊廣袁

甫等狐鼠之奸不知　國法掘埂淤田希圖逼

献罪本難貸正擬參送續准該府手本回稱前因

掘斷圩埂已經賠補占去划塲已經退還則該府

似無故縱之情寺僧可復安居之業楊廣業加重

責候各佃結狀到准釋放各惡姑暫免究自今府

寺各以大埂爲界該府佃户敢有越過埂界生事

擾害者本部定參送法司依律治罪決不姑貸須

至告示者　萬曆叁拾叁年玖月拾陸日

鰣魚洲丈過實在地壹千貳百捌拾叁畝叁分叁釐

坐落太平府當塗縣對江離寺水路壹百

伍拾里陸路壹百貳拾里渡江至洲捌里

今租銀柒拾柒兩　每畝陸分　刀工盤費除外

舊詠銀　無

以上貳處洲併寺內外地共田地洲貳千捌拾伍

叄釐　實上寺

夏租銀壹拾玖兩肆錢陸分肆釐

冬租米壹百肆拾叄石柒升壹合

冬租銀捌拾壹兩叄錢捌分

棲霞寺常住

黄城木蘆等圩丈過實在田地山塘共壹千肆百柒

拾肆畝　黄城等圩壹千陸拾壹畝捌分柒釐木蘆等圩肆百壹拾貳畝壹分叄釐俱坐落上元縣清風等鄉姚坊門外其田星散不一與民田交雜黄城多係膏腴木蘆稍瘠薄離寺陸路約拾里

夏租銀共伍拾柒兩柒錢壹分伍釐　每兩外加

冬租米共貳百叁拾肆石柒斗柒升叁合加耗米叁升，親送無耗米

冬租銀叁拾柒兩肆分捌厘每兩外加耗銀叁分

上田壹百捌拾伍畝肆分黄城壹百肆拾叁畝壹分木蘆肆拾貳畝叁分

夏租銀每畝柒分共銀壹拾貳兩玖錢柒分捌厘

冬租米每畝伍斗共米玖拾貳石柒斗

中田貳百伍拾柒畝黄城貳百伍畝壹分捌厘木蘆伍拾壹畝捌分貳厘

夏租銀每畝伍分伍厘共銀壹拾肆兩壹錢叁分伍厘

冬租米每畝肆斗共米壹百貳石捌斗

下田壹百叁拾畝玖分壹厘黄城伍拾捌畝叁分捌厘木蘆柒拾貳畝伍分叁厘

夏租銀每畝肆分　共銀伍兩貳錢叁分陸厘

冬租米每畝叁斗　共米叁拾玖石貳斗柒升叁合

上地貳百壹拾貳畝玖分　黄城壹百玖拾肆畝　木蘆壹拾捌畝玖分

夏租銀每畝柒分　共銀壹拾肆兩玖錢叁厘

冬租銀每畝壹錢　共銀貳拾壹兩貳錢玖分

下地壹百柒拾陸畝伍分　黄城壹百貳拾肆畝柒分　木蘆伍拾壹畝捌分

夏租銀每畝肆分　共銀柒兩陸分

冬租銀每畝柒分　共銀壹拾貳兩叁錢伍分伍厘

山叁百肆拾畝叁分伍厘　黄城貳百畝叁分伍厘　木蘆壹百肆拾畝

夏租銀每畝壹分　共銀叁兩肆錢叁厘

冬租銀每畝壹分共銀叁兩肆錢叁釐

塘基地貳拾陸畝貳分捌釐黄城玖畝陸分柒釐木蘆拾陸畝陸分壹釐

免科

衆户塘基荒田壹百肆拾肆畝陸分陸釐

黄城壹百貳拾陸畝肆分玖釐木蘆壹拾捌畝壹分柒釐　免科

上元縣官粮黄城木蘆併攝山等圩同納銀照數送僧録司起批赴部掛號解縣交納取批廻照驗米送折價與靈谷靖東庄附納

銀共貳拾伍兩捌錢伍分　一正米壹拾玖石肆斗陸升叁合折銀連

耗費每石伍錢伍分共銀壹拾兩柒錢肆釐

一條編正銀伍兩叁錢叁釐　耗費銀貳錢

錢陸分伍釐　一折色正銀柒兩肆錢貳分

捌釐　耗費銀叁錢柒分壹釐　一學耗荒

白人丁肆丁正銀壹兩陸錢玖
分伍厘　耗費銀捌分肆厘
以上除官粮外實上寺
夏租銀叁拾壹兩捌錢陸分伍厘
冬租米貳百叁拾肆石柒斗柒升叁合
冬租銀叁拾柒兩肆分捌厘

新卷本部劄管絕僧寺產帖又　南京禮部爲歸併
絕僧寺產以杜侵盜事祠祭清吏司案呈照得衡
陽寺常住原有　國初在冊田地山塘叁百肆
拾壹畝續後又有徐鎮等施捨田地壹百捌拾餘
畝共伍百貳拾壹畝零被寺僧盜賣出玖拾壹畝
本司於去年清理寺田查係年遠未必皆見在僧
所爲姑不究治已案候外今於本年正月初伍日
偶親至該寺隨有地方居民秦洪邦等禀稱住持
如昇將蔭寺古木盡數盜砍打造桌椅家火發回
原出家高座寺私用仍又盜賣㝵尋

興楷僧真曉亦通同夥賣引至卜土
根自壹尺以至肆尺圍圓共計陸拾壹顆又每年
所收夏秋租糧約該貳百餘石寺內僧衆通共不
過叁名所食有限其多餘者皆係如昇及興楷真
曉等侵匿入己並不爲修理殿堂之用比至入寺
復見如昇房內擺列葷酒真曉房內藏匿二婦陸
氏孫氏卽時將二婦逐出皆本司親驗秦洪邦等
稟証查如昇係高座寺僧興楷係蔣廟僧爲希啚
該寺利益謀充住持管事止秋收及新正一至原
非住寺實僧其真曉雖係本寺見今藏匿婦女大
干部禁皆應追贓逐出而如昇侵損常住尤甚更
當追贓今已脱逃一面嚴緝候獲日重加究治該
寺僧衆一空遺下寺宇田地無人承管如再以別
寺僧充補住持必仍蹈前轍看得該寺離棲霞寺
止叁肆里各寺原有以小屬大名爲下院之例合
將該寺充棲霞寺下院以棲霞住持帶管每年撥
棲霞僧輪流看守所收租糧卽入棲霞公同散衆
蓋輪管則事權分僧多則耳目衆卽欲侵耗勢終
未便而焚修之恒產可以常存荒寺之香燈亦不
終廢矣具由稟　堂奉批衡陽寺如議改屬棲霞

住持帶晉奏此相應給帖遵照案呈到部擬合就行爲此帖仰棲霞寺住持照帖事理即便遵將衙陽寺充該寺下院其田地山塘照數晉業所收租粮公同散衆辦年輪撥僧人前去看守施行如有犯僧人擾害許執帖禀究　計開田地山塘基場荒共肆百壹拾貳頃貳畝貳分　萬曆叁拾伍年正月貳拾日

附舊卷應天府查免棲霞寺僕派帖文　應天府爲懇恩給帖勒石永爲遵守事據棲霞寺住持僧清栢告前事告稱本寺於洪武貳拾伍年荷蒙

太祖　欽賜香燈田地壹拾叁頃有零坐落上元縣長寧鄉地方弘治年間賑邊緊急每畝勸借米貳升遂以爲常辦納無異隆慶肆年遇例丈量已蒙本府條查在京諸寺惟蔣山天界棲霞等處各有　欽賜田土申呈撫按詳允造冊開里書遺失　欽賜字樣致將本寺　賜田混與民田一則科米刊就書冊寺僧惠儒具告巡撫衙門送府吊取黃冊碑文查得本寺原奉　欽諭本該優免斷令仍照勸借司例每畝田壹畝科米貳升每地壹畝科米壹升山塘每畝斗

泛差役呈詳撫按依擬給帖付寺幸[illegible]
多米行縣刊附書冊開除外萬曆玖年復奉文量
府縣勒有碑石身等坍處世遠人隔書冊未蒙改
正日後里書亦或因隙生弊飛派粮差寺僧不能
持守將田典佃埋沒勢豪吞并不惟有辜　聖
祖賜瞻洪恩抑且深孤負府臺周恤厚德乞賜憐准
俯賜給帖勒石本寺永爲遵守庶香火不廢於萬
年天恩永霑於百世等情具告到府照得　欽
賜本寺田產粮差一切優免續因賑邊緊急稍徵
升合之粮猶立勸借之名恩至渥也後與民田一
則科派浸失　祖宗優恤之意矣撫按已行改
正至今遵守無異而寺僧清栢復告給帖勒石蓋
以杜吏書之飛派與夫徒衆之典佃也其意良善
理應俯從爲此給帖本寺僧清栢查照帖內事理
遵守施行毋得違錯未便須至帖者　右帖給付
棲霞寺住持清栢准此　萬曆拾柒年捌月貳拾
日田土科典吏閔雍行

棲霞寺禪堂

攝山圩併施捨丈過實在田地塘共叁百玖拾肆畝肆分捌厘攝山圩貳百叁拾伍畝柒分伍厘坐落上元縣長寧鄉叁圖姚坊門外與民田交䙊多係膏腴離寺陸路約肆里　施捨壹百伍拾捌畝柒分叁厘坐落上元縣清風鄉姚坊門外烏鴉等圩星散不一與民田交雜其田多係膏腴離寺約有拾里

夏租銀共貳拾肆兩叁錢肆分陸厘每兩外加耗銀叁分

冬租米共壹百伍拾捌石貳斗柒升捌合每石外加耗米叁升親送無脚米

冬租銀共叁兩叁錢捌厘每兩外加耗銀叁分

上田貳百肆拾玖畝陸分攝山壹百伍拾伍畝陸厘施捨玖拾肆畝伍分肆厘

夏租銀每畝柒分共銀壹拾柒兩肆錢柒分弍厘

冬租米每畝伍斗　共米壹百貳拾肆石捌斗

中田陸拾捌畝捌分叁釐　攝山伍拾畝壹分叁釐施捨壹拾捌畝柒分

夏租銀每畝伍分伍釐　共銀叁兩柒錢捌分陸釐

冬租米每畝肆斗　共米貳拾柒石伍斗叁升貳合

下田壹拾玖畝捌分貳釐　係施捨

夏租銀每畝肆分　共銀柒錢玖分貳釐

冬租米每畝叁斗　共米伍石玖斗肆升陸合

上地貳拾玖畝陸分陸釐　攝山貳拾叁畝柒分玖釐施捨伍畝捌分柒釐

夏租銀每畝柒分　共銀貳兩柒分陸釐

冬租銀每畝壹錢　共銀貳兩玖錢陸分陸釐

下地肆畝柒厘係施捨

夏租銀每畝壹分共銀壹錢陸分貳厘

冬租銀每畝柒分共銀貳錢捌分肆厘

山伍畝捌分壹厘係施捨

夏租銀每畝壹分共銀伍分捌厘

冬租銀每畝壹分共銀伍分捌厘

基地塘壹拾陸畝陸分玖厘攝山陸畝柒分柒厘施捨玖畝玖分貳厘

免科

上元縣官粮攝山本寺代納今止辦施捨粮

銀共捌兩肆錢陸分貳釐一正米肆石玖斗叺升折銀[illegible]

伍□錢伍分共銀貳兩□柒錢□
毫□銀貳兩玖錢□厘　耗費銀貳錢玖分
一折色正銀壹兩捌錢捌分貳厘　耗費
銀壹錢捌分捌厘　一學耗荒白正銀肆錢
壹分肆厘　耗
費銀肆分壹厘

以上除官粮外實上堂
夏租銀壹拾伍兩捌錢捌分叁厘
冬租米壹百伍拾捌石貳斗柒升捌合
冬租銀叁兩叁錢捌厘

棲霞寺圓通禪院

施捨田地丈過實在田地山塘共伍百伍拾畆貳分
陞厘　坐落上元縣長寧鄉姚坊門外其田與民田
交雜星散不一多係膏腴離寺約有八拾里

夏租銀共貳拾兩伍錢柒厘（每兩外加耗銀叁分）

冬租米共壹百伍拾壹石貳斗肆升叁合（每石外加耗米叁升親送無脚米）

冬租銀共貳兩陸錢壹分玖厘（每兩外加耗銀叁分）

上田壹百玖拾畝捌分柒厘

夏租銀每畝柒分（共銀壹拾叁兩叁錢陸分）

冬租米每畝伍斗伍升（共米壹百肆石玖斗柒升捌合）

中田叁拾捌畝伍分叁厘

夏租銀每畝伍分伍厘（共銀貳兩壹錢壹分玖厘）

冬租米每畝肆斗伍升（共米壹拾柒石叁斗叁升捌合）

下田捌拾貳畝陸分伍釐
夏租銀每畝肆分共銀叄兩叄錢陸釐
冬租米每畝叄斗伍升共米貳拾捌石玖斗貳升柒合
上地壹拾柒畝伍分陸釐
夏租銀每畝柒分共銀壹兩貳錢貳分玖釐
冬租銀每畝壹錢共銀壹兩柒錢伍分陸釐
下地壹拾貳畝叄分肆釐
夏租銀每畝肆分共銀肆錢玖分叄釐
冬租銀每畝柒分共銀捌錢陸分叄釐
基塲塘荒田山共貳百捌畝叄分壹釐　免科

上元縣官粮

銀共壹拾玖兩玖錢叁厘　一正米壹拾肆石壹斗壹升伍合折銀連耗費每石伍錢伍分共銀柒兩柒錢陸分叁厘　一條編正銀伍兩叁錢陸分柒厘　耗費銀伍錢叁分陸厘　一折色正銀肆兩伍錢捌分　耗費銀肆錢伍分捌厘　一學耗荒白正銀壹兩玖分　耗費銀壹錢玖厘

以上除官粮外實上院

夏租銀陸錢肆厘

冬租米壹百伍拾壹石貳斗肆升叁合

冬租銀貳兩陸錢壹分玖厘

弘覺寺常住

蓮花等圩丈過實在田地山塘共陸百陸拾陸畝壹分伍厘坐落江寧縣安德鄉鳳臺門外星散不一其田多係山冲離寺陸路肆拾里

夏租銀共壹拾肆兩陸錢肆分玖厘每兩外加耗銀叄分

冬租米共壹百肆拾伍石陸斗貳升叄合每石外加耗米叄升親送無腳米

冬租銀共壹拾兩壹錢伍分每兩外加耗銀叄分

上田壹百柒拾玖畝伍分柒厘

夏租銀每畝伍分共銀捌兩玖錢柒分捌厘

冬租米每畝伍斗伍升共米玖拾捌石柒斗陸升叄合

中田柒拾伍畝柒厘

夏租銀每畝肆分共銀叁兩貳厘

冬租米每畝肆斗伍升共米叁拾叁石柒斗捌升壹合

下田叁拾柒畝叁分柒厘

夏租銀每畝貳分伍厘共銀玖錢叁分肆厘

冬租米每畝叁斗伍升共米壹拾叁石柒升玖合

地叁拾伍畝叁分柒厘

夏租銀每畝肆分共銀壹兩肆錢壹分肆厘

冬租銀每畝捌分共銀貳兩捌錢貳分玖厘

塘叁拾貳畝壹分壹厘

夏租銀每畝壹分共銀叁錢貳分壹厘

下田捌拾貳畝陸分伍厘

夏租銀每畝肆分 共銀叁兩叁錢陸厘

冬租米每畝叁斗伍升 共米貳拾捌石玖斗貳升柒合

上地壹拾柒畝伍分陸厘

夏租銀每畝柒分 共銀壹兩貳錢貳分玖厘

冬租銀每畝壹錢 共銀壹兩柒錢伍分陸厘

下地壹拾貳畝叁分肆厘

夏租銀每畝肆分 共銀肆錢玖分叁厘

冬租銀每畝柒分 共銀捌錢陸分叁厘

基塲塘荒田山共貳百捌畝叁分壹厘 免科

夏租銀壹拾壹兩捌錢肆分玖厘
冬租米壹百貳拾伍石陸斗壹升叁合
冬租銀壹拾兩壹錢伍分

新卷本部劄管絕僧寺產帖文

南京禮部爲施田入寺以供香火事祠祭清吏司案呈奉 本部送據甘燕禮通狀告前事到部送司稟 堂奉批拘審奉此審得慈相寺田原係 欽賜先年有僧如意將田地山蕩共壹百伍拾餘畝出典與雞鳴寺僧正英得銀陸拾伍兩於萬曆貳拾陸年借甘燕禮銀壹百零伍兩贖回如意隨故有徒性杰性曉分管性曉田壹半復退與正英徒覺華壹半仍屬性杰貳僧俱負債不償燕禮思得田係 欽賜既難起業又不甘與貳僧享利通狀告稱情願就近捨入牛首弘覺寺此雖屬有激然其一念之慷慨實可加也又查帖文慈相寺田地山塘共計伍百貳拾捌畝叁分玖厘被牛首等寺僧昌順等以賤價謀吞該寺僧性杰性曉如山各分析出賣

蓋明知法之所禁故價不酬值賣者視得少而猶多買者卽知非而故犯矣據法本應參究姑念貧寠性曉性杰如山俱逐出昌順等不遵禁例輒敢吞謀合應追業或以費有微背照三大寺佃田例止令認佃輸租亦庶幾無失寺業覺華田已得過原價合盡追出但該寺殿宇頹廢僧衆已絕遺下田地無人管理查慈相原係牛首所領合卽充牛首下院每年該寺撥僧輪流看守其田地山塘俱牛首寺常住帶管租粮卽聽散衆蓋牛首僧多收租則利得均沾盜賣則弊難獨作庶　恩賜可以無虧恒產不致坐失況彼既失業而此乃承管原非奪諸其懷而與之者也其甘蕉禮好義樂施今年田租合追出給之以少酬其本又經備由稟堂奉批　欽賜寺田安得私相賣買俱追入牛首寺召佃輸租如各寺下院之例昌順等本當究罪姑念愚僧豁免如再執占卽行參送餘依擬奉此今將昌順等名下田地山塘盡數追出另着牛首弘覺寺帶管相應給帖遵照案呈到部擬合就行爲此帖仰該寺住持卽便遵照將前項查出田地速行召佃其一應田畝租稅數目備行管理毋

年仍撥僧赴慈相輪流看守永遠遵照施行
曆叁拾叁年拾壹月叁拾日

新卷本司查弘覺下院田地湖冊帖文　南京禮部

祠祭清吏司爲給帖遵守事照得弘覺寺所領下
院慈相寺田地見有正德拾年按院吳　批詳太
平府審定慈相寺僧人妙良招由已經查過黃冊
內開查得伍圖永樂元年一户慈相寺舊管實在
項下民田地山塘伍項貳拾柒畝捌分貳厘永樂
拾年至景泰叁年舊管實在項下田地項畝麥米
絲綿俱與前冊相同天順陸年新收官民山壹拾
貳畝實在開稱人口事產俱撥付本鄉肆圖併圖
當差成化捌年第肆圖一户慈相寺舊管實在項
下官民田地山塘伍項叁拾玖畝捌分貳厘成化
拾捌年至弘治伍年在本鄉第叁圖舊管實在項
下田地項畝麥米絲綿俱與天順陸年成化捌年
冊內相同弘治拾伍年冊頭格眼內寫有　欽
賜字樣以上冊籍逐一查明將張景春等問罪帖
文可証近因僧性曉性杰將田地盜賣與弘覺等
寺僧昌順等該本司查出將性曉性杰追牒田地
無人看守呈　堂着弘覺寺常住常帶取租供衆

已給帖遵照外今被積棍張鐙張元詔等田土相連希圖謀占買出廬州府指揮同知張勛臣出名令張霖具稟內稱始祖張德勝原籍合肥縣人原有　欽賜田地山塘伍百餘畝坐落江寧縣朱門鄉叁圖地方有湖冊可查伏乞移文取查等情備用手本前去南京户科取冊查理去後今據該科抄錄黃冊壹本到司查對並無張勛臣名目正與正德拾年按院吳　帖文相同足見張鐙張元詔張勛臣張霖等謀占前田是實張元詔張霖等各責治外合將黃冊發寺抄錄壹本併再給帖各寺防照為此帖仰弘覺寺住持照帖事理遵將前田管理敢有棍徒再行生事謀占許指名執帖赴部呈稟以憑參送究罪決不姑息須至帖者　萬曆叁拾肆年拾月貳拾捌日

附舊卷　撥還弘覺寺田山帖文

户部為乞　恩事江西清吏司案呈奉本部送內府抄出南京內官監內使阮昔題照南京　勅賜弘覺禪寺坐落應天府江寧縣牛首山先於洪武年間本寺名為佛窟禪寺原有山塲田地柒拾貳畝專一耕種收租採斫柴薪供給常住彼寺有甘持僧李行琛

係木縣安德鄉叁圖人後于洪武拾玖年還俗至貳拾貳年本人因見本寺荒廢遺下山地無人收管私自占入本户管業至永樂貳拾貳年李行璨男李真義男張福果恩得前項山地原係本寺之數却行轉還本寺僧斗南管業後僧斗南住持本寺已後退院因見山地與本縣長泰北鄉大户李昇拆家附近不合詭寄在李昇拆户内收租採薪以此本寺僧含恐不敢具告迨至正統柒年造冊李昇拆與僧斗南將山平分至今各自管業如蒙　准題伏望　聖恩憐憫乞　勅該部明白爲照舊撥　賜本寺永遠供給僧衆實爲便益具題景泰叁年陸月貳拾肆日户部掌管事太子太保兼本部尚書金濂等於　奉天門欽奉　聖旨准他與寺供給户部知道欽此欽遵抄出送司案呈擬合通行除外合咨該部類行南京禮部轉行南京僧錄司着落該寺住持照依　欽依内事理欽遵施行景泰叁年陸月貳拾肆日右

勅賜牛首山弘覺寺山塘田地週圍共計貳拾壹里零叁拾步與寺焚修供衆計開山塘田地四至

東至白石坑西至文殊嶺頂南至趙庫村北至太

子巖鄉

弘覺寺禪堂

東圩併施拾丈過實在田地山塘共貳百壹拾叁畝捌分陸厘東圩伍拾陸畝伍分坐落江寧縣安德鄉鳳臺門外趙庫村離寺陸路叁里施拾壹百伍拾柒畝叁分陸厘坐落江寧縣建業鄉鳳臺門外吉山脚下離寺陸路貳拾里

夏租銀共玖兩柒錢貳分肆厘每兩外加耗銀叁分

冬租米共柒拾陸石陸斗捌升玖合每石外加耗米叁升親送到無脚米

冬租銀共貳兩伍錢貳分每兩外加耗銀叁分

上田捌拾畝叁分玖厘係施拾

夏租銀每畝柒分共銀伍兩陸錢貳分柒厘

冬租米每畝陸斗伍升共米伍拾貳石貳斗伍升叁合

次上田肆拾肆畝肆分叁厘係東圩

夏租銀每畝伍分共銀貳兩貳錢貳分壹厘

冬租米每畝伍斗伍升共米貳拾肆石肆斗叁升陸合

上地壹拾肆畝肆分玖厘係施拾

夏租銀每畝柒分共銀壹兩壹分肆厘

冬租銀每畝壹錢共銀壹兩肆錢肆分玖厘

次上地伍畝貳分貳厘係東圩

夏租銀每畝肆分共銀貳錢捌厘

冬租銀每畝捌分共銀肆錢壹分柒厘

山伍拾畝係施捨

夏租銀每畝壹分共銀伍錢

冬租銀每畝壹分共銀伍錢

塘壹拾伍畝肆分陸厘東圩伍畝叁分陸厘施捨拾畝壹分

夏租銀每畝壹分共銀壹錢伍分肆厘

冬租銀每畝壹分共銀壹錢伍分肆厘

基塲叁畝捌分柒厘東圩壹畝肆分玖厘施捨貳畝叁分捌厘　免科

江寧縣官粮東圩本寺代納今止辦施捨粮

銀壹兩肆錢柒分陸厘連耗費在內

米陸石捌斗陸升伍合連耗費在内

以上除官粮外實上寺

夏租銀捌兩貳錢肆分捌厘

冬租米陸拾玖石捌斗貳升肆合

冬租銀貳兩伍錢貳分

靜海寺常住

盤槐田併寺前房丈過實在田地塘共貳百叁畝貳厘　又房地肆拾間　走道壹條田地坐落錦衣留守貳衛金川門外盤槐樹草塲多係膏腴離寺陸路伍里房坐落寺前

夏租銀共貳拾捌兩叁錢叁分肆厘每兩外加耗銀叁分

冬租米共肆拾捌石玖斗壹升貳合 每石外加耗米叁升親送無腳米

冬租銀共貳拾兩玖錢玖分捌厘 每兩外加耗銀叁分

田壹百貳拾貳畝貳分捌厘

夏租銀每畝陸分 共銀柒兩叁錢叁分陸厘

冬租米每畝肆斗 共米肆拾捌石玖斗壹升貳合

地基墳地柒拾陸畝叁分伍厘

夏租銀每畝壹錢 共銀柒兩陸錢叁分伍厘

冬租銀每畝壹錢 共銀柒兩陸錢叁分伍厘

塘肆畝叁分玖厘

夏租銀每畝壹分共銀肆分叁釐

冬租銀每畝壹分共銀肆分叁釐

左新房陸間

夏租銀每間捌錢肆分共銀伍兩肆分

冬租銀每間捌錢肆分共銀伍兩肆分

右新房陸間

夏租銀每間壹兩伍分共銀陸兩叁錢

冬租銀每間壹兩伍分共銀陸兩叁錢

房地貳拾捌間

夏租銀每間陸分共銀壹兩陸錢捌分

冬租銀每間陸分 共銀壹兩陸錢捌分

走道壹條

夏租銀叁錢　冬租銀叁錢

官粮 盤槐田地無 止房地納中府銀伍錢

以上除官粮外實上寺

夏租銀貳拾柒兩捌錢叁分肆厘

冬租米肆拾捌石玖斗壹升貳合

冬租銀貳拾兩玖錢玖分捌厘

靜海寺禪堂

施捨田地 貞在田地

共叁拾伍畝貳厘 坐落

江寧縣惠化鄉伍圖其田相連壹塊腴多
瘠少離寺陸路捌拾里水路捌拾伍里

夏租銀共捌兩柒錢肆分柒釐每兩外加耗銀叁分

冬租米共柒拾玖石捌斗玖升每石外加脚耗米壹斗

冬租銀共貳兩叁錢柒分壹釐每兩外加耗銀叁分

上田壹百壹畝玖分

夏租銀每畝伍分共銀伍兩玖分伍釐

冬租米每畝伍斗伍升共米伍拾陸石肆升伍合

下田陸拾捌畝壹分叁釐

夏租銀每畝叁分共銀貳兩肆分叁釐

冬租米每畝叁斗伍升共米貳拾叁石捌斗肆升伍合

地貳拾伍畝肆分貳厘

夏租銀每畝伍分 共銀壹兩貳錢柒分壹厘

冬租銀每畝捌分 共銀貳兩叁分叁厘

山壹拾叁畝叁分陸厘

夏租銀每畝壹分伍厘 共銀貳錢

冬租銀每畝壹分伍厘 共銀貳錢

塘壹拾叁畝捌分肆厘

夏租銀每畝壹分 共銀壹錢叁分捌厘

冬租銀每畝壹分 共銀壹錢叁分捌厘

基地壹拾貳畝叁分柒厘 免科

江寧縣官糧

銀共伍兩柒錢伍分肆厘

米共捌石伍升貳合

一本色米捌石伍升貳合
一折色銀貳兩陸錢捌分捌厘
一條編銀貳兩捌錢玖分
一人丁貳丁銀壹錢柒分陸厘

本田盤費

銀共壹兩伍錢

以上除官糧盤費外實上堂

夏租銀壹兩肆錢玖分叁厘

冬租米柒拾壹石捌斗叁升捌合

冬租銀貳兩叁錢柒分壹厘

新卷本部劄管施捨田地帖文

南京禮部爲懇恩歸一事祠祭清吏司案呈奉　本部送據上元縣籍徐汝元通狀告稱有身故叔徐文謨存無子嗣募化并捐巳資共銀伍百捌拾兩買到江寧縣惠化鄉民田計壹百捌拾貳畝地叄拾陸畝山塘共貳拾貳畝一向報恩寺僧洪恩執業接衆齋僧無異近洪恩暫居别處將田地併原契呈出無人承管今見靜海寺禪堂僧衆甚多願將田地文契房屋家伙等件捨入本寺永遠接衆若不告鳴誠恐日後族屬僧人告爭不便伏乞准送南京禮部俯給帖文執業等情到部送司案呈　堂奉批准施靜海寺禪堂供衆仍給帖奉此案呈到部擬合就行爲此帖給該寺禪堂主僧照帖事理即便遵照永遠執業收租供衆如有僧俗人等生事擾害者許執帖赴禀提究毋得違錯　一帖給靜海寺禪堂主僧

萬曆三十五年六月初十日

條約

一冊籍　田地以冊爲憑。自海撫院清丈。造有魚鱗等冊至今年久或存或毀又佃户更改不一難以盡據今委各寺官住前往各庄丈量坵畝踏勘肥瘠詳註弓口四至及分別上中下等則每庄造田形冊貳本實徵冊叁本田形照魚鱗式實徵照鼠尾式各壹本存司壹本給該寺或禪堂又實徵壹本給管庄僧執催遇年有佃户更改徵租完日管庄僧開单類稟批寺覆查暫票改實徵冊內每伍年遇丙辛年分照蘆課例僧錄司會同各該寺官住及堂主稟部清查大造一次凡佃户有更改者悉與勘明改正

一佃帖　往時田地被佃户私相承佃該寺雖給有公據慢不遵行合比照兵部草塲工部蘆課事例僧録司給各户佃帖壹張先發各該寺查照實徵册填註用印仍送本司掛號每户民間不許過叁百畝僧人不許過壹百畝以後新佃者民間亦只以百畝爲率本寺不許收受佃價尤不許佃與仕宦舉監生員及外縣富户如承佃在前者遽難起業姑將該户夕　小佃立户給帖租糧亦即拘小佃徵收庶防措勒又有本寺僧承佃者以公産割爲私業奸弊尤多應與

衆户一例嚴查，弗得姑縱。凡有分佃轉佃，必須赴寺領帖，申部掛號，方准承佃。如或未經給帖，私相交易，即係盜賣强占。管庄僧及用首隨即指名赴禀，定行重責枷號，追租還寺。租粮過貳年不完，追田另佃。每隔伍年清查一次，繳舊換新，以防隱弊。

一租单　往時租粮被佃户拖欠不完，給佃帖外，臨期僧録司再給租单一紙，亦先發該寺照册填註，送本司掛號，發寺給散。仍造租单册壹本送司存照。每就近拾户以上貳拾户以下共壹单。以田多者爲单首，甲首同单首執催。夏租限伍月徵壹半，六月全完；冬租限玖月徵壹半，拾月全完。佃户固不許過限遲交，該寺亦不許先期混取。銀米額派已定，豆麥非急用，故從折色，以充襍費；米所必需，且不似銀兩之易於侵耗，故從本色，以贍僧徒。如有擅自更改者，卽係官住及庫僧、庄僧作弊，定行重究。每銀壹兩照例加耗銀叁分，每米壹石加耗米叁升、脚米柒升。親送到寺者，無脚米。交寺務要上好净米，足數紋銀。但有糠水夾雜，成色低欠，貨物折筭，一槩不准单首特免加耗以酬其勞完過租數庄僧親註租单内本户格下仍給與小票爲照每值月玖月初僧録司先期催徵至臘月拾月終甲首单首一同庄僧赴司報完查有拖欠定行責治監比該寺不先期催徵官住罰俸管事管庫僧檄鎖

一庄僧　寺租失額多因一二奸僧惡役包管或得佃户賄囑或自已佃有私田往往唆使佃户告災而巳爲之証一時不察必爲所愚罔上尅下弊無紀極除前究追外以後管庄管洲僧設

一正一陪今年之陪。卽爲明年之正。每二人輪換不過貳年。如差三人。亦照此不得越叁年。內差僧挨房點用。如力薄才短。許其告辭。但不得托故推避。該庄佃有私田者。不許送點。隱情舉用。官住議罰。屬禪堂者。用堂內一人。堂外一人。堂內聽堂主自擇。堂外壹年卽換。每年正月初點定。各給一差票。將該庄租額總數及各單首名下數目。開註照催。收到銀米低惡。卽追庄僧賠補。過期不完。究治嚴比。又官粮及盤費亦各註明。過用毫厘。不准銷筭。

一甲首　往時各庄俱設有甲首不能爲寺催租而反以耗食始以舊例不革自今口食議定不許過支領单催徵務與管庄僧協力一同聽比凡田土坐落户口淳頑甲首係土著必皆熟練但有分佃改佃及庄内一應事務不先呈報定責治革役

一官粮　國初原奉　旨欽免弘治年間巧立勸借名色科米貳升隆慶年間誑稱丈多田地陸續加稅然初議即丈出者亦止有正課而無襍泒今房書毎假此需索上下其手而管事

僧因以爲利凡交官俱稱加二加三以報循環。且又交不以時那前攙後動稱借債明係欺誑粮非請
旨雖難復議豈得更恣乾沒今查據各縣丁粮册及由票開載册内每銀壹兩仍加耗費伍分米壹石加耗費貳斗以外過用毫厘不准銷筭銀用夏租限来月初米用冬租限拾月初俱僧録司催齊起批赴部掛號赴縣衙一併交納取批照回驗過期不完聽縣衙申請本司定行嚴究不得先期零星催比以滋書皂需索已經行文該縣依准在卷如有先期騷擾

及額外加派者該司申部呈堂執辯定拘該
縣房書究責毋許疊增重違　明旨
一盤費　夏冬二季各定限兩月逐日盤費照庄
大小酌定自收租起至交寺止一應𥙷用俱在
所議額數中不得多開名色踰額過用限外不
完即庄僧自巳賠費不得添補搬運巳有脚米
雖路程遠近不等而寬緊俱巳足用酬勞巳有
耗銀耗米雖大小庄多寡不等而勞逸亦適相
當不依定額即不准銷筭仍行檄鎖
一災傷　租額僅復　國初之半所定原輕即

有水旱災傷納租亦自有餘不許告減如遇災
重撫按應有　題免一縣所同非一寺所獨
必先經府縣申報撫按本部方差官住公同踏
勘分別被災分數報司候撫按果有錢粮
題免租粮亦即照災減徵如縣無例而妄扯者
決不開端以杜覬覦至于下田蕩田租額更輕
一年之熟即可賠補數年之荒乃通融酌量從
寛定租雖遇重災斷不蠲免
一遠佃　外縣租粮遠難遥制近高淳縣田已經
移文撫院轉行府縣議定租額限期責委該縣

粮衙催徵最爲良法每年玖月初本司發单粮衙轉給各甲首单首令照限嚴催務依限照數全完甲首賫粮衙報完申文併租单赴部聽查事有責成徵收必易矣溧水縣田悉係本寺僧人贖回自佃亦無難處獨溧陽縣田頑户任意遲悞令應比照高淳事例移文撫院亦責委粮衙有頑梗者提究行催報完歲著爲令不憚文移之煩乃可永永無弊耳

一報完　夏冬租粮庄僧依限催完起解到寺官住督同庫僧細驗銀米果合例無欠一面報司

一面查收出給庫收付庄僧繳驗有通同濫收者。本司不時掣查定行究贓治罪。各庄通完存留給衆訖。官住將差票租单庫收類齊。同歲報册一併送查。聽憑考校。一寺租粮完欠散衆公私。全係官住。如有弊端決不輕貸。

附三大寺及五次大寺租粮文籍數目

册籍佃帖五年一造
票单告示逐年一給

靈谷寺常住　各庄差票租单總册壹本

靖東庄　本部田形册貳本　本部實徵册壹本
本部差票壹張　本部告示壹張
本寺田形册貳本　本寺實徵册壹本
本寺佃帖　租单　本庄實徵册壹本

溧陽庄
本部田形冊壹本　本部實徵冊壹本
本部差票壹張　本部告示壹張
本寺田形冊壹本　本寺實徵冊壹本
本寺租单　本庄實徵冊壹本

高淳庄
本部田形冊壹本　本部實徵冊壹本
本部差票壹張　本部告示壹張
本寺田形冊壹本　本寺實徵冊壹本
本縣實徵冊壹本　粮衙實徵冊壹本
粮衙租单　本庄實徵冊壹本

天界寺禪堂

靖安庄
本部田形冊壹本　本部實徵冊壹本
本部差票壹張　本部告示壹張
本堂田形冊壹本　本堂實徵冊壹本
本堂佃帖　租單　本庄實徵冊壹本

采石洲施捨田
本部田洲圖實徵冊壹本
本部差票貳張
本堂田洲圖實徵冊壹本
本堂佃帖　租单

報恩寺常住各庄差票租单總册壹本

本部田形册壹本　本部實徵册壹本

戴子庄本部差票壹張　本部告示壹張

本寺田形册壹本　本寺實徵册壹本

本寺佃帖　租单　本庄實徵册壹本

本部田形册壹本　本部實徵册壹本

騰真庄本部差票壹張　本部告示壹張

本寺田形册壹本　本寺實徵册壹本

本寺佃帖　租单　本庄實徵册壹本

寺前房地本部房地圖實徵册壹本

本部差票壹張　本部告示壹張

本寺房地圖實徵册壹本

本寺佃帖　租单

報恩寺禪堂

本部造經號簿壹本

藏經板頭本部刻經循環簿貳本

本部管經差票壹張　本部造經號票

本部刻經號票

五次大寺　各寺差票租单總冊壹本

雞鳴寺
本部洲圖實徵冊壹本　本部差票叄張
本寺洲圖實徵冊壹本　禪堂洲圖實徵冊壹本

能仁寺
本部田洲圖實徵冊壹本
本部差票貳張　本部告示壹張
本寺田洲圖實徵冊壹本
本寺佃帖　租单

棲霞寺
本部田形冊壹本　本部實徵冊壹本
本部差票貳張　本部告示貳張
本寺田形冊壹本　本寺實徵冊壹本
禪堂田形實徵冊壹本
圓通禪院田形實徵冊壹本
本寺佃帖　租单

弘覺寺
本部田形實徵冊壹本
本部差票貳張　本部告示貳張
本寺田形實徵冊壹本
禪堂田形實徵冊壹本　本寺佃帖　租单

靜海寺
本部田房形實徵冊壹本
本部差票壹張　本部告示壹張

本寺田房形實徵册壹本

本寺佃帖　租单

附僧録司

本部諸山公費實徵册壹本

本部諸山田形實徵册叁本

僧司諸山公費實徵册壹本

僧司諸山田形實徵册叁本

僧司諸山由票

金陵梵剎志卷五十一

各寺公費條例

南京禮部祠祭清吏司爲酌定
賜租出入事據南京僧錄司申稱奉　南京禮部祠祭清
吏司紙牌前事內開照得三大寺及五次大寺各有
欽賜租糧節經奉
旨贍僧近被無賴官住及管事管莊僧通同耗沒衆僧不
得沾惠雖有循環簿到司祇成虛套查得先年朝天宮
有本司議定書册則例合行委該司印官會同三大寺
官住及五次大寺住持各將本寺常住公費及衆僧口

糧逐項會議一則併開列條約送司詳奪等因奉此遵依隨會同三大寺官住及五次大寺住持各管事等僧到司備將各寺每年常住公費并衆僧口糧逐款酌定數目及各條約事例一一備細開列造册詳報伏乞裁奪編立規則以便行令永遠遵行等因回報到司據此案照先爲前事已經牌行該司會議去後今據造册前來尤恐未的仍令各官住到司逐項對議内有應增應減及條約應改正者一一斟酌停妥發寺遵行以後不許再有更改擬合刊刻書册給發遵守使租粮出入昭然在人耳目而奸弊不得復作具由禀　堂奉批所議

綜覈之法雖密體恤之意良多悉如議行後之君子留心細玩不爲陰壞偏辭所惑郎乆永可無更矣奉此今將三大寺及五次大寺議定每年出入租粮數目并條約事例刊刻書冊印發各寺永遠遵照施行須至書冊者

今將三大寺及五次大寺租粮出入數目開後

靈谷寺

常住入數

靖東莊　夏租銀玖拾陸兩柒錢叁分伍厘

冬租銀伍拾玖兩肆錢貳分陸厘

冬租米壹千叁百玖石伍斗　貳升柒合

安西莊夏租銀叁百捌拾叁兩捌錢柒分壹厘
冬冬租銀壹百壹拾肆兩貳錢叁分
冬冬租米壹千叁百陸拾陸石捌斗壹合

溧水莊冬冬租銀陸拾捌兩柒錢伍分叁厘

栁橋田冬冬租銀壹拾伍兩壹錢陸分叁厘

白水洲田冬冬租銀壹拾伍兩伍錢貳分伍厘

十人洲冬冬租銀壹拾叁兩

以上夏租銀通共肆百捌拾兩陸錢陸厘
冬租銀通共貳百捌拾陸兩玖分柒厘
冬租米通共貳千陸百柒拾伍石陸斗捌合

禪堂入數

悟真莊夏租銀壹百壹拾壹兩肆錢柒分貳釐
冬租銀玖兩肆錢玖分捌釐
冬租米肆百叁拾玖石伍斗玖升壹合

桐橋莊夏租銀伍拾貳兩叁錢叁分玖釐
冬租米叁百陸石捌斗伍升壹合

陳橋茄地洲
冬租銀柒拾兩

以上夏冬租銀通共貳百肆拾叁兩叁錢玖釐
冬租米通共柒百肆拾陸石肆斗肆升貳合

律堂入數

龍都莊夏租銀壹百陸拾柒兩玖錢柒分肆釐
冬租銀壹拾柒兩肆錢壹分伍釐
冬租米玖百捌拾叁石玖斗伍升貳合

散甲莊夏租銀叁兩捌錢肆分壹釐
冬租米陸拾貳石伍合

以上夏冬租銀通共壹百捌拾玖兩貳錢叁分

冬租米通共壹千肆拾伍石玖斗伍升柒合

常住出數

殿堂焚修公費　共銀柒拾伍兩捌錢夏季存肆拾貳兩玖錢　冬季存叁拾貳兩玖錢

一正殿香燭燈油銀玖兩陸錢每月銀捌錢

一各殿香燭燈油銀共拾貳兩金剛天王法堂伽藍祖師共五處每處每月銀貳錢

一每初貳拾陸伽藍齋供銀柒兩貳錢每次叁錢

一新正禮千佛壹月茶點銀肆兩冬季預存

一清明中元祀祖銀叁兩

一如來降誕成道齋供銀叁兩

一五月圓覺會壹月茶點銀肆兩冬季預存

一萬壽千秋齋供銀壹拾貳兩夏季預存

一年節齋供銀陸兩夏季預存

一寶公誕忌貳辰齋供銀叁兩

一殿堂揭盖銀壹拾貳兩

常住事務公務　共銀伍拾夏季存銀貳拾伍兩冬季存銀貳拾伍兩

一紙劄筆墨銀叁兩

一常住茶銀肆兩

一公務雜費銀壹拾捌兩科舉年加銀叁兩

一常住小費銀壹拾肆兩部前借寓菴銀貳兩在内

一寺前施茶銀陸兩

一僧司牌示卷餅銀伍兩

官住教學等俸粮　共銀壹百捌拾壹兩夏季給玖拾兩伍錢冬季給玖拾兩伍錢　米捌拾肆石俱冬季給

一印官壹員銀貳拾肆兩　折米銀壹拾捌兩

一僧官壹員銀貳拾肆兩　米叁拾陸石

一大住持貳名共銀叁拾貳兩　米肆拾捌石

一教學僧貳名共銀叁拾兩

一筭手壹名銀叁兩三大寺通用

一門庫巡山夫皂拾名共銀伍拾兩

通經執事口粮　共僧粮伍拾分　銀共叁拾捌兩夏季給貳拾柒兩冬季給壹拾壹兩　米壹百玖拾石俱冬季給

一通經優給僧拾名每名加僧粮貳分

一前堂僧肆名每名加僧粮壹分內壹名係祝白前堂

一維那僧叁名每名加僧粮壹分

一書記僧貳名每名加僧粮貳分

一管事僧貳名每名加僧粮壹分

一直庫僧貳名每名加僧粮壹分
一直日僧肆名每名加僧粮壹分
一管殿僧叁名每名加僧粮壹分
一堂司僧貳名每名加僧粮壹分
一淨髮僧貳名每名加僧粮壹分
一施茶僧壹名加僧粮壹分
一音樂僧貳拾衆作貳名每名加僧粮壹分
一管山門僧壹名加僧粮壹分
一管莊管洲僧各莊俱有耗銀耗米常住不必再給
衆僧口糧　共銀叁百捌拾兩夏季給貳百柒拾兩冬季給壹百壹拾兩

米共貳千叁百伍拾陸石俱冬季給

一牒僧叁百伍拾名　每名銀柒錢陸分夏季給伍錢肆分冬季給貳錢貳分　米叁石捌斗

一學僧壹百伍拾名　每名銀柒錢陸分夏季給伍錢肆分冬季給貳錢貳分　米叁石捌斗

一別院僧壹百貳拾名鷄鳴寺牒僧柒拾名學僧叁拾名觀音閣牒僧貳拾名　每名銀無　米叁石捌斗

以上夏租銀　用過肆百伍拾伍兩肆錢科舉年加用銀叁兩

餘剩貳拾伍兩貳錢零陸厘科舉年除銀叁兩

冬租銀　用過貳百陸拾玖兩肆錢

餘剩壹拾陸兩陸錢玖分柒厘

冬租米　用過貳千陸百叁拾石

餘剩肆拾伍石陸斗捌合

凡餘剩銀米年終開報儘數爲修理殿堂之用

禪堂出數

每日約贍禪僧壹百柒拾壹名每僧壹日筭銀壹分或米貳升

律堂出數

每日約贍律僧壹百玖拾捌名每僧壹日筭銀壹分或米貳升

天界寺

常住入數

湖塾莊夏租銀伍拾叁兩柒錢陸分玖厘
冬租米伍百肆拾玖石貳斗陸升壹合

溧陽莊夏初收到冬租米壹千叁石捌斗玖升柒合

高淳莊夏初收到冬租銀叁百肆拾叁兩玖分伍厘

以上夏租銀併高淳夏初收到銀通共叁百玖拾陸兩捌錢陸分肆厘

夏初收到冬租米壹千叁石捌斗玖升柒合

冬租米伍百肆拾玖石貳斗陸升壹合

禪堂入數寺前菜地壹塊自種無租

靖安莊夏租銀壹拾捌兩肆錢貳分捌厘
冬租銀貳兩陸錢捌分

冬租米玖拾捌石肆斗壹升陸合

采石蘆洲 冬租銀壹百陸拾兩

施捨田地 夏租銀叁兩壹錢叁分伍厘

冬租銀壹兩伍錢壹分捌厘

冬租米伍拾肆石柒斗捌升貳合

以上夏冬租銀通共壹百捌拾伍兩柒錢陸分

冬租米通共壹百伍拾叁石壹斗玖升捌合

常住出數

殿堂焚修公費　共銀伍拾陸兩陸錢 俱夏季存

一正殿香燭燈油銀陸兩伍錢 每月銀

一各殿香燭燈油銀拾兩捌錢 金剛天王三聖觀音輪藏伽藍

祖師等殿毘盧閣上下共玖處每處每月銀壹錢

一每初貳拾陸伽藍齋供銀肆兩捌錢每次貳錢

一新正禮千佛壹月茶點銀叁兩

一清明中元祀祖銀貳兩

一如來降誕成道齋供銀貳兩

一伍月圓覺會壹月茶點銀叁兩

一萬壽千秋齋供銀拾兩

一年節齋供銀伍兩

一殿堂揭蓋銀拾兩

常住事務公費　共銀叁拾伍兩俱夏季存

一紙劄筆墨銀叁兩

一常住茶銀肆兩

一公務雜費銀拾肆兩科舉年加銀叁兩

一常住小費銀拾兩　一寺前施茶銀肆兩

官住教學等俸粮　共銀玖拾捌兩俱夏季給　米捌拾肆石夏季給陸拾叁石冬季給貳拾壹石

一僧官壹員銀貳拾肆兩　米叁拾陸石

一大住持貳名銀共叁拾貳兩　米肆拾捌石

一教學僧貳名銀共叁拾兩

一門庫夫皂叁名共銀壹拾貳兩

通經執事口粮　共僧粮伍拾分　共銀壹拾柒兩俱夏季給　米壹百叁拾石夏季給捌拾貳石伍斗　冬季給肆拾柒石伍斗

一通經優給僧拾名每名加僧粮貳分

一前堂僧肆名每名加僧粮壹分内壹名係祝白前堂

一維那僧叁名每名加僧粮壹分

一書記僧貳名每名加僧粮貳分

一管事僧貳名每名加僧粮壹分

一直庫僧貳名每名加僧粮壹分

一直日僧肆名每名加僧粮壹分

一管殿僧肆名　每名加僧糧壹分

一堂司僧貳名　每名加僧糧壹分

一淨髮僧貳名　每名加僧糧壹分

一施茶僧壹名　加僧糧壹分

一音樂僧貳拾衆作貳名　每名加僧糧壹分

一管莊管洲僧　各莊俱有耗銀耗米常住不必再給

衆僧口糧　共銀壹百柒拾兩　俱夏季給　米壹千叁百石　夏季給捌百貳拾伍石　冬季給肆百柒拾伍石

一牒僧叁百伍拾名　每名銀叁錢肆分　米貳石陸斗　夏季給壹石陸斗伍升　冬季給玖斗伍升

一學僧壹百伍拾名　每名銀叁錢肆分　米貳石陸斗夏季給壹石陸斗伍升冬季給玖斗伍升

以上夏租銀併高淳夏初收到銀用過叁百柒拾陸兩陸錢科舉年加銀叁兩

餘剩貳拾兩零貳錢陸分肆厘科舉年除銀叁兩

夏初收到冬租米　用過玖百柒拾石伍斗

餘剩叁拾叁石叁斗玖升柒合

冬租米　用過伍百肆拾叁石伍斗

餘剩伍石柒斗陸升壹合

凡餘剩銀米年終開報儘數爲修理殿堂之用

禪堂出數

每日約贍禪僧柒拾叁名　每僧一日算銀壹分或米貳升

報恩寺

常住入數

戴子莊　夏租銀壹百壹拾肆兩玖錢肆厘　冬租米壹千伍百肆拾貳石陸斗叁升

臘真莊　冬租米伍百貳拾肆石肆斗玖升伍合

寺前房地　夏租銀伍拾兩肆錢陸分肆厘　冬租銀伍拾兩肆錢陸分肆厘

以上夏租銀通共壹百陸拾伍兩叁錢陸分捌厘

冬租銀通共伍拾兩肆錢陸分肆厘

冬租米通共貳千陸拾柒石壹斗貳升伍合

禪堂入數　放生池邊地貳大條自種供菜

藏經板頭　每藏壹拾貳兩每年約銀貳百肆拾兩又四經每年約銀叁拾陸兩襍號約銀肆兩目今每藏捌兩刻經止肆兩贍衆

以上約銀貳百捌拾兩　目今除刻經止約銀壹百貳拾兩

常住出數

殿堂焚修公費　共銀肆拾玖兩捌錢　夏季存貳拾玖兩肆錢　冬季存貳拾兩肆錢

一塔上燈油　內府送用　月大壹千玖百叁拾壹斤肆兩月小壹千捌百陸拾陸斤壹拾肆兩燈共壹百肆拾陸盞晝夜長明每日該油陸拾肆斤肆兩零

一大禪殿香燭燈油銀陸兩每月銀伍錢外月支內府油伍斤

一各殿香燭燈油銀肆兩捌錢後禪殿伽藍殿每處每月各銀壹錢伍分塔殿每月壹錢止辦香燭其燈油係內府供

一每初貳拾陸伽藍齋供銀陸兩每次貳錢伍分

一新正禮千佛壹月茶點銀叁兩冬季預存

一清明中元祀祖銀貳兩

一如來降誕成道齋供銀貳兩

一伍月圓覺會壹月茶點銀叁兩冬季預存

一萬壽千秋齋供銀拾兩夏季預存

一年節齋供銀伍兩夏季預存

一殿堂揭盖銀捌兩

常住事務公費　共銀叁拾玖兩夏季存壹拾玖兩伍錢冬季存壹拾玖兩伍錢

一紙劄筆墨銀叁兩

一常住茶銀肆兩

一公務醵費銀拾陸兩科舉年加銀叁兩

一常住小費銀拾兩　一寺前施茶銀陸兩

官住教學等俸粮　共銀玖拾捌兩俱夏季給　米壹百貳拾肆石俱冬季給

一内監米共肆拾石提督壹員拾石司香伍員每員陸石員數或有多寡

米無
增減

一僧官壹員銀貳拾肆兩　米叁拾陸石

一大住持貳名共銀叁拾貳兩　米肆拾捌石

一教學僧貳名共銀叁拾兩

一門庫夫皂叁名共銀拾貳兩

通經執事口粮　共僧粮伍拾分　共米壹百柒

拾伍石俱冬季給

一通經優給僧拾名每名加僧粮貳分

一前堂僧肆名每名加僧粮壹分内壹名係祝白前堂

一維那僧叁名每名加僧粮壹分

一書記僧貳名每名加僧糧貳分

一管事僧貳名每名加僧糧壹分

一直庫僧貳名每名加僧糧壹分

一直日僧肆名每名加僧糧壹分

一管殿僧貳名每名加僧糧壹分

一管塔僧壹名加僧糧壹分即修塔僧

一堂司僧貳名每名加僧糧壹分

一淨髮僧貳名每名加僧糧壹分

一施茶僧貳名每名加僧糧壹分

一音樂僧貳拾衆作貳名每名加僧糧壹分

一管庄管洲僧各庄俱有耗銀耗米常住不必再給

衆僧口粮　共米壹千柒百伍拾石俱冬季給

一牒僧叁百伍拾名　每名米叁石伍斗　銀無

一學僧壹百伍拾名　每名米叁石伍斗　銀無

以上夏租銀　用過壹百肆拾陸兩玖錢科舉年加銀叁兩

餘剩壹拾玖兩肆錢陸分科舉年除銀叁兩

冬租銀　用過叁拾玖兩玖錢

餘剩壹拾兩零伍錢陸分肆厘

冬租米　用過貳千肆拾玖石

餘剩壹拾捌石壹斗貳升伍合

凡餘剩銀米年終開報盡數為修
理殿堂之用

禪堂出數

每日約贍禪僧柒拾陸名每僧壹日算銀壹分見今除刻經止該贍僧叁拾貳名

一校經僧壹名銀貳兩

一管飯僧貳名共銀叁兩

附僧錄司入數靈谷寺辦印官俸粮銀肆拾貳兩　牌示卷餅銀伍兩

上江二縣諸山銀貳拾貳兩柒錢叁分叁釐

溧陽縣僧會司銀陸兩

高淳縣僧會司銀肆兩伍錢

句容江浦六合三縣僧會司銀各肆兩

溧水縣僧會司銀貳兩伍錢

以上共銀玖拾肆兩柒錢叁分叁厘

僧錄司出數

一印官壹員銀貳拾肆兩　折米銀壹拾捌兩

一年終送換諸山告示十家牌銀叁兩

一年終考選經僧卷餅素飯銀貳兩以上靈谷寺出辦

一年終造歲報冊銀伍兩

一紙筆墨銀叁兩

一僧吏貳名共銀玖兩陸錢

一書手貳名共銀柒兩貳錢

一皁隸肆名共銀壹拾貳兩

一襍費銀壹拾兩玖錢叁分叁厘

以上共用銀玖拾肆兩柒錢叁分叁厘

五次大寺

各寺常住入數

鷄鳴寺冬租銀玖拾叁兩叁錢叁分肆厘
靈谷給冬租米叁百捌拾石

能仁寺夏冬租銀壹百兩捌錢肆分肆厘
冬租米壹百肆拾叁石柒升壹合

棲霞寺夏冬租銀陸拾捌兩玖錢壹分叁厘
冬租米貳百叁拾肆石柒斗柒升叁合

弘覺寺夏冬租銀貳拾壹兩玖錢玖分玖厘
冬租米壹百貳拾伍石陸斗壹升叁合

靜海寺夏冬租銀肆拾捌兩捌錢叁分貳厘
冬租米肆拾捌石玖斗壹升貳合

各寺禪堂入數

鷄鳴堂冬租銀柒拾兩壹錢壹分

能仁堂無

棲霞堂夏冬租銀壹拾玖兩壹錢玖分壹厘
冬租米壹百伍拾捌石貳斗柒升捌合

棲霞圓通禪院夏冬租銀叁兩貳錢貳分叁厘
冬租米壹百伍拾壹石貳斗肆升

弘覺堂夏冬租銀壹拾兩柒錢陸分捌厘
冬租米陸拾玖石捌斗貳升肆合

靜海堂夏冬租銀叁兩捌錢陸分肆厘
冬租米柒拾壹石捌斗叁升捌合

殿堂焚修公費鷄鳴貳拾貳兩　棲霞壹拾玖兩
能仁弘覺靜海各壹拾叁兩柒錢

各寺常住出數

一各正殿逐日香燈鷄鳴棲霞各叁兩陸錢
能仁弘覺靜海各貳兩肆錢

一各傷殿逐日香燈鷄鳴棲霞各叁兩陸錢
能仁弘覺靜海各貳兩肆錢

一初貳拾陸伽藍齋鷄鳴棲霞各貳兩肆錢
能仁弘覺靜海各壹兩捌錢

一正月禮千佛茶點鷄鳴棲霞各壹兩貳錢
能仁弘覺靜海各壹兩

一清明中元祀祖鷄鳴棲霞各壹兩
能仁弘覺靜海各捌錢

一如來降誕成道齋鷄鳴棲霞各壹兩又鷄鳴寶公誕叁兩
能仁弘覺靜海各捌錢

一五月圓覺會茶點鷄鳴棲霞各壹兩貳錢
能仁弘覺靜海各壹兩

一萬壽千秋齋供鷄鳴棲霞各叁兩
能仁弘覺靜海各貳兩

一年節齋供鷄鳴棲霞各貳兩
能仁弘覺靜海各壹兩伍錢

常住事務公費鷄鳴棲霞各拾貳兩弘覺柒兩捌錢
能仁靜海各伍兩壹錢

一常住茶葉鷄鳴棲霞各肆兩弘覺貳兩
能仁靜海各壹兩

一疏結紙劄鷄鳴棲霞各壹兩弘覺捌錢
能仁靜海各陸錢

一公務襍費鷄鳴棲霞各肆兩弘覺叁兩
能仁靜海各貳兩

一常住小費　鷄鳴棲霞各叁兩　弘覺貳兩　能仁靜海各壹兩伍錢

住持教學等口粮　鷄鳴銀叁拾伍兩　能仁銀叁拾伍兩

棲霞銀叁拾肆兩　弘覺米伍拾陸石

靜海銀貳拾陸兩

一大住持　鷄鳴能仁各壹名每名貳拾伍兩

一堂劄住持　棲霞靜海各壹名每名壹拾陸兩　弘覺壹名折米貳拾捌石

一教學僧　鷄鳴能仁棲霞靜海各壹名每名捌兩　弘覺壹名折米壹拾肆石

一門夫山夫　鷄鳴能仁靜海各壹名每名貳兩　棲霞貳名共肆兩　弘覺貳名共折米陸石

一守下院僧　棲霞貳名共銀肆兩　弘覺貳名共米捌石

通經執事等口粮　各加僧粮拾陸分俱照本寺給獨鷄鳴每分折銀壹兩

鷄鳴銀壹拾陸兩

能仁銀伍兩柒錢陸分米壹拾玖石貳斗

棲霞米叁拾貳石　弘覺米玖石陸斗
靜海米陸石肆斗

一通經優給僧各叁名　每名加僧粮貳分

一維那僧各叁名　每名加僧粮壹分

一書記僧各壹名　加僧粮貳分

一管事僧各貳名　每名加僧粮壹分

一直庫僧各壹名　加僧粮壹分

一管殿僧各貳名　每名加僧粮壹分

一催租管洲僧　有耗銀耗米不必再給

各衆僧口粮　各寺牒僧柒拾名　各寺學僧叁拾名

鷄鳴給靈谷米肆百捌拾石
能仁銀叁拾陸兩米壹百貳拾石

棲霞米貳百石　弘覺米陸拾石
靜海米肆拾石

鷄鳴每名靈谷給米叁石捌斗

能仁每名銀叁錢陸分　米壹石貳斗

棲霞每名米貳石

弘覺每名米陸斗

靜海每名米肆斗

鷄鳴　用過銀捌拾伍兩
米叁百捌拾石
餘剩銀捌兩叁錢叁分肆釐
米無

能仁　用過銀玖拾伍兩伍錢陸分
米壹百叁拾玖石貳斗
餘剩銀伍兩貳錢捌分肆釐
米叁石捌斗柒升壹合

棲霞　用過　銀陸拾伍兩　米貳百叁拾貳石

　　　餘剩　銀叁兩玖錢壹分叁厘　米貳石柒斗柒升叁合

弘覺　用過　銀貳拾壹兩伍錢　米壹百貳拾伍石陸斗

　　　餘剩　銀肆錢玖分玖厘　米壹升叁合

靜海　用過　銀肆拾肆兩捌錢　米肆拾陸石肆斗

　　　餘剩　銀肆兩叁分貳厘　米貳石伍斗壹升貳合

凡餘剩銀米年終開報儘數爲修理殿堂之用

各寺禪堂出數

鷄鳴堂　每日約贍禪僧貳拾名

能仁堂　無

棲霞堂每日約贍禪僧貳拾柒名

棲霞圓通禪院每日約贍禪僧貳拾貳名

弘覺堂每日約贍禪僧壹拾叁名

靜海堂每日約贍禪僧壹拾壹名

條約

一殿堂焚修　凡香燭齋供等項。管事僧案期照數領出。公同各殿堂僧。買辦應用。不許將銀一併預支。及徑付殿堂僧手內。如有預支及破冒等弊。許衆僧禀究。殿堂逐年揭蓋壹次。已有額定銀兩。每年終查有應修理處。將貳季鈌僧粮。

及餘剩銀兌用。每五年遇丙辛年分大修壹次
將官住俸粮衆僧口粮扣除一半。如有興造工
大。即連扣貳年亦可。工完仍復舊額。目今靈谷
報恩已半扣修造。別寺如有興造。俱照此例。凡
用缺僧粮及餘剩銀。須呈禀批給。循環簿及歲
報冊內另開額外大修一款。不得混入前數。致
亂定規。其五年半扣者。錢糧兌廣。須另造稽工
簿報查。

本部議靈谷寺扣粮修殿稿　南京禮部祠祭淸
吏司爲修建殿堂以護　陵寢事。照得靈谷
寺乃　聖祖勑工部建造。護衛　陵寢。自
來皆係本部移文工部修理。目今殿堂雖多頹

毁值公帑匱乏之難以復議看得報恩寺大禪殿貳層已經官住衆僧扣糧修理前壹層工程已完今靈谷租粮頗饒亦應比例通查壹年内應扣之數原額殿堂揭盖銀拾貳兩全扣印官壹員折俸銀拾捌兩僧官壹員俸米叁拾陸石大住持貳名每名米貳拾肆石通經執事等粮伍拾分牒僧學僧等粮伍百名每分銀柒錢陸分米叁石捌斗別院僧粮壹百貳拾名每名米叁石捌斗俱半扣每年共扣夏租銀壹百伍拾玖兩冬租銀柒拾壹兩冬租米壹千叁百壹拾伍石每石約變價肆錢貳分約該銀伍百伍拾貳兩叁錢通共銀柒百捌拾貳兩叁錢該寺工程有大殿四圍廊墻全缺無量殿檐角朽壞禪堂律堂方建未完方丈將頽廊房庫司移改萬工池挑浚共該工壹千貳百餘兩已經動支去歲租粮并徵夏租銀起工候完日另報又觀音殿金剛殿重脩禪堂内大法堂公學堂改建共估銀伍百餘兩五方殿重造估銀貳千餘兩今歲冬租銀内除將伍百兩修觀音等殿外餘銀置買五方殿木植候下年租銀起造又下年租銀裝修叁年内

工程約可全完所扣俸米口粮一體復舊不許因而乾没及私意增減其扣粮内有別院僧口粮如別院自舉大工即准給用無工仍歸靈谷又扣米變銀如時價不等臨期再稟酌定即遇價賤佃户必照額徵米不得貪取小便擅改折色致釀奸弊僧人有稟改者重治伏候批示置立印信循環簿貳扇給該寺登記出入本司逐月稽考工完即備細造冊報 堂聽候查驗

堂批如議行 萬曆叁拾伍年叁月拾陸日

一常住事務 凡常住不定事務如官住到任及撥僧祈禱之類即在常住小費一款内凡衙門内各役賞用即在公務犒賞一款内到任祈禱事不恒有有亦易辦也獨馬下錢日增無厭今止三大寺照舊餘寺絶無不許分外需索分文

又本部官到寺設席風聞各役逼令常住添設素餅捏稱舊規實絕無根據已經各廳司會同稟　堂申飭如再有指索用及各寺分毫定行稟　堂從重究治各寺有懼惡濫與獻諂妄用致使經費不足定額那移者併將官住罰俸管事管庫僧檄鎖除此外果有事出不測費至貳兩以上仍許臨時稟查亦照大修例於餘銀批給另開額外公費一款附冊簿後註銷

本部會議禁革各役指騙稿

南京禮部司務廳儀制等四司爲嚴禁各役指騙事照得三大寺及朝天宮雖有　欽賜租粮原奉　旨贍給僧道及充香燈修理額派已定常住並無寬餘可

爲不經之費況本部官于各寺宮分旣相臨卽
用其分文粒米亦不免瓜李爲嫌風聞本部官
到寺宮設席各役逼令常住添設素菜麵餅稱
爲舊例如不供應卽肆呵斥又謂發銀辦飯借
用什物亦間有例可行各廳司查自到任以來
絕未經見止聞有一無籍僧官偶爾獻諂已經
爲事革職他寺實不皆然此等陋舉卽相習成
風亦宜禁絕況一人甫倡而遂欲衆人效尤則
科索之端濫觴何極雖先後各廳司皆能自愛
必不至悞聽而此輩敢於稱說惟思肆彼貪饕
不顧官府體面可謂知有忌憚者乎念係風聞
未有指名的據姑不追究合稟 堂嚴行申飭
至於馬下錢三大寺朝天宮往時間有拜客銀
貳分設席銀肆分堂役加倍據法本宜裁革姑
念所費不多量存以塞饞口除此外並無毫厘
相涉如有門皂巧立名色指稱舊規如前素餅
之類用及各寺宮分文卽以倚官嚇詐論重責
革役仍枷號各寺宮門首各寺宮如俱惡濫與
獻諂妄用者官住罰俸管事管庫僧道重責追
牒各寺宮公費出入原有循環簿開報祠祭司

簿内但有前項濫費開入及簿雖不載而實係
那移影射者應即呈　堂或知會各廳司各廳
司亦務期相成毋嫌彼此更乞　批示嚴諭各
役用使知儆禁於未然毋致爲淸曹之點染也
各廳司未敢擅便伏候裁奪施行　堂批供應
素饌之類雖事屬細微實傷大體各役妄揑舊
規希圖指索情實可恨再有犯者定枷責革役
祠司仍不時查覈循環簿如係堂役及各廳司
等役即呈禀知會務使弊端永杜以副各廳司
相成雅意於淸曹體面實大有裨也俱如議着
實嚴行　萬曆叁拾叁年正月拾陸日

一官住教學　官住俸薪不爲不厚欲其領袖衆
僧護持一寺乃只求俸薪到手租粮耗損漫不
經心則設官住何用自今務要各庄通完散衆
及存留俱足歲報册送查果無欠少錯悞方許

官住支給如過期不完官住俸粮截支候徵完方與開粮至於教學僧須以通經考前列者充之事務最煩應當優厚俸粮俱以到任着役日爲始但有開除俱合申報

一通經執事　通經優給僧原爲考官住及教學而設務取能作解義精通經典者如文理不甚通姑以塡數則粮止半給前堂維那僧專領衆焚修每月朔具結管事僧專管常住一應事務書記僧專管塡寫逐年租单告示月報歲報及一應冊籍疏結直庫僧專管收放銀米直日僧

專答應上司及巡察寺内一應違禁事舉報殿堂僧專管殿堂香燈各僧但有悞事及作弊者俱檄鎖究革限壹年壹換而管事直庫尤關緊要更不許戀役堂司淨髮施茶音樂等僧無過不必更換數已額定不得别立名色分外增加年終送歲報冊日俱送司查點以防虚冒通經僧考定音樂僧粮少姑免點通經書記僧每名支僧粮貳分前堂等僧每名各支僧粮壹分如有牒補粮仍本分衆支

一牒僧口粮　僧無定數粮難稽考弊竇甚多今

以各寺見在僧酌爲成額查靈谷寺原係護衛
陵寢有　旨贍僧千人似難擅議而天界報
恩亦與鼎立但見在實不及額今各定牒僧叁
百伍拾名外加學僧禪僧靈谷又加別院僧則
亦近千人之數矣雞鳴等伍次大寺牒僧各柒
拾名大約皆見在實數凡食粮牒僧專以本寺
度牒爲主牒僧踰於額外則照數截住候缺出
頂補年終該寺申報總收壹次如牒多缺少仍
以默經爲定目今獨報恩牒多補粮以考定別寺牒少俱不必考以牒僧虧
於額内則扣粮貯庫待有納牒者亦年終總收

牒僧又以實在寺焚修爲主。如外寺僧已納本寺牒，置房進住者，即准挨缺補粮。本寺牒已出外住，不實在寺者，即除名革粮，取度牒批過給還，不許冒濫。僧分叁班，逐日上殿。叁次不到，及告假滿叁月者，停粮。過壹年者，徑革。有故辭粮者，免其上殿。夏冬貳季給粮，各該寺備造花名册壹本，分額定舊管、新收、開除、實在，扣缺陞款，先後，即將度牒對查，專以納牒日期爲序。同日序齒，如以默經序補，則先後論案。花名册先送司查的批發，官住即公同衆僧照册唱名給散。

各僧於本名下親註領足繳查本司仍不時挈問其鈌僧餘粮止充修理不作别用冊内另開鈌僧粮一款以憑查估批發毋得混入餘剩數内致有隱漏

一學僧口粮　三大寺各額定學僧壹百伍拾名五次大寺各額定學僧叁拾名食糧專以到學爲主實在學半年開粮出學卽除粮數足候鈌頂補不足扣粮貯庫俱與牒僧一例每正月半開學拾貳月半止分上下半年正柒月分官住督同教學僧將實在學僧造花名假簿各名下

開某年月日到學先後卽以到學爲序同日序齒壹樣叁本送司用印一存本司一給官住一給教學僧遇有告假及事故從實塡報假滿壹月者革粮如有虛冒教學僧究革官住罰俸凡納牒必先經入學教學僧具結官住於夏冬二季類總報司方准起送如未經入學者不許納牒牒僧在學貳分兼支仍免上殿行童年捌歲以上貳拾歲以下不到學該寺撥令打掃殿堂學內所習用梵網楞嚴等經不許習[illegible]符法事只圖射利夏冬給粮備造花名冊壹本卽附牒

僧冊後事例式樣俱同先後序次即將假簿照驗不得攙越教學僧給與劄付爲照

一禪堂供衆　禪堂多係行僧叅學持齋僧規不失　國初撥田贍僧原爲此輩奈房僧好醜相形每懷忌嫉姑念習久難反止於各該寺租粮十之二三撥入供衆此皆係本司查增而非奪房僧所有如敢生事攙害定從重究治給有堂帖爲照其堂內規條每堂筭定歲入租銀若干兩米若干石每僧壹日飯食腐菜銀壹分或米貳升每日該贍禪僧若干名堂主登簿知會

官住除香燈募外僧多亦聽募助僧少以侵尅論官住不爲催租致有拖欠革俸抵償田地如有典佃雖費出有因亦必從重追究堂主或缺聽堂内衆僧公同官住另舉賢能充補不許徒弟眷屬世戀接管租粮俱堂主管理如有法師止覺察而不經手原無責任不宜赴司進謁催租僧堂内外各壹人不許偏用堂内不得將葷酒進入及蓄養行童違者堂主不許住堂各堂大門設立左右二六總掛務使僧衆通知用昉

隱閣

本部給各禪堂劄付南京禮部爲撥給禪堂以勵行僧以存祖制事祠祭淸吏司案呈照得禪堂多係行僧叅學持齋僧規不失國初本部奉旨分爲三等曰禪曰講曰教欽錄集開載甚詳今禪講僅存於禪堂而房僧絕不知爲何物矣然則聖祖所贍養之僧在今日亦惟禪堂足當之也奈薰蕕不能同器每加忌嫉縱習久難以盡移而德意豈容偏壅況一寺之中安得有分彼此今查棲霞寺見有欽賜金官等庄撥入禪堂乃三大寺獨無殊失優給行僧之意今議各寺以十分之三給之靈谷禪堂悟眞桐橋二庄及陳橋茄地洲約贍僧壹百柒拾壹名律堂龍都散甲二庄約贍僧壹百玖拾捌名天界禪堂靖安庄釆石洲莱地幷施捨田約贍僧柒拾叅名報恩禪堂藏經板頭莱地約贍僧柒拾陸名又鷄鳴禪堂大梅子洲約贍僧貳拾名皆給與帖文執管盖寺租自經淸查給衆較前有餘非奪房僧原有之物如有敢生事擾害者定從重追牒究治其禪僧雖難額定大略常存有約定之數卽見無弊其收租

正副二僧用堂内壹人堂外壹人互察官住一
體嚴催錢粮既多堂主要須得人官住亦宜不
時稽考但不許有分彼此私意中傷具由禀
堂奉批僧非禪則不成僧寺無禪堂則不成寺
聖祖贍養本意原爲此輩俗僧反懷忌嫉殊可
恨也如議撥給有敢生事擾害者查出重究奉
此又禀　堂奉批准各給帖奉此案呈到部擬
合就行爲此合劄某寺禪堂主僧照劄事理即
便遵照將後開各庄田地洲塲永遠執管收租
供衆有敢生事擾害者許執劄赴禀以憑重究
毋得違錯須至帖者　萬曆叁拾肆年捌月初
陸日

一撥佃借貸　各寺租粮所入儘足充用原無重
大事務賠累近年官住多假修理散衆爲名豫
撥洲田廣借債務實費僅十之二三而虛耗已
十之七八官住利於侵用雖屢經本部禁諭弊

終不止至令洲久假而不歸債盤算而無已賠累該寺莫此爲甚除前革職賠認外以後但有犯者不論實用與否官住卽行革職責令贖洲召債如有實賍仍加叅送至於佃田受價佃戶得以藉口尤爲不可幸未有犯亦合預禁如各寺果有緊急公費必不容已許於三大寺公費內相通借用申禀批給銀不起利租到卽還不得延挨

一月報歲報　各庄租粮俱分夏冬二季租到卽查額定公費照數扣存庫內以待半年之需下

次租銀相接亦如之未應交納者不許預先那用及零星取討以致折減虛耗其官住俸薪衆僧口粮亦分二季支給各有定數定時不許銀米那移後先攙亂致釀弊竇凡衆僧口粮隨到即具花名冊送部批給不許遲延散衆完方給官住至於公費逐時關支者須管事僧具領官住查照額例批發管庫僧將銀送官住驗封兌出仍封固判押發收書記僧即登報循環買何物料給何工役仍聽官住驗過蓋官住查理而不經手庫僧收貯而不折封用費不實責在管

事登報不實責在掌書互相覺察毋得黨同額定外又曡存餘剩銀米備額外不常之需聽臨時具手本批給如無手本不准支銷每月開報循環照例分舊管新收開除實在肆款款内仍備開原議額定數目各將見用數目附註其下以便查對每月終日預將簿送司朔日管事書記管庫僧一同赴領如有用不合例及指稱揭債那借等項名色卽係侵欺定重究追補每夏冬二季仍總造歲報冊規則與循環簿相同但彼以月計而此以歲計分潵與結總之異耳冊

內有過用者追賠合例與否官住年終考校即以此爲定餘剩銀米如至年終尚未支銷即報明與缺僧粮同充修理之用五次大寺錢糧不多止於夏冬歲報不必月報

一靈谷分給租粮　靈谷寺田租獨多內有天禧溧水等田又原係報恩天界等寺　賜田歸併僧錄司印官俸粮應獨派靈谷出辦餘寺俱免又鷄鳴係靈谷別院觀音閣係靈谷下院共額定僧壹百貳拾名附靈谷關支米糧獨銀兩不給以存寺內寺外之别

一報恩禪堂板頭　板頭銀俱禪堂贍僧目今用捌兩刻補鈌板約五年通完仍用贍僧每請藏逐月有循環簿開報印經刻板有號票給查悉載請經條例内

附三大寺及五次大寺公費文册數目

靈谷寺　循環公費簿貳本　散粮花名册夏冬貳本　歲報租粮册夏冬貳本　公學假簿本司本寺本堂叁本

天界寺　循環公費簿貳本　散粮花名册夏冬貳本　歲報租粮册夏冬貳本　公學假簿本司本寺本堂叁本

報恩寺　循環公費簿貳本　散粮花名册止冬季壹本　歲報租粮册夏冬貳本　公學假簿本司本寺本堂叁本

雞鳴寺　歲報租粮册夏冬貳本　公學假簿本司本寺本堂叁本　散粮花名册止冬季壹本

能仁寺　歲報租粮册夏冬貳本　公學假簿本司本寺本堂叁本　散粮花名册止冬季壹本

棲霞寺　歲報租糧冊夏冬貳本　散糧花名冊止冬季壹本
公學假簿本司本寺本堂叁本

弘覺寺　歲報租糧冊夏冬貳本　散糧花名冊止冬季壹本
公學假簿本司本寺本堂叁本

靜海寺　歲報租糧冊夏冬貳本　散糧花名冊止冬季壹本
公學假簿本司本寺本堂叁本

金陵梵刹卷五十二

各寺僧規條例

南京禮部祠祭清吏司爲條議僧道官職事宜事照得南京僧道錄司乃額設正六品衙門管轄各寺觀僧道及一切租糧詞訟大衆事煩居然一有司也往時官住多係匪人清規大壞本司職掌所關何忍藐忽以滋决裂除壞事官住已經革職另補外所有節次條議奉批遵行在卷今合通查約總開款另呈批示以便刊刻書冊永久遵照稟 堂奉批官住爲寺觀綱領向時考補叢弊濫費近經搜剔百凡清楚矣該司所列諸款更加

體悉凡在緇黃各宜自愛至于遵成事杜弊端則後之典茲曹者尤宜加意耳奉此合行刊刻書冊永遠遵照施行

計開

一額設　僧錄司額設左覺義壹員右覺義叁員徃時各住一寺近經咨北左覺義專住僧錄司右覺義叁員分住靈谷天界報恩三大寺係本部考選起送禮部具
題吏部覆授其大住持捌員靈谷天界報恩各貳員鷄鳴能仁各壹員俱係本部考選起送近亦咨北免其親赴止移咨禮部類

題。其棲霞弘覺靜海各壹名。係本部堂劄。其通經優給僧。靈谷天界報恩各拾名。雞鳴能仁棲霞弘覺靜海各叄名。係本司考試呈　堂發落。凡官住俱以別寺僧考補。不許即用本寺。以滋偏私。至於中寺住持。體統與大住持迥別。遇缺僧錄司將該寺有行僧。送本司默經考補給劄。小寺首僧。又與中寺住持不同。徑聽僧錄司選補。

新卷　本部咨定官住事宜劄付　南京禮部爲省繁文以杜揹勒并條議官住未盡事宜事祠祭清吏司案呈奉　本部送准禮部咨開准南京禮部咨議僧錄司未盡事宜煩爲查議回咨等因到部送司查得新補官住舊例行查三次本部因其煩擾已經裁減二次今即取用本寺一結又何必再取

見任寺結以滋勸索及查左覺義既管衙門印務總理諸山再兼本寺委屬重復其能仁寺既稱事簡止畱住持不必再設僧官及本寺僧官調靈谷寺則官省而事亦集矣至於住持原係不急之官既經查勘無碍又經考選堪充止須知會本部給劄不必令其親往以省盤費俱爲便益相應回咨案呈到部看得事求便民法宜通變既經南京禮部移咨前來又經該司查議妥當合咨煩爲照依來文內事理永爲定例施行等因咨部送司案呈到部擬合就行爲此劄仰該司官吏照劄事理卽便轉行各大寺以後如遇新補官住止取本寺一結不必重取見任寺結又該司左覺義見兼靈谷寺今只專住僧錄司衙門掌印總理諸山不兼本寺其能仁寺僧官卽調補靈谷寺能仁寺止畱住持壹名僧官不必再設又新補住持不必親往北部止聽本部移咨知會北部給劄管事俱永爲定例仍將遵過緣由幷各官到任日期申報施行

一劄付僧錄司　萬曆叁拾叁年拾壹月拾陸日

一考補　查　大明會典一款本司官俱選精通

經典戒行端潔者爲之查　欽錄集一款奉
聖旨靈谷天界天禧能仁鷄鳴五寺係京剎大寺
今後缺大住持務要叢林中選舉有德行僧入考
試各通本教方許着他住持毋得濫舉欽此又查
大明會典一款洪武年間禮部奏准凡度僧皆本
部考試能通經者方准給牒不通者黜還俗是考
經即度僧皆然不獨官住已也自來官住皆考經
不廢近忽將僧官改爲用閹夫僧官得轄各寺錢
粮詞訟關繫最大今不問賢不肖而一聽之閹已
非　祖制况閹雖示公實有不盡然者今該本

司呈　堂一以考經爲準經之通否自難掩人耳
目但往時雖係　堂考本司得以閱卷定擬去取
故請托終不能禁今　堂屬分爲兩考如左覺義
缺本司就右覺義叁員内考選貳員送　堂右覺
義缺本司就大住持捌員内考選叁員送　堂大
住持缺本司就堂劄住持叁名内考選壹名又通
經僧内考選肆名共伍名送　堂堂劄住持缺本
司就通經僧内考選伍名送　堂考用梵網楞嚴
二經出題皆　堂上親自閱卷取補本司止散卷
收卷並不干預去取如此則果係不通必難屢倖

各僧希冀之心或可藉以潛杜耳官住考補必由通經僧挨序而進有越次者卽係鑽刺其戒行優劣官住見有年終紀錄簿可查如有過犯不准送試通經僧取官住保結爲據凡通經僧每年終本司取八大寺僧考補壹次通經者照缺塡補不通者黜革人少姑以默經充數粮止半給試卷俱呈堂發落如本司官止壹員仍會儀制司官壹員同考承恩寺原不在大寺之列最善鑽刺不得破例濫收

一禁費　往時遇補官住本衙門各役及寺僧需索各不下陸柒拾金是何脂膏之地而濫費至是將

安望其修潔爲也因各僧役不遵禁諭已經弔取
用過底簿送　堂面審革役枷責有差至于各寺
結狀又經咨北止用本寺壹結其叁次疊取及見
任寺結俱革懲創之後似可稍戢矣復訪得逼索
之患皆起於文書稽緩自今但有官住缺出本寺
即時申報本司即牌行僧録司取應考僧名到司
定限第壹堂考試發案第貳堂送　堂覆考當日
補定隨牌行僧録司取結第叁堂僧録司將本僧
原住寺一結申送本司吏書隨即寫備咨文限第
肆堂呈　堂給發其使費等項一槩禁絶如有遲

延即審係何處留難過壹堂者責治過貳堂者究
贓務期嚴查以塞弊竇

新卷本部究追逼索官住銀錢一宗

南京禮部爲究追逼索官住銀錢事祠祭淸吏司案呈照得住時三大寺遇補官住本衙門各役索費約陸柒拾兩各寺畫結亦近此數而北上盤費不與焉此何等前程濫用至是爲此既補之後種種不肖難以化誨該本司呈　堂嚴行禁革今各不遵行逼索如故一經補出各役數拾人環集其家少不遂意豈呼喝罵而寺僧畫結則有去衣奪筆肆行詬辱叫駭異該本司弔取近年住持用過底簿送
堂蒙拘衙門舊役方四及官住等面審是的奉
堂批各寺補住持僧官此公典也而合署奸役以爲利藪羣起需索是何理法即相沿已久難以追究而自去歲該司禀堂禁革以後獨不可遵行乎往者考補多係夤緣本僧或尚有力可以出錢而近來堂司所考皆出至公盡絕請託其見取者多是貧僧通曉經典安能得錢塡此輩谿壑也今經

細訪幷查出底簿及舊役方四等口供其刁惡潑賴集衆橫行最爲大害者堂上則有長班王臣而班頭徐相次之司廳則有皁隸侯强兒而顏辣次之該司則有皁隸焦德而錢倫蔡春次之此皆蠹法恃兇均當痛治但念人多不能盡法王臣侯强兒焦德各責貳拾枷號貳拾日革役其餘各責貳拾追還騙去銀錢發各祠修理至於簿內所開莊先生是何么麽而動輒騙銀少者兩餘多者數兩計其所得反在各役之上而該司書手劉汝登罪亦次之似當各行革役而莊先生加責貳拾枷號其餘吏書等項得錢不多者姑且寬貸免究但錢自壹千銀自壹兩以上者盡行追出爲各祠廟修理之用衙門既清則羣僧之浪費亦所當究合行按簿追出於寺中修理或還債等項公用以前勿問但查此簿以後者可矣本部大意如斯中間有情法未當處置未盡者該司再酌量稟行務於合人情而塞弊竇亦衙門一快事也其各寺刁僧幷訪其尤無賴者枷號壹貳警衆奉此會同廳司遵照批示將莊先生即莊顯宗侯强兒即侯舉王臣焦德各責治革役枷號報恩寺門首貳拾日顏辣

即願朝棟又經霸占樂婦奉批責貳拾板華役枷號教坊司門首半月劉汝登華役徐相錢倫蔡春各責治訖其底簿所開除年遠不究外止據叁拾貳年拾貳月間性敏本性貳簿性敏用過衙門内共銀壹拾陸兩伍錢伍分共錢伍萬陸千柒百貳拾伍文寺内共銀叁拾玖兩捌錢共錢陸萬貳千陸百貳拾肆文本性用過衙門内共銀壹拾肆兩玖錢肆分共錢陸萬肆千貳百壹拾文寺内共銀叁拾兩柒錢叁分共錢叁千壹百柒拾文其各役及各僧名下除得錢少及錢多而已經華役免追外今查銀自壹兩以上錢自壹千以上開報衙門人役共銀壹拾兩零貳錢共錢貳萬叁千貳百叁拾貳文付送精膳司追收爲黄公祠修理之用靈谷寺索過性敏共銀貳拾肆兩肆錢共錢伍萬貳千叁拾文性敏原係報恩寺僧追出仍給報恩寺常住償還欠債鷄鳴寺索過本性共銀貳拾叁兩陸錢柒分追出亦給報恩寺湊刻續藏經板完日取該寺官住庫收繳又查新補報恩寺住持明裕到寺畫結有僧海寧道盛德華等索取點茶去衣奪筆糾衆辱罵查德華素行無犯姑責治釋放道

盛因醉酒放肆追牒還俗海寧慣能賭博追牒重
責枷號又查各官住皆索新補住持贄儀大約叁
肆兩如已退僧官如選則多至玖兩獨報恩寺住
持滿贄簿中無名據衆稱自來堅辭不受不意衆
濁之中有此獨清之品合動支該寺庫銀伍兩給
扁旌異併去年所派認債銀共貳拾兩伍錢陸分
亦仍歸常住免其召償大行獎勸以勵頹俗自今
新補官住不許衙門人役及寺僧仍前需索大書
木榜一通懸之衙門公署永遠遵行又經稟　堂
奉批俱如議行奉此合再書示知悉遵守案呈到
部擬合就行爲此示仰本衙門一應人役及諸山
官住僧道知悉各犯俱係初次姑從輕處今後考
補官住致有仍蹈前轍者體訪得實定行參送究
贓治罪決不輕貸　萬曆三十三年十二月十二日

一詞訟　查　大明會典一款凡内外僧官專一
檢束天下僧人恪守戒律清規違者從本司懲治。
若犯與軍民相干者從有司懲治又　欽錄集

一款。禮部爲　欽依開設僧道衙門事。一在京在外僧道衙門專一檢束僧道務要恪守戒律闡揚教法如有違犯清規不守戒律及自相爭訟者聽從究治有司不許干預若犯姦盜非爲但與軍民相涉。在京申禮部酌審情重者送問在外即聽有司斷理。是僧道專屬本部如武學軍衛之於兵部與有司原無預也自來僧道詞訟皆在本部如有司衙門行提必抄錄奉批原詞或移文知會或具由申請牽害者免提情重正犯量發原係相沿舊規近有未經知會申請徑自拘提本司不得與聞因有差役受囑借本部禁例朦朧赴該衙門註銷者旣侵職掌且長奸弊殊屬非法今後凡遇違制徑提者僧官住持逮行報奪懼威擅發一併究罪至於僧道詞狀徃時間批有司事易藐忽經年不爲申結爲累非細今後一遵　祖制例不行有司衙門止批僧道錄司其僧道訐訟亦例不許赴別衙門告理以長健訟刁風如係真正强盗人命例應赴別衙門須先稟知批詞限十日內申詳有枉斷者革職受賍者叅送違限不結提吏究責若犯姦盗非爲與軍民相涉遵照　欽依條例申部酌審情重送問情

輕徑自發落此外本部有民間墳地相爭及天文生醫生詞訟墳地原係户婚之類自應歸屬有司天文醫生雖屬本部然其詞訟並不見之典故亦似越局自今槩不准理即通狀到部亦止立案職内毋侵入職外亦毋侵出恪遵掌故毋致那移

一優恤　往時官住不務行修事舉專以趨奉爲恭體貌日賤即有好修僧道多不願就以致無賴成風諸務盡壞查　國初僧道録司止屬　部堂宣德年間本司文移猶用手本在今雖難追論而體貌似宜稍優凡本部官到寺觀拜客飲宴趨承

之禮或可量省至於各役需索呵斥尤傷本部體
面各司亦俱體恤已經呈　堂嚴禁合再申飭
一卯結　往時各寺逐月到司具結有寺小止一二
僧者不無煩累而聯屬覺察之規又不可廢查三
大寺原就近分統各寺今復於各寺中就近如城
中相去四五里內城外相去十餘里內者各以中
寺領小寺每月終各小寺互相具結送中寺住持
中寺住持于次月朔類總送司結內照節年告示
條約一不許勾引婦女一不許安歇奸細一不許
畜養牲口一不許擺設暈宴一不許與佃公產一

不許砍伐蔭樹。一不許汚穢殿宇。一不許私創菴堂。一不許干與訟事。一不許廢缺焚修。一不許窩藏賭博。一不許容留追牒。逐項登荅。有違犯者各該管官住及左右隣覺察申稟。而尤以左右隣爲主。如縱容不舉。一體究治。近行十家牌法每月十房內輪一房直牌應卯互結各房

一考校　官住管轄錢穀詞訟。不別賢否。何以勸懲。今議每歲終照武職例考校一次。十一月終。本司先發簿一扇。將應考事列爲條件。一徵租有無拖欠。一給衆有無足數。一官粮有無完納。一公費有無合例。一蘆洲有無撥佃。一公債有無揭借。一批

詳有無遲延一問理有無偏私一焚修有無廢缺
一戒律有無破毀報恩寺加經板有無欺隱各官
住逐一登答本司覆覈塡注考語呈　堂定奪過
重華職過輕罰俸有賢能者奬賞少則貳兩多則
肆兩於該寺宫公費内動支逐時有賢不肖事件
俱紀録各名後年終備查以定優劣每遇丙辛造
冊年分仍總考一次奬多者候缺送考罰多者革
職
一度籍　僧人度牒往時零星請給本司不便查考
至有犯事被逐行童亦得朦朧赴納自今各僧願

請廩者。聽其陸續報名僧司。僧司於夏冬二季類總報部。本司呈　堂劄行應天府各僧一同請給。不但本部得以稽查各僧。亦甚便益。年終僧錄司備開所屬寺觀僧道年甲籍貫度牒字號造冊貳本。一存本部。一送禮部。其亡故度牒繳部塗抹收架。但往時冊籍。已成故套。多非實僧。今咨北者仍依舊式。本部另照散粮花名冊造送。庶爲實據以便查考。

萬曆叁拾肆年肆月　日

附十家牌告示

南京禮部祠祭清吏司爲申明排門舊例以凈僧規事
據南京僧録司申稱萬曆十五年間奉本部設立各寺
十家牌法等緣由到司據此查得先年委有編甲事例
合無設立牌式行僧録司刊印各大中寺約十房設木
牌一扇如房少儘本寺爲止各小寺同一所領者就近
共牌各填註花名併造冊送司掛號給發各僧遵照後
開條欵十房互察有違禁者公同禀究如容隱事犯牌
内左右隣房及輪牌直日之家一體㩳鎖追牒每月朔
日各牌内輪一僧具有無違犯結狀送查每年終另填
新票申請更换具由禀 堂奉批如議速行奉此除牌

僧錄司照式刊印給發各寺輪房懸掛外合再出示曉諭各該寺僧衆一體遵照施行

一不許勾引婦女

一不許安歇奸細 有事在官者尤不得容留

一不許畜養牲口

一不許擺設筵宴 除官府遣厨外餘人俱禁

一不許典佃公產 即有重大緊急公務不得借名開例

一不許砍伐蔭樹

一不許汚穢殿宇 架寄填貯物件[illegible]號票聚集閑棍娼妓等類

一不許私創菴堂 大寺内有願造菴進住本寺者毋得攔阻

一不許干與訟事

一不許廢缺焚脩 有公學者尤不得廢業

一不許窩藏賭博

一不許容留追牒 無牒被逐者槩不准留

萬曆叁拾伍年貳月　日

年終繳舊換新

金陵梵刹志卷五十二

各寺公產條例

南京禮部祠祭清吏司爲清查常住公產事案查先該本司稟　堂會同儀制司郎中汪　清查常住田地除大寺

欽賜原無盜賣租糧已經議定外復將各中寺小寺公田載在本部職掌及碑記内者一一查覈行委僧錄司印官通行各寺攢造田形實徵二冊陸續送司汪郎中隨經陞任復呈委儀制司王事洪　會同清理備查得

欽錄集及碑記内開載洪武十五年三月初六日曹國

公欽奉
聖旨天下僧道的田土法不許買僧窮寺窮常住田土法
不許賣如有似此之人籍沒家產欽此又本年九月二
十五日戶部尚書孫英同本部官於　武英殿欽奉
聖旨天下僧道的田土依着曹國公置惠光菴的田土還
與他菴內了常州府武進縣懷德鄉糧長陸衡典了彌
陁寺田土三千畝止還一千畝今又要原鈔惟有這廝
不怕法度勒要和尚鈔如此之人難以本鄉住坐免他
死罪連家小發去邊衛充軍照得天下有此土覇之人
倚恃豪富將那僧道田土在已餘過年月以利息過本

爲由僧道乏鈔收贖擬將他絕賣以致僧道窮乏之土覇之家豪富體得如此者着有司拘集僧道取勘常住田産若納官糧外計贓坐罪田産還他本寺欽此又查

大明律一欵僧道將寺觀各田地朦朧投獻私捏文契典賣者投獻之人問發邊衛永遠充軍田地給還各寺觀其受投獻家長併管庄人參究治罪夫寺觀田地不許典賣

聖諭及律例歷歷可據況今常住公産又與僧道私置不同上則請　勅護持下則呈部禁約内亦間有

欽賜田土盈縮悉載職掌安得私賣之而私買之甚且

以白占爲也今查據本部職掌及碑記内開載田地其間見存者固多所有隱失情各不等如寺小之處有等奸猾里長設計逐僧藉口戶絶無人辦糧收歸執業則徑自白占與僧人原無干涉直當追田還寺者也又有土覇田畝相連計串黠僧暗賣暗買實契虛錢黠僧利值雖少猶愈於無衆僧受欺即覺已無可挽者又有寺小僧稀以他寺僧帶管則視常住爲傳舍急售其田挾輕資以去每畝止不過數錢而衆僧亦視爲無主物袖手不顧者此二項顯係投獻律例甚明但人情既以積獘爲固然本司亦難盡法以大創相應斟酌議處除賣

僧已故無從追究外其見在者俱責令照備原價贖回力不能者即追度牒逐出另着他僧贖之內有民情戀産不欲退贖情愿照佃田例減半輸租或田多而量退一二抵補薄價免於全贖皆聽從情處各隨所便無非

上不欲失

聖祖田産還他本寺之旨下則寧使法常不足情常有餘期於調劑之當而已今查據各寺見在田共貳千陸百伍拾肆畝捌分陸厘地共捌百伍拾壹畝捌厘山共壹千玖百叁拾肆畝叁分伍厘塘共貳百肆拾貳畝壹分陸厘通共伍千陸百捌拾貳畝肆分伍厘房壹百壹拾

伍間房地陸拾貳間半大約舊管及新收者十之九清出者十之一盡數查照入册各情俱已輸服其刁惡怙終難以理諭者則有窰墩菴田之被占於里長李鶴等復告上元縣貼明院田之被占於生員戎自華等復告巡視衙門俱經叅送法司仍如本司原斷田歸該寺各犯俱各擬罪有法司囬文在卷然田地雖已清理猶恐向後復有盜賣之弊查三大寺原分統各寺今復就各寺中以中領小互相覺察每月具結呈遞又以僧錄司總之每年該司給各寺由票一通送本司掛號歲終倒換每五年同三大寺通查一次伏候　批示刊刻書册

永遠遵照庶黠僧豪右不得私相買賣施主義舉可以

不孤而明禁昭然亦不至終於廢閣也稟　堂奉批中

小寺田業雖不盡出　欽賜然皆各寺之恒產也既

經查明甚者至法司治之霸占者其庶知警乎以中小

寺而分屬大寺尤得提綱挈領之意俱如議行奉此合

行刊刻書冊永遠遵照施行

今將各中小寺公產開後

○領有產小寺壹

靈谷寺所統

棲霞寺　公產載本寺冊內

西墳菴　田叁畝捌分捌厘　山伍分貳厘

地捌畝貳分叁厘　塘無

佛國寺　田柒畝叁分　山壹拾伍畝　○領有產
地無　塘無　小寺叁

清果寺　田壹畝叁分伍厘　山拾畝柒分叁厘
地肆畝柒分壹厘　塘伍分

梵惠院　田肆畝柒分肆厘　山捌畝
地叁畝陸分捌厘　塘柒分玖厘

茶亭菴　田玖畝伍分捌厘　山伍畝
地拾壹畝肆分壹厘　塘肆畝

草堂寺　田壹百玖畝伍分　山拾叁畝　○領有產
地貳拾柒畝捌分伍厘　塘捌畝伍分貳厘　小寺壹

慈仁寺　田無　山伍拾伍畝玖分
地拾畝貳分伍厘　塘貳分玖厘

翼善寺　田無　山伍拾肆畝伍厘　○領有產
地拾畝捌分柒厘　塘無　小寺肆

祈澤寺　田貳拾貳畝伍分伍厘　山陸畝
地捌畝肆分　塘無

天寧寺　田貳拾畝　山叁拾貳畝
地無　塘貳畝壹分

雲居寺　田肆畝壹分肆厘　山無
地柒畝貳分陸厘　塘陸分叁厘

莊嚴寺　田拾貳畝貳分陸厘　山無
地無　塘伍畝

定林寺　田陸畝　山柒拾伍畝　○領有産
地無　塘貳分　小寺壹

外永福寺　田玖畝玖分貳厘　山無
地無　塘無

光相寺　田無　山無　○領有産
地捌畝　塘無　小寺貳

天隆寺　田無房陸間　山叄畝
地無　塘無

積善菴　田肆畝柒厘　山無
地肆畝叄分壹厘　塘貳畝

廣惠院　田肆拾肆畝伍分　山貳拾捌畝伍分　○領有産
地貳拾貳畝捌分伍厘　塘伍畝貳分　小寺肆

寶善寺　田叄拾玖畝肆分伍厘　山伍畝
地柒畝陸分　塘叄畝貳分玖厘

龍泉菴　田陸畝壹分肆厘　山伍畝
地壹畝柒分柒厘　塘叄分

本業寺　田拾捌畝貳分　山拾貳畝
地拾貳畝玖分　塘叄畝伍分叄厘

普濟寺 田拾陸畝叁分叁厘 山叁拾叁畝
地拾伍畝伍分肆厘 塘陸畝

聆明院 田柒拾陸畝伍分 山壹畝貳厘
地肆畝貳分柒厘 塘肆畝貳分 ○領有產小寺貳

吳讀菴 田拾伍畝貳分陸厘 山玖分
地拾畝貳分 塘叁分伍厘

多福寺 田叁拾肆畝壹分叁厘 山無
地柒畝伍厘 塘柒畝肆分

三禪寺 田柒拾陸畝捌分捌厘 山壹百畝陸分玖厘 ○領有產小寺伍
地壹畝叁分叁厘 塘陸畝伍分

安平寺 田拾肆畝壹分陸厘 山無
地貳畝玖分肆厘 塘壹畝伍分

登臺寺 田陸畝叁分壹厘 山壹畝
地拾叁畝壹分玖厘 塘貳畝

慈光寺 田貳畝貳厘 山無
地無 塘無

無垢寺 田貳拾柒畝柒分 山貳拾陸畝捌分
地玖畝玖分捌厘 塘壹畝捌分陸厘

紫草寺 田壹拾陸畝肆分 山陸畝伍分
地壹畝 塘無

天界寺所統

承恩寺 向南廊房拾壹間 房地肆間半
向西廊房貳拾間 房地拾壹間

本寺禪堂 向南廊房拾貳間
向西廊房拾貳間

鷲峰寺 租房拾陸間 山無 ○領有產
地伍畝柒分伍厘 塘無 小寺壹

清溪菴 田肆拾壹畝 山無
地無 塘無

瓦官寺 田無 山無 ○領有產
地無 塘無 小寺壹

普利寺 租房拾壹間 房地拾伍間
地貳畝 塘無

金陵寺 田無 山拾陸畝貳分
地叁畝捌分 塘無

普惠寺 租房拾叁間 房地貳拾叁間半
地壹畝 塘無

本寺禪堂 租房拾肆間 山無
地無 塘無

嘉善寺 田叁拾壹畝肆分 地貳畝陸分 山拾畝 塘無 ○領有產小寺叁

三塔寺 田拾柒畝叁分肆厘 地玖畝壹分玖厘 山陸拾玖畝柒分 塘捌分貳厘

幕府寺 田柒畝肆分壹厘 地拾畝伍分陸厘 山壹百拾壹畝肆分捌厘 塘無

崇化寺 田伍畝捌分柒厘 地無 山叁拾叁畝 塘無

弘濟寺 田拾畝叁分伍厘 地貳拾壹畝陸分陸厘 山伍拾捌畝壹分捌厘 塘無 ○領有產小寺貳

本寺禪堂 田捌拾伍畝 地無 山無 塘無

清真寺 田拾畝肆分肆厘 地拾肆畝肆厘 山柒畝捌分壹厘 塘無

梵惠寺 田貳拾壹畝叁分叁厘 地無 山伍畝陸分 塘無

報恩寺所統

能仁寺 公產載本寺冊內 ○領有產小寺壹

外鷲峰寺 田無 地肆畝壹分玖厘 山陸畝 塘壹畝叁分陸厘 ○領有產小寺柒

弘覺寺 公產載本寺冊內

外承恩寺 田貳拾捌畝捌分伍厘 地拾叁畝陸分 山肆拾壹畝 塘捌分

通善寺 田貳拾柒畝玖厘 地玖畝柒分捌厘 山貳拾柒畝叁分柒厘 塘貳畝柒分柒厘

廣緣寺 田叁拾畝壹分 地捌畝伍分 山拾畝 塘柒畝

三山寺 田拾捌畝玖分貳厘 地肆拾畝玖分玖厘 山壹百伍拾壹畝 塘無

圓通寺 田無 地玖畝 山陸畝 塘無

佑聖菴 田貳畝貳分叁厘 地肆畝捌分柒厘 山無 塘無

淨明寺 田陸畝壹分叁厘 地捌畝貳分陸厘 山貳拾畝伍分 塘叁畝玖分

碧峰寺 田無 地肆畝柒分 房地玖間 山無 塘無 ○領有產小寺壹

萬松菴 田無 地叁畝 山陸畝 塘無

西天寺 田無 地無 山無 塘無 ○領有產小寺壹

德恩寺 田無 地無 山壹拾畝 塘無

高座寺 田無 地無 山無 塘無 ○領有產小寺叁

安隱寺 田肆畝伍分 地陸分貳厘 山貳畝 塘壹畝伍分

寶光寺 田肆拾玖畝壹分 地叁畝 山拾伍畝 塘無

均慶寺 田陸畝伍分 地陸畝肆分伍厘 山無 塘無

永寧寺 田無 地無 山無 塘無 ○領有產小寺貳

本寺方公祠 田叁拾伍畝 地無 山無 塘無

寶林菴 田壹畝柒分 地拾捌畝伍分玖厘 山貳拾貳畝 塘壹畝伍分

普德寺 田貳拾伍畝玖分玖厘 山貳拾柒畝
地拾肆畝肆分玖厘 塘叁畝捌分捌厘

本寺禪堂 田壹百陸拾玖畝叁分貳厘 山拾伍畝
地貳拾伍畝叁分 塘拾肆畝玖分伍厘

永興寺 田壹百捌拾玖畝陸分貳厘 山叁畝
地拾畝叁分柒厘 塘壹畝叁分陸厘

外永寧寺 田貳百柒拾貳畝壹分陸厘 山貳拾叁畝玖厘 領有產
地柒拾陸畝貳分 塘貳拾壹畝肆分捌厘○小寺肆

德勝寺 田叁拾壹畝伍分伍厘 山陸拾肆畝
地無 塘壹分貳厘

智安寺 田拾畝貳分肆厘 山陸畝柒分
地拾叁畝玖分貳厘 塘壹畝肆分

德壽寺 田肆畝貳分玖厘 山拾畝叁分
地無 塘壹畝肆分捌厘

永泰禪寺 田肆拾肆畝陸分柒厘 山肆畝
地貳拾壹畝肆厘 塘伍畝壹分柒厘

崇因寺 田壹百伍拾伍畝柒分陸厘 山貳拾柒畝肆分捌厘 領有產
地拾捌畝柒分壹厘 塘拾柒畝伍分柒厘○小寺叁

英臺寺 田叁畝伍分 山捌畝
地拾貳畝叁分陸厘 塘貳畝

慈善寺　田拾壹畝貳分陸厘　山無
地貳拾陸畝肆厘　塘無

鳳嶺寺　田拾捌畝肆分玖厘　山拾畝
地貳拾柒畝捌分捌厘　塘貳畝伍分壹厘

祝禧寺　田壹百肆拾柒畝玖厘　山肆拾伍畝玖分肆厘　○領有產
地貳拾陸畝陸厘　塘拾伍畝叁分伍厘　小寺壹

天隆極樂寺　田拾伍畝伍分貳厘　山拾貳畝叁分玖厘
地拾肆畝壹分柒厘　塘叁畝捌分叁厘

花巖寺　田壹百陸拾叁畝玖分　山陸拾壹畝捌分　○領有產
地叁拾伍畝　塘貳拾陸畝玖厘　小寺壹

惠光寺　田拾壹畝貳分　山叁分
地無　塘無

祖堂寺　田陸拾畝玖分叁厘　山肆百肆畝貳分捌厘　○領有產
地叁拾伍畝柒分叁厘　塘柒畝肆分玖厘　小寺貳

永泰講寺　田拾玖畝伍厘　山拾畝
地無　塘玖分伍厘

淨居寺　田無　山陸畝柒分伍厘
地伍畝陸分壹厘　塘貳畝肆分陸厘

建昌寺　田肆拾貳畝陸分肆厘　山無　○領有產
地叁畝伍分壹厘　塘柒畝壹厘　小寺叁

西林寺　田貳拾捌畝柒分　山伍畝
地叁畝貳分肆厘　塘貳畝

般若寺　田肆拾伍畝　山壹拾貳畝
地壹畝貳分　塘壹畝

高臺寺　田貳拾柒畝叁分玖厘　山玖畝捌分
地伍畝柒分柒厘　塘無

清福寺　田貳拾畝伍分伍厘　山無　○領有產
地肆畝　塘壹畝伍分壹厘　小寺貳

棲隱寺　田拾伍畝陸厘　山貳畝
地貳拾伍畝肆分柒厘　塘拾叁畝陸分肆厘

葛塘寺　田叁拾陸畝捌分陸厘　山肆畝
地貳畝　塘無

福興寺　田貳拾貳畝壹分肆厘　山叁拾壹畝　○領有產
地貳畝叁厘　塘叁畝　小寺壹

後陽寺　田捌畝肆分　山叁畝
地拾玖畝陸厘　塘無